Молочник

ЧИТАЙТЕ В СЕРИИ
«ЛИТЕРАТУРНЫЕ ХИТЫ: КОЛЛЕКЦИЯ»:

ЗЭДИ СМИТ
Время свинга • О красоте • Белые зубы

ДЖОРДЖ СОНДЕРС
Линкольн в бардо • Десятое декабря

ЛАЛИН ПОЛЛ
Пчелы • Лед

АЛИ СМИТ
Осень • Зима

ЛУИЗА ЭРДРИЧ
Лароуз • Круглый дом

ОЛЬГА ТОКАРЧУК
Бегуны • Диковинные истории

ДАВИД ГРОССМАН
См. статью «Любовь» • Как-то лошадь входит в бар

ЭМИЛИ ФРИДЛУНД
История волков

ЭРИК ВЮЙАР
Повестка дня

ПОЛ ОСТЕР
4321

ДЭЙЗИ ДЖОНСОН
В самой глубине

АХМЕД СААДАВИ
Франкенштейн в Багдаде

СОФИ МАКИНТОШ
Исцеление водой

РЭЙЧЕЛ КУШНЕР
Комната на Марсе

МАЙКЛ ОНДАТЖЕ
Военный свет

АННА БЕРНС

Молочник

Москва
2019

УДК 821.111-31
ББК 84(4Вел)-44
Б51

Anna Burns

MILKMAN

Перевод с английского
Григория Крылова

Бернс, Анна.

Б51 Молочник / Анна Бернс ; [перевод с английского Г. Крылова]. — Москва : Эксмо, 2019. — 416 с.

ISBN 978-5-04-104863-1

В безымянном городе быть интересной — опасно. Средняя сестра пытается скрыть от матери отношения с неверным бойфрендом и еще больше — повторяющиеся встречи с таинственным Молочником. Когда местное сообщество узнает про эту тайную связь, ничем не выделяющаяся до сих пор средняя сестра становится объектом пристального внимания всех — родственников, друзей, соседей, спецслужб. А этого она хотела меньше всего.

Грустный и смешной одновременно, «Молочник» мог быть написан Гоголем, родись он на век позже и прочитай он Джойса.

УДК 821.111-31
ББК 84(4Вел)-44

ISBN 978-5-04-104863-1

Кейти Николсон, Клер Даймонд
и Джеймсу Смиту
посвящается

Первая

Молочник умер в тот самый день, когда Какего Маккакего приставил пистолет к моей груди, назвал кошкой и грозил меня пристрелить. Его прикончила одна из расстрельных команд той страны, и я не испытывала на этот счет никаких эмоций — пристрелили и пристрелили. Но другие очень даже испытывали, и некоторые из них, говоря попростецки, «знали меня в лицо, но знакомы со мной не были», и обо мне пошли разговоры, потому что они пустили слух, или, вероятнее, слух пустил первый зять, что у меня, восемнадцатилетней, был роман с этим сорокаоднолетним молочником. Я знала его возраст не потому, что его застрелили и об этом написали медиа, а потому, что за несколько месяцев до этого ходили разговоры среди людей, которые и пустили слух, что сорок один и восемнадцать — это отвратительно, что разница в двадцать три года отвратительна, что он был женат, и мне никому не удастся заморочить голову, потому что вокруг находилось много тихих, незаметных людей, которые потихоньку приглядывали за мной. Вроде как я сама и была виновата в этом романе с молочником. Но у меня не было никакого романа с молочником. Молочник мне не нравился, и его преследования, попытка завести со мной роман пугали и сбивали меня с толку. Первый зять мне тоже не нравился. Он в своей навязчивости придумывал всякие небылицы про сексуальную жизнь людей. Про мою сексуальную жизнь. Когда я была помладше, лет двенадцати, когда он появился с возвращением моей старшей сестры, после того как ее бойфренд, с которым она прожила не один год, получил от нее отказ за то, что ходил налево, этот чел обрюхатил ее, и они тут же поженились. Он делал на мой счет и для меня непристойные замечания с самого первого дня, как меня увидел — говорил о моей вазочке, о моей мохнатке, о моей веселушке, моей коробочке, моей кружке, моем гнездышке, моей двустворке, — но при этом использовал и другие слова, сексуальные слова, которых я не понимала. Он знал, что я их не понимаю, но я и тогда знала достаточно, чтобы почувствовать, что они сексуальные. И это доставляло ему удовольствие. Ему было тридцать пять. Двенадцать и тридцать пять. Разница тоже была в двадцать три года.

Он отпускал свои замечания и даже чувствовал себя обязанным отпускать эти замечания, а я молчала, потому что не знала, как реагировать. Он никогда не ехидничал на мой счет, если сестра находилась в комнате. И неизменно, стоило ей выйти, как в нем словно кто-то щелкал выключателем. Во всем этом имелось и положительное: никаких физических поползновений с его стороны не было. В те времена и в тех местах насилие оставалось главным критерием, по которому судили окружающих, а я сразу же увидела, что насилия в нем нет, что он из другого вида. И все равно его хищническая натура каждый раз погружала меня в ступор. Так что он был куском дерьма, а у сестры тяжело протекала беременность — она все еще любила прежнего долгосрочного бойфренда и не могла поверить в то, что он сделал с ней, что он по ней не тоскует, потому что он ничуть не тосковал. Он теперь жил с какой-то другой. Сестра вообще его больше здесь не видела, потому что вышла замуж за этого, который постарше, но она сама была слишком молода, и слишком несчастна, и слишком влюблена — но не в него, — чтобы увлечься этим. Я перестала к ним заходить, хотя она и грустила, но я больше не могла выносить его слов и гримас. И вот, через шесть лет, в течение которых он пытался домогаться меня и моих других старших сестер, но мы все трое — напрямую, косвенно, вежливо и не очень — давали ему отлуп, на сцене неизвестно откуда появился молочник, тоже без приглашения.

Я не знала, чьим он был молочником. Не нашим — точно. Думаю, ничьим. У него и молока-то никакого не было. Он никогда не привозил молоко. И молочную цистерну не водил. Машины он водил разные, часто крутые, хотя сам был никакой не крутой. И при этом я заметила и его самого, и его машины, только когда он настырно стал появляться в них передо мной. Потом вдруг возник этот фургон — маленький белый неприметный трансформер. Время от времени его видели за рулем и этого фургона.

Как-то раз я шла, читая на ходу «Айвенго», а он появился в одной из своих машин. Я часто читала на ходу. Не видела в таком чтении ничего плохого, но, в конечном счете, и это вместе со всеми другими делами обернули против меня. «Чтение на ходу» — это явно имелось в списке.

«Ты одна из таких девчонок угадай-ка, да? А папу у тебя звали так-то и так-то? Твои братаны — энтот, энтот, энтот и энтот играли в команде по хоккею на траве, верно? Прыгай сюда. Подвезу».

Это было сказано как-то так, походя, с уже открывающейся пассажирской дверью. Я с испугу бросила читать. Не слышала, как он подъехал. И не видела никогда прежде этого чувака за рулем. Он высовывался, смотрел на меня, улыбался и своей любезностью показывал расположение. Но теперь, когда мне стукнуло восемнадцать, улыбка, любезность, расположение меня как раз и настораживали. Дело было не в предложении подвезти. Люди с машинами часто здесь останавливались и предлагали людям их подвезти — то ли сюда, то ли отсюда. Машины в те времена были не в изобилии, а общественный транспорт из-за террористических угроз и похищений ездил с жуткой нерегулярностью. Понятие «знакомство с колес»[1], возможно, и было признано, но как практика это явление порицалось. Я с таким точно никогда не сталкивалась. Как бы то ни было, никакого «подвезти» мне не требовалось. Это если по большому счету. Я любила ходить — ходить и читать, ходить и думать. А еще я конкретно не хотела садиться в машину к этому мужику. Но я не знала, как это ему сказать, потому что он не вел себя грубо, знал мою семью, потому как вручил верительные грамоты — назвал мужчин в моем семействе, и я не могла быть грубой, потому что он не был грубым. «Я гуляю, — сказала я. — Я читаю», — и показала ему книгу, словно «Айвенго» должен был объяснить мою прогулку, потребность прогуляться. «Ты можешь и в машине читать, — сказал он, и я не помню, что на это ответила. Затем он рассмеялся и сказал: — Не бери в голову. Не беспокойся. Наслаждайся своей книгой там». Он закрыл дверь и уехал.

В первый раз больше ничего и не случилось, а слухи пошли сразу же. Появилась старшая сестра, потому что ее муж, мой сорокаоднолетний зять, послал ее проведать меня. Она пришла проведать и остеречь меня. Сказала, что люди видели, как я разговаривала с этим типом.

«Иди в жопу, — сказала я. — Что это еще значит “люди видели”? Кто меня видел? Твой муж?»

«Ты лучше слушай меня», — сказала она. Но я не хотела слушать — из-за него и его двойных стандартов. И из-за того, что смирилась с ними. Не знаю, но я почему-то винила ее, давно винила, за его бесконечные замечания, обращенные ко мне. Винила за то, что она вышла за него, хотя и не любила, да и уважать никак не могла, потому что

---

[1] Английское выражение *kerb-crawling* — буквально: «езда на малой скорости вдоль тротуара», — обозначает способ знакомства с женщиной с определенной целью, поиск проститутки. — *Здесь и далее примеч. пер.*

она знала — да и как могла не знать? — про его хождения налево.

Она пыталась настаивать, все советовала мне, как я себя должна вести, предупреждала, что ничем хорошим это не кончится, что из всех мужчин этот... Но я уже наелась. Я была в ярости, принялась еще браниться, потому что она не любила брань, а ее только так и можно было выпроводить. Потом я кричала вслед ей в окно, что если этот трус хочет мне что-то сказать, то пусть придет и скажет сам. Это была ошибка: не стоило так взвинчиваться, не стоило высовываться и орать прилюдно в таком взвинченном состоянии, кричать в окно, на улицу, позволить так спровоцировать себя. Обычно мне удавалось не попадаться. Но я разозлилась. Во мне накопилось столько злости — на нее, за то, что она такая покорная жена, всегда делает точно, что он ей скажет, на него, за то, что пытался охмурить меня своими мерзотностями. Я уже чувствовала собственное упрямство, мое «не суй свой нос» крепло. К сожалению, всякий раз, когда это случалось, я становилась жутко своенравной, отказывалась извлекать уроки из случившегося и, что называется, готова была себе уши отморозить, лишь бы всем досадить. Что же касается слухов обо мне и молочнике, то я, даже не задумавшись, пропустила это дело мимо ушей. Сплетни приливали, отливали, приходили, уходили, выбирали другую цель. И потому я не придала значения этому роману с молочником. Потом он появился опять — на сей раз пешком, это случилось, когда я бегала в парках с верхними и нижними прудами.

Я была одна и на сей раз без книги — на бегу я никогда не читаю. А тут опять он, откуда ни возьмись. На этот раз он побежал бок о бок со мной, хотя никогда прежде его тут не бывало. И вот мы уже бежали вместе, словно всегда так вместе бегали, и я опять испугалась, как я всегда потом пугалась, встречая этого человека, кроме последнего раза. Поначалу он молчал, а я и говорить не могла. Потом он заговорил, начал откуда-то с полуслова, всегда словно продолжая начатый разговор. Говорил он короткими словами и немного напряженно, потому что я набрала быстрый темп, а говорил он о том, где я работаю. Он знал мою работу — где она находится, что я там делаю, в какие часы, дни, знал, что я каждый день утром сажусь на автобус двадцать минут девятого, если его не угоняют, и еду в город. Еще он сообщил мне, что я никогда не возвращаюсь этим автобусом домой. Так оно и было. Каждый рабочий день, в хорошую погоду и непогоду, во время перестрелок или взрывов, перемирий или беспорядков я предпочитала идти домой пешком, читая на ходу. И всегда это была книга девятнадцатого века, потому что я не люблю книги двадцатого века, потому что я не люблю двадцатый век. Оглядываясь назад, я думаю, молочник и обо всем этом тоже знал.

И вот он говорил свои слова на бегу вдоль одного из берегов верхнего пруда. Был еще и нижний пруд, поменьше, у детской игровой площадки. Он смотрел вперед, этот тип, когда говорил со мной, ни разу на меня не взглянул. Во время этой второй встречи он не задал мне ни одного вопроса. Да и ответов от меня ему, похоже, никаких не требовалось. Впрочем, никаких ответов я сама и не могла дать. Я все еще пребывала в состоянии «откуда он взялся на мою голову?». И еще: почему он вел себя так, будто знает меня, будто мы знаем друг друга, тогда как мы друг друга не знаем? Почему он считал, будто я не возражаю против его присутствия рядом со мной, тогда как я возражаю? Почему я не могла просто остановиться и сказать этому типу, чтобы он оставил меня в покое? Только спустя время — и я не имею в виду спустя час — мне в голову пришли другие мысли, кроме «откуда он взялся на мою голову?». Говоря «спустя время», я имею в виду мои двадцать лет. А в то время, в возрасте восемнадцати лет, будучи воспитанной в обществе, члены которого заводились с полоборота, где базовые принципы были: если по отношению к тебе не было допущено насильственных действий, если на тебя не вывалили кучу словесных оскорблений, если тебя не мерили издевательскими взглядами, то ничего и не случилось, ты не могла считаться пострадавшей от того, чего не было. В восемнадцать я толком не понимала действий, которые могли рассматриваться как посягательство. Я их ощущала, чувствовала интуитивно; некоторые ситуации и люди вызывали у меня отвращение, но я не знала, что интуиция и отвращение имеют значение, не знала, что у меня есть право испытывать неприязнь, не мириться с любым и всяким, кто вторгается в мое личное пространство. Максимум, на что я была способна в те дни, — это надеяться, что те лица поспешат сказать то, что дружелюбие и любезность велят им сказать, а потом исчезнут, или исчезну я, вежливо и быстро, в самый первый момент, когда появится такая возможность.

С этой второй встречи я знала, что молочника тянет ко мне, что он ко мне клеится. Я знала: мне не нравится, что его тянет ко мне, и я сама к нему ничего такого не чувствую. Но никаких прямых слов о том, что он ко мне чувствует, он не сказал. И еще: никаких вопросов он мне не задавал. И физически ко мне не прикасался. Он даже ни разу не посмотрел на меня во время этой второй встречи. К тому же он был старше меня, гораздо старше, а потому я спрашивала себя, может, я ошибаюсь, может, я выдумываю всю эту ситуацию? А что касается бега, то мы находились в общественном месте. Тут днем просто было два больших соединенных парка, а по вечерам — опасная среда, хотя и днем опасностей хватало. Люди не любили признавать, что там наверняка опасно, потому что все хотели, чтобы имелось хотя бы одно место, куда они могут пойти. Я не владела этой территорией, так что у него были такие же права бегать там, как и у меня, точно так же, как у ребят в семидесятые было право распивать там спиртное, точно так же, как ребята чуть постарше, позднее, в восьмидесятые, чувствовали себя вправе нюхать там клей, а люди еще постарше, в девяностые, приходили туда колоться героином, так же, как сегодня местная полиция пряталась там, чтобы фотографировать врагов той страны. Еще она фотографировала известных и неизвестных пособников врагов той страны, именно это тогда и случилось в том самом месте. Когда я с молочником пробегала мимо куста, раздался громкий щелчок, а я мимо этого куста тысячу раз пробегала, и никаких щелчков оттуда не доносилось. Я знала: в тот раз это случилось из-за молочника и его участия, а под «участием» я подразумеваю связи, а под «связями» я подразумеваю активное сопротивление, а под «активным сопротивлением» я подразумеваю врага той страны из-за политических проблем, которые существовали в это время. Значит, теперь я должна была оказаться в каком-то досье, на какой-то фотографии, как прежде неизвестная, а теперь определенно известная пособница. Этот молочник сам ни слова не сказал про тот щелчок, хотя не услышать его было невозможно. Я же прореагировала тем, что стала резвее работать ногами, чтобы уже закончить эту совместную пробежку, и тоже сделала вид, что ничего не слышала.

Но он тут же прекратил наш бег, и мы уже теперь не бежали, а шли. И это не потому, что он был в плохой форме, просто он был не бегун. Все это беганье у прудов, где я никогда не видела его бегающим прежде, ни разу не касалось собственно бега. Я знала, что все это беганье было ради меня. Он дал это понять, потому что перешел на шаг, замедлил бег, чтобы перейти на шаг, но я знала, что такое шагать, и для меня ходьба во время бега была совсем не тем, что мне требовалось. Я, однако, не могла так сказать, потому что не могла быть в более хорошей форме, чем этот человек, не могла знать о моей собственной жизни больше, чем этот человек, потому что положение мужчины и женщины здесь никогда бы такого не позволило.

Это была территория «я мужчина, ты женщина». Это было то, что ты, если ты девочка, могла сказать мальчику, или женщина — мужчине, или девушка — мужчине, и это было то, что тебе — по крайней мере официально, по крайней мере на публике, по крайней мере часто — не позволялось говорить. Некоторым девушкам затыкали рты, если они решали, что они не подчиняются мужчинам, не признают превосходства мужчин, некоторые могли даже зайти так далеко, что чуть ли не противоречили мужчинам, главным образом, непутевый тип женщин, тип пренебрежительный и слишком самоуверенный. Но не все мальчишки и мужчины были такими. Некоторые смеялись и находили оскорбленных мужчин забавными. Эти мне нравились — и мой наверный бойфренд был из таких. Он рассмеялся и сказал: «Ты меня разыгрываешь! Не может быть, чтобы дела обстояли так плохо. Неужели и вправду?», это случилось, когда я упомянула о знакомых парнях, которые ненавидели друг друга, но объединялись в ненависти к шумливости Барбры Стрейзанд; парнях, разгневанных на Сигурни Уивер за убийства этого существа в новом фильме, тогда как ни один мужчина в этом фильме не мог его убить; парнях, злившихся на Кейт Буш за то, что она похожа на кошку, злившихся на котов за то, что они женственны, хотя я не сказала ему о том, сколько котов находят убитыми и искалеченными по самое не балуйся, вплоть до того, что в моем районе осталось их всего ничего. Я вместо этого закончила на Фредди Меркьюри, которым все еще восхищались, пока можно было не признавать, что он того — педик, после чего мой наверный бойфренд поставил кофсйник: из всех, кого я знала, только у него и у его дружка шеф-повара были кофейники — потом сел и снова рассмеялся.

Это был мой «чуть ли пока не годичный наверный бойфренд», с которым я встречалась вечером по вторникам, время от времени вечером по четвергам, потом чуть не по всем вечерам с субботы на воскресенье. Иногда казалось, что это легкий флирт. А иногда, что вовсе и не флирт. Лишь немногие из его друзей видели в нас настоящую пару. Большинство считали, что мы такая пара, из которой никогда не получится пара, того типа, что могут регулярно встречаться, но несмотря на это, никто не считает их настоящей парой. Я бы хотела, чтобы мы были настоящей парой и встречались официально, и как-то раз сказала об этом наверному бойфренду, но он сказал «нет», что это неправда, что я, вероятно, забыла, и потому он мне напомнит. Он сказал, что мы как-то раз попытались — он был моим постоянным парнем, а я была его постоянной девушкой, мы встречались, договаривались и вроде продвигались, как настоящие пары, к некоему будущему концу. Он сказал, что я стала необычная. И он сказал, что и сам стал необычным, но он никогда прежде не видел меня, чтобы во мне было столько страха. Пока он говорил, я нечетливо вспомнила кое-что из того, что он имел в виду. Но другая моя часть думала: он это сочиняет? Он сказал, что ради того, что уж там было между нами, он тогда предлагал, чтобы мы разошлись, перестали быть постоянной девушкой и постоянным парнем, чему причиной, на его взгляд, была я, так как я все время пыталась начать этот «разговор о чувствах», во что, поскольку меня охватывал страх, когда мы это делали, и поскольку я говорила о чувствах даже меньше, чем он, я, вероятно, сразу же не поверила. И тогда он предложил вернуться на эту наверную территорию, на которой мы не знаем, собираемся мы быть вместе или нет. И мы вернулись, и он сказал, что я успокоилась, и он тоже успокоился.

Что касается официальной «мужской и женской» территорий и того, что можно говорить женщинам, и что они не должны говорить никогда, то я не сказала ничего, когда молочник притормозил, потом сбросил скорость, а потом остановил мой бег. И опять без всякой малейшей нарочитости он не казался грубым, а потому и я не могла быть грубой и бежать дальше. Вместо этого я позволила ему замедлить меня, этому человеку, рядом с которым я не хотела быть, и в тот момент он сказал кое-что обо всем этом моем хождении, которым я занималась, когда не бегала, и сказал он слова, которые я не хотела, чтобы он говорил или чтобы я их когда-либо вообще слышала. Он сказал, что озабочен, что не уверен, и все это время он так и не смотрел на меня. «Не уверен, — сказал он, — во всех этих побегушках и всех этих походяшках. Слишком много побегушек и походяшек». Сказав это и больше ни слова, он завернул за угол в конце дорожки и исчез. Как и в прошлый раз с его крутой тачкой, так и в этом случае — с его внезапным появлением, близостью, бесцеремонностью, щелчком камеры, его суждением о моем беге и хождении, а потом опять резким исчезновением — я пребывала в таком смятении, что и испугаться не успела. Да, это казалось потрясением, но потрясением из-за того, что было таким маленьким, незначительным, даже слишком обыденным, чтобы взаправду, по-настоящему потрясаться. Но из-за этого, только несколько часов спустя, когда я вернулась домой, я смогла расчухать, что он знает о моей работе. Как я домой добралась, я тоже не помню, потому что, когда он ушел, я попыталась снова бежать, хотела вернуться к своему расписанию, сделать вид, будто он и не появлялся вовсе, или хотя бы, что его появление никак на меня не повлияло. А потом, поскольку я была в каком-то рассеянном состоянии, я поскользнулась на глянцевых страницах, выпавших из какого-то выброшенного журнала. Это был разворот с фотографией женщины с длинными черными непокорными волосами, на ней были чулки, подвязки, еще кое-что, черное и кружевное. Она улыбалась мне, откинувшись назад и раздвинув для меня ноги, вот тогда-то я и поскользнулась и потеряла равновесие, упала на тропинку и в полный рост оценила ее предложение.

Вторая

Наутро после пробежки, и раньше обычного и не говоря себе, по какой причине я изменила маршрут, я отправилась в другой конец района, чтобы сесть на другой автобус до города. И тем же автобусом я вернулась домой. Впервые в жизни я не читала на ходу. Я обошлась без хождения. И опять я не сказала себе о причине. И еще я пропустила мою следующую пробежку. Не могла не пропустить — вдруг он опять объявился бы в парках-и-прудах. Но если ты серьезный бегун, и бегун на дальние дистанции и с определенным предубеждением к определенной части города, то ты должен каким-то образом встроить эту всю территорию в свое расписание. Если ты этого не сделал, то маршрут у тебя обкорнанный из-за религиозной географии, а это означало, что для достижения сравнимого эффекта тебе придется крутиться по кольцу на куда как меньшей площади. Хотя я любила бег, монотонность этого беличьего бега в колесе сказала мне, что я не так уже его и люблю, так что в течение целых семи дней я вообще не бегала. Мне казалось, что я уже вообще никогда не буду бегать, но мое желание взяло верх. Вечером седьмого дня без бега я решила вернуться в парки-и-пруды, на этот раз в обществе третьего зятя.

Третий зять был не первый зять. Он был на год старше меня, и я его знала с самого детства: шальной спортсмен, шальной уличный драчун, вообще во всем шальной. Он мне нравился. Другим он тоже нравился. Когда к нему привыкали, он начинал нравиться. И еще у него было свойство: он никогда не сплетничал, никогда не делал сальных замечаний или сексуальных намеков и вообще никаких намеков ни о чем. Он не задавал манипулятивных вопросов о том, что его не касалось. Да и вообще он редко задавал вопросы. А вот что касается драк — это да, он дрался. С мужчинами. Никогда с женщинами. Вообще-то, согласно диагнозу, который ему поставило общество, у него было какое-то умственное отклонение от нормы, а потому он считал, что женщины должны быть пухлыми, вдохновляющими, даже мифологическими фигурами не от мира сего. Еще предполагалось, что мы должны пререкаться с ним, к тому же вроде как бы брать верх, что было очень необычно, но составляло часть его незыблемых правил касательно женщин. Если женщина была не мифологической фигурой и все остальное, то он пытался сам двигать ее в нужном направлении, становясь по отношению к ней немного диктатором. Это его огорчало, но он верил, что когда она, благодаря его напускному деспотизму, достигнет нужного состояния, она вспомнит, кто она есть, и с достоинством вернет себе кое-что за пределами физического. «Но психически не очень устойчив», — говорили некоторые местные мужчины, возможно, все мужчины района. «Но если уж ему никуда не деться от неустойчивости, — говорили все женщины района, — то мы считаем, что лучше всего ему и дальше так продолжать». И вот с его нетипично почтительным отношением ко всему женскому он стал популярным у женщин, а это сделало его еще более популярным вообще. И еще выгодным преимуществом — я имею в виду для меня с моей проблемой с молочником — было то, что все женщины в округе видели зятя именно таким. Так что не одна женщина, не две женщины, не три и даже не четыре женщины. Немногочисленные женщины, если они не замужем, не матери, не группиз, никак не связанные с мужчинами, имеющими власть в нашем районе, — что означало военизированные подпольные группировки в нашем районе, — ничего бы не смогли добиться в своих общественных инициативах, в изменении общественного мнения к своей выгоде. Но наши женщины скопом добивались этого, а в редких случаях, когда протестовали по поводу какого-нибудь социального или местного обстоятельства, являли собой устрашающую силу, с которой другие силы, казавшиеся еще более устрашающими, не могли не считаться. И все вместе эти женщины ценили своего заступника, а это означало, что они будут его защищать. Это были — он и женщины. Что касается его отношений с мужчинами района — и, возможно, к их удивлению, — то большинство мужчин моему третьему зятю симпатизировали и уважали его. При его превосходном сложении и инстинктивном понимании мужского рукопашного кода района, у него имелись надлежащие подтверждения полномочий, даже если его почитание женщин, с точки зрения мужчин, достигло состояния гнилого банана. Поэтому его в районе принимали все, и что касается меня, то я его тоже принимала, а в прошлом я и бегала с ним, а потом в один прекрасный день перестала. Его самоистязательское отношение к физическим упражнениям превосходило мое самоистязательское отношение к физическим упражнениям. Его подход оказался слишком надсадным, слишком прямолинейным, слишком оскорбительным по отношению к реальности. Но я решила возобновить с ним пробежки не для того, чтобы физически устрашить молочника, который испугается, что зять поколотит его. Он, конечно, уступал зятю в возрасте и форме, но молодость и физическая форма мало что гарантируют, а нередко даже ничего не гарантируют. Необязательно быть молодым и уметь бегать, стрелять, например, и я была абсолютно уверена, у молочника с этим полный порядок. Но я рассчитывала, что напугать молочника могут поклонники третьего зятя — уважение разных полов, которое он заслужил. Если же он встанет на дыбы, начнет возражать зятю, который сопровождает меня, то столкнется не только с осуждением всего местного сообщества, но и его репутация как одного из ведущих влиятельных неприемников той страны упадет до такого уровня, что его не примут ни в одном из домов, и он станет жертвой любого и первого попавшегося военного патруля, как если бы он был не одним из наших главных и влиятельных героев, а каким-нибудь вражьим полицейским, вражьим солдатом из-за моря или даже одним из членов вражьих военизированных формирований, защищающих ту страну. Я предполагала, что он как неприемник, сильно зависящий от местного сообщества, не станет ради меня отталкивать их от себя. Таким был тогда мой план, и этот план питал меня уверенностью, и сожалела я только о том, что он не пришел мне в голову на семь дней и ночей раньше. Но он пришел сейчас, и назавтра я собиралась привести его в действие. Я надела кроссовки и остальное и отправилась в дом третьего зятя.

Дом третьего зятя стоял по пути к паркам-и-прудам, а когда я подошла, все было так, как я и предполагала: зять был в саду на дорожке, уже в спортивной одежде, разогревался. Он бормотал ругательства, и я подумала, что он даже не отдает себе отчета в том, что бормочет ругательства. «Блядь, блядь», — тихонько звучало в воздухе, когда он растягивал икроножную мышцу правой ноги, потом икроножную мышцу левой ноги, потом посыпались «бляди», когда он работал с правой и левой камбаловидными мышцами, потом он сказал, не поворачиваясь ко мне, потому что растягивание мышц требовало сосредоточения, тоже без малейшего намека на то, что я здесь, вернулась, чтобы бегать с ним после значительного перерыва: «Мы сегодня пробежим восемь миль». — «О'кей, — сказала я. — Восемь так восемь». Это его потрясло. Я знала, он ждал, что я должна нахмуриться, сказать, мол, восемь миль — мы такого никогда не делали, а потом на манер воинственной богини сообщить ему, сколько миль мы делали. Но мои мысли были заняты молочником, и меня не волновало, сколько миль мы сделаем. Он выпрямился, посмотрел на меня. «Ты меня слышала, свояченица? Я сказал — девять миль. Десять. Двенадцать миль — вот сколько мы пробежим». И опять он мне намекал, что я должна спорить и не соглашаться. В обычной ситуации я бы так и сделала, но в тот момент мне было все равно, да я хоть всю страну вдоль и поперек готова была пробежать, пока от малейшего чиха — даже не собственного, а чьего-то постороннего — ноги не отвалятся. Но я попыталась. «Да ладно тебе, зять, — сказала я. — Не двенадцать миль». — «Да, — сказал он. — Четырнадцать». Было ясно, что мое возражение не прозвучало достаточно категорически. Хуже того, мое наплевательское отношение с учетом особенностей моего пола теперь привело его во взвинченное состояние. Он вперился в меня взглядом, может, подумал, больна я или что. Я никогда не знала, о чем думает зять, но я точно знала, дело не в том, что он не хочет бежать четырнадцать миль или не способен пробежать четырнадцать миль. Для него — с его потребностью, чтобы ему возражали, — как и для меня — с моей озабоченностью молочником — расстояние было самой малозначительной вещью в мире. Дело было в том, что я не запугала его. «Я не пугало», — начал он, и это означало, что у нас начинается длительный приступ односторонней торговли, но на их тропинку вышла его жена, моя третья сестра.

«Пробежка!» — проворчала она, и эта сестра стояла в своих стретчах и шлепках, и все ногти на пальцах ног у нее были выкрашены в разные цвета. Это было еще до того времени, когда люди, кроме как в Древнем Египте, красили ногти в разные цвета. В одной руке она держала стакан с «бушмилсом», в другой стакан «бакарди», так еще и не решила, с чего начнет. «Вы два ебанутых, — сказала она. — Просто помешались — хотят, чтобы все у них в жизни было по полочкам. Шизики, мудохлебы анальные... И вообще, какие это ублюдки бегают?» После этого она удалилась, потому что к ним приперлись пятеро ее друзей. Двое ногами распахнули ветхую калитку перед их крохотным домом, потому что не могли сделать это руками — они были заняты бутылками со спиртным. Остальные прошли через живую изгородь, а это означало, что они опять превратили изгородь в черт знает что. Изгородь была маленькая, высотой в фут, «штришок», как говорила моя сестра, только этому штришку так никогда и не удавалось прoштриховаться, потому что люди забывали о его наличии и проламывались через него или падали прямо на него, что именно теперь и сделали остальные трое друзей. А потому он в качестве растительности снова был потревожен, снова претерпел изменение формы, когда три эти женщины продрались через него на траву. Прежде чем они втиснулись в маленький домик, они, как обычно, попотешались над нами двумя — над бегунами. Делали они это на ходу, подначивая нас кончить разминку — у них это вошло в правило, когда они заставали нас за каким-нибудь важным церемониальным занятием. Наконец, когда они закрыли входную дверь, а мы вдвоем перепрыгнули через изгородь, начиная нашу пробежку, я сразу же почувствовала запах табачного дыма и услышала смех и брань из гостиной; еще я слышала бульканье высокой струи, текущей в высокий стакан.

Мы с третьим зятем, который продолжал тихонько браниться себе под нос, пробежали мимо верхнего пруда семь дней спустя после того, как я бежала здесь с молочником. Я сама поглядывала вокруг — не нагрянет ли откуда неприятная неожиданность, хотя и не хотела, чтобы этот тип присутствовал в моей голове. Я хотела, чтобы у меня в голове присутствовал наверный бойфренд, потому что он там и был прежде, весь такой уютный, пока опасения в связи с молочником не выбили его из моей головы. Был вторник, и я встречалась с ним вечером после этой пробежки, когда он должен был закончить выправлять кузов своего последнего битка. Я назвала последний серым, а он сказал, что это серебристый зеро-х-и-еще-что-то, и он отложил свою отремонтированную белую, чтобы заняться этим серым битком и немедленно начать восстановление, но, когда я вошла в его гостиную в прошлый вторник, у него на полу стоял совсем другой автомобиль. «У тебя машина на ковре», — сказала я. «Да, я знаю, блестящая, правда?» Потом он рассказал, что у всех них — имея в виду работающих парней — случился оргазм, потому что прямо в их гараж вывалили какое-то суперспециальное авто, созданное каким-то суперклассным изготовителем машин. «Ни за хер собачий! Ни гроша не взяли! Ни хрена вообще!» — кричал он — прямо в их гараж, прямо им на колени. «Ты можешь представить? — сказал он. — Ни бобов! Ни сосисок!» — имея в виду деньги, имея в виду, что владельцы ничего от них за это не хотели. «Люди, которые ее привезли, — сказал он, — сказали еще: "Вы, ребята, можете еще взять нашу поломанную плитку, наш крутой холодильник, наш гладильный каток, старенький коврик, который в принципе ничего, только постирать немного надо, чтобы не вонял, а потом можете положить себе в туалет, плюс можете взять всю битую посуду и шлакоблоки, мешки с камнями подойдут для щебенчатого фундамента под теплицу". И мы тогда подумали, — сказал мой наверный бойфренд, — что эти бедные старики думают, мы свалка, а не автомастерская, а потому, может, и правильно взять у них этот "Бентли-Блоуер", потому что они впали в старческий маразм и сами не понимают, что делают, не знают даже, чего стоит эта машинка даже в таком состоянии. Но некоторые из нас толкали других локтями и шептали: " Не говори ничего. Они хотят от нее избавиться, так что мы ее просто возьмем, и все". Но некоторые из нас сказали коечто, изменив, конечно, про маразм так, чтобы не обидеть». Он сказал, что пара после этого ощетинилась и сказала: «Вы что, хотите сказать, что мы глупые или что? Вы хотите сказать, мы нищие или что? Вы что хотите сказать? — И тут они принялись нас оскорблять. — Если вы, козлы, думаете, мы спятили, то мы уедем, заберем нашу белую мебель, наши камни, наше барахло, наш «Бентли», наш коврик, все наши отличные материалы, которые мы вам привезли от доброго сердца. Так что либо да, либо нет, проверьте, плевать нам или нет». — «Конечно, мы берем», — сказал мой наверный бойфренд. В этот момент я открыла рот, чтобы спросить, что это за... но он опередил меня, сказав «гоночный автомобиль», предположительно, чтобы сделать мне жизнь легче. Обычно он не делал мне жизнь легче, не преднамеренно, а потому, что его заносило, хотя он опять же неправильно воспринимал свою аудиторию, когда говорил о машинах, а его аудиторией была я. Он продолжал говорить, давал технические подробности до последней детали, что было больше, чем требовалось, даже полезно, но я понимала, что ему необходимо использовать меня, потому что эта машина взбудоражила его, а кроме меня в комнате никого не было. Конечно, он не ждал, что я все это запомню, как я не ждала, что он запомнит «Братьев Карамазовых», «Тристрама Шенди», «Ярмарку тщеславия» или «Мадам Бовари» только потому, что когда-то я в возбужденном состоянии рассказывала ему о них. Хотя наши отношения были наверными, неправильными отношениями, отношениями типа «пойдем куда-нибудь», каждому позволялось в возвышенные моменты выговориться до конца, а другой пусть предпринимает усилия, чтобы хотя бы частично понять, что ему говорят. К тому жс я не была абсолютно невежественной. Я видела, как он радовался тому, что происходит в гараже. А еще я знала, что «Бентли» — это машина.

Теперерь он стоял, глядя на нее влюбленными глазами, на эту штуковину на ковре в его гостиной. Он стоял, глазел, по его лицу расплылась улыбка, он весь светился. Вот это он и делал тогда – я от этого заводилась, он меня так заводил, когда был поглощен собой, когда был самим собой, не смотрел на себя со стороны, колдовал над кучей старья с выражением сосредоточенности и неизбывной любви на лице, говоря себе, что он имеет дело с серьезными проблемами, и несчастное старое авто может не поправиться, если его орудия жестянщика не будут лечить его добросовестно, а еще когда некоторые могут пожать плечами и сказать по жизни о жизни: «Нет, и смысла не имеет пытаться, вероятно, это не восстанавливаемо, так что мы не должны пытаться, а вместо этого приготовиться к огорчению и разочарованию», но наверный бойфренд сказал бы: «А она может заработать, я думаю, она будет работать, так что давай-ка попробуем, а?», и даже если она бы не заработала, он по крайней мере не принижал бы себя до бесполезности, прежде не попробовав. После того как проходило его разочарование по случаю неудачи, он в очередной раз с новой решимостью с настроем «могу», даже когда он не мог, тут же принимался за что-то новое. Любопытный, заинтересованный и энергичный — из-за страсти, из-за планов, из-за надежды, из-за меня. Вот так и обстояли дела. К тому же со мной он был открытый, прозрачный, правдивый, всегда был тем, кто он есть, без всякой этой крутости, этих утаиваний, этих замыслов, этих обидных, иногда умных, всегда подлых манипуляций. Без всякого мошенничества. Без всяких игр. Он этим не занимался, его это не волновало, он этим не интересовался. «Это все ни к чему», — говорил он, отметая всякие маневры, чтобы защитить сердце. Потому сильный. И незапятнанный. Неиспорченный в мелочах, а потому и несоблазняемый делами крупными. Это было уникально. Поэтому меня и влекло к нему. Вот почему я, стоя там, глядя на него, глядя на его машину, слушая его рассуждения и недоумения вслух, я возбуждалась и...

«Ты слушаешь?» — спросил он. «Да, — сказала я. — Все слышала. Ты рассказывал про начинку машины».

Я имела в виду ту хрень на ковре, но он сказал, что расскажет еще раз, потому что я, кажется, не ухватила основ. И тогда я узнала, что эта внутренняя хрень на самом деле — наружная хрень, что она находится на передке машины. И еще он сказал, тачка, с которой эта штука, была полной рухлядью, когда появилась в гараже. «Ты только представь! Она была просто ржавым дырявым ведром, полным ужасом, потому что какой-то идиот завел двигатель, а масло забыл долить. Жизненно важные части отсутствовали, дифференциал отсутствовал, поршни пробили клапанную крышку, почти всю, представляешь, наверная герлфренда, это же настоящая трагедия». По тому, что я могла понять, — поскольку хрень на полу не представляла собой ничего особенного, скорее просто какую-то обычную штуковину, — эта тачка была прежде, в начале двадцатого века, машиной мечты, престижной, нескучной, крутой, скоростной, шумной, машиной, которая не любила стоять. «Не подлежащая искуплению», — сказал мой наверный бойфренд, имея в виду «не подлежащая восстановлению», и все же он улыбался, глядя на нее. Он сказал, что он вместе с остальными после долгих споров, распрей и, наконец, после голосования решил размонтировать то, что есть. И вот они ее разобрали, потом стали тащить жребий, и мой наверный бойфренд в конечном счете получил эту хрень на ковре, ничего себе такую хрень, и получал от нее теперь приступы чистого кайфа.

«Турбонагнетатель», — сказал он, а я сказала «угу», — а он сказал «нет, ты не понимаешь, наверная герлфренда. В те времена считаные машины имели турбонаддув, это считалось продвинутой технологией. Они уложили на спину всех конкурентов — и все благодаря этой штуке». Он показал на хрень на полу. «Угу», — снова сказала я, а потом мне пришла в голову мысль. «А кто получил сиденья?» Услышав мой вопрос, он рассмеялся и сказал: «Это неправильный вопрос, дорогая. Иди-ка сюда», — и он прикоснулся пальцами — боже мой — к моему загривку. Это было опасно, всегда опасно. Всякий раз, когда его пальцы были там — между моей шеей и моим затылком — я забывала обо всем — не только о том, что было за мгновение перед пальцами, а вообще обо всем — кто я такая, что делаю, все мои воспоминания, все обо всем, кроме того, что я там, в этот миг, с ним. Потом, когда он погладил мне загривок пальцами, нашел канавку, вот ведь пройда, мягкую тютельку над выступающей косточкой, все стало еще опаснее. В этом месте от томления и потери ощущения времени мой мозг начинал тормозить. С опозданием я думала: *ой-ой, а если он начнет там гладить пальцами!* Я превращалась в желе, а это означало, что он должен меня обнять, чтобы я не упала, а это означало, что я должна позволить ему меня обнять. И все равно через несколько мгновений мы оба падали на пол.

«Забудь про сиденья, — пробормотал он. — Сиденья — дело важное, но не самое. Вот что важно». Было не ясно, что он имеет в виду — все еще машину, или же его внимание переместилось на меня. Я подозревала, что машину, но бывают моменты, когда ты не можешь заставить себя спорить, а потому мы поцеловались, и он сказал, что заводится, а я не завелась, и я сказала, не мог бы он настроиться, как я настроена, а он тогда пробормотал, что это такое, а я пробормотала, что *что это такое*, и он сунул что-то мне в руку, что я у него оставила, и это оказалось «Шинелью» Гоголя, и он сказал, что просто положил ее сюда, то есть на стол, что он и сделал, и правильно сделал, и мы уже собирались, может, устроиться на ковре, или на диванчике, или где-нибудь еще, когда раздались голоса. Они приближались по тропинке, а потом раздался стук в дверь.

На пороге были люди, его соседи. Они заявились к нему, потому что прошел слух о «Бентли», никто этому не поверил, и они хотели убедиться своими глазами. При их многочисленности и настойчивости случай нельзя было свести к «я того, я занят, не могли бы вы прийти попозже?». Их желание, казалось, было сильнее, настоятельнее, важнее нашего. Они объясняли свое появление и продвигались вперед от порога, вставали на цыпочки, старались заглянуть через плечи наверного бойфренда, чтобы хоть краем глаза увидеть драгоценный автомобиль. Наверному бойфренду пришлось объяснять — потому что все знали, что он держит машины у своего дома и в своем доме, — что в данном случае это не целая машина, а только турбонагнетатель, но и этого тоже, казалось, хватило, чтобы стать потрясающей, невероятной новостью. Они определенно хотели войти, на минуточку, только чтобы одним глазком глянуть на это удивительное, необычное явление. Он их впустил, и их рвение перешло в тишину, когда они заполнили комнату и почтительно уставились на хрень на полу.

«Экстраординарно!» — сказал кто-то — и это означало, что так оно, вероятно, и есть, потому что такое слово никогда не использовалось в нашем лексиконе. Как и другие, ему подобные: «чудесно!», «великолепно!», «изумительно!», «поразительно!», «сенсационно!», «экстракласс!», «супер!», «вот это да!», «нифигасе!», «убойно!», «бриллиантиссимо!», «чудно́!», «невероятно!», даже «однако» и «в самом деле», хотя я сама и мои сестры говорили «однако» и «в самом деле». Это было эмоциональное слово, слишком живописное, слишком высокопарное, слишком фразерское; по сути, оно принадлежало основополагающему «заморскому»[1] языку, притом что «основополагающий» было одним из таких слов. Если такие слова и использовались здесь, то они почти всегда раздражали, смущали или пугали местных, поэтому кто-то сказал: «Ёп! Кто бы мог подумать?!», что понизило градус, поскольку больше отвечало местной социальной ориентации. За этим последовали дальнейшие социальные успокоители, потом раздались новые стуки

---

[1] В оригинале: *over the water* — «находящийся за водой» «заморский», «запроливный»; имеется в виду язык Англии, отделенной от Северной Ирландии Ирландским морем и проливами; персонажи романа говорят эвфемистическим языком, не называя предметов и понятий, которые вызывали раздражение в ирландском обществе того времени.

в окно и еще стуки в дверь. Вскоре дом был битком набит, меня запихали в угол, и автофаны принялись говорить о классических авто, исторических авто, загадочных авто, спортивных авто, авто с мощой, гражданских авто, авто с кучей прибамбасов или о побитых авто, которые никогда не ремонтируются, а всегда выглядят так, как должны выглядеть. Потом пошли разговоры о мощи, очертаниях, тачках большого взрыва, жестком ускорении, дополнительном ускорении, недостаточности торможения (ценная вещь), фантастических ударах сзади (еще одна ценная вещь), от которых у тебя появляется такое великолепное ощущение, будто ты сейчас расколешься, как орех, а задница у тебя вжимается в сиденье. Так как этот разговор продолжался без всяких признаков того, что он может остановиться, я посмотрела на часы и подумала, а где мой Гоголь? Потом, когда они перешли на резкие согласные, названия из номеров, названия из цифр и букв — NYX, KGB, ZPH-Zero-9V5-AG — с каковыми сам мой наверный бойфренд был едва ли знаком, я такой перегрузки не могла вынести, и мне пришлось выносить себя вместе с «Шинелью» из комнаты. Я уже была на полпути из гостиной, когда кто-то, юный парнишка, сосед наверного бойфренда, остановил меня, остановил нас всех замечанием, точно оброненным в паузе во время этой борьбы за воздушное пространство. «Это все очень хорошо, сосед, — сказал этот сосед, — хорошо, что у тебя эта так называемая классическая штука и все такое, и я вовсе не пытаюсь остроумничать или что-нибудь, но, — тут все затаили дыхание, все насторожились в ожидании атакующего движения. И оно было сделано. — Кто из вас в гараже вытащил хрень с флажком?»

В это время, в этом месте, когда доходило до политических проблем, которые включали бомбы, пистолеты, смерть, калечение, обычные люди говорили «их сторона сделала это», или «наша сторона сделала это», или «их религия сделала это», или «наша религия сделала это», или «они сделали это», или «мы сделали это», тогда как на самом деле имелось в виду «это сделали защитники той страны», или «это сделали неприемники той страны», или «та страна сделала это». Сейчас и тогда мы могли сделать усилие над собой и сказать «приемники» или «неприемники», хотя и делали, только когда пытались просветить посторонних, потому что, когда только в своем кругу, мы особо не заморачивались. «Мы» и «они» было второй натурой: удобной, знакомой, инсайдерской, и эти слова просто срывались с языка без всякого напряга от необходимости вспоминать и выхватывать отшлифованные фразы или дипломатические правильные деликатности. По молчаливому согласию — недоступному посторонним, если только это не касалось их собственных интересов, — все единодушно понимали, что, когда каждый здесь использует трайбалистские идентификаторы типа «мы» или «они», «их религия» или «наша религия», не *всех* из нас и не *всех* из них, само собой разумелось, следовало принимать за чистую монету. Таков был всеобщий итог. Наивность? Традиция? Реальность? Идет война, и люди спешат? Выбирайте, хотя ответ, главным образом, последний. В те ранние дни, те самые темные из темных дней, не было времени для словарных сторожевых псов, для политической корректности, для осторожных представлений вроде: «будут ли меня считать плохим человеком, если...», или «будут ли меня считать ограниченной, если...», или «поддерживаю ли я насилие, если...», или «будут ли считать, что я поддерживаю насилие, если...», и все — *все* — понимали это. Все обычные люди понимали также основы того, что позволительно и что непозволительно, что нейтрально и может быть свободно от предпочтений, понятий, символов и кругозоров. Один из наилучших способов описания этих неписаных правил и установлений остановится на секунду на предмете под названием «имена».

Пара, которая держала список имен, недопустимых в нашей округе, не сама определила эти имена. Какие имена разрешены, а какие нет, определялось духом нашего сообщества, уходящим в прошлое. Хранителями списка запрещенных имен были два клерка — мужчина и женщина, они часто каталогизировали, регулировали и модернизировали эти имена, доказывая свою канцелярскую эффективность, но из-за этого сообщество их считало умственно неполноценными. Их старания были излишними, потому что мы, жители, инстинктивно придерживались списка — соблюдали его, но глубоко в его содержание не вдавались. Еще в них не было необходимости, потому что этот список на протяжении долгих лет до появления этой миссионерской пары своими собственными силами прекрасно увековечивался, пополнялся и сохранялся. У пары, которая хранила список, были совершенно обычные имена, мужское и женское, но в сообществе их называли Найджел и Джейсон, и сама добродушная пара воспринимала эту шутку[1] без обид. Те имена, которые запрещались, запрещались по той причине, что они слишком уж пахли «заморской» страной, но при этом не имело значения, что некоторые из этих имен возникли вовсе не в той стране, а были ею присвоены и использовались ее жителями. Считалось, что запрещенные имена напитались энергией, силой истории, многовековым конфликтом, запретами и противились принуждениям, давно наложенным на эту страну той другой страной, а исходная национальная принадлежность имени теперь вообще не принималась во внимание. Запрещенными именами были: Найджел, Джейсон, Джанспер, Ланс, Персиваль, Уилбур, Уилфред, Перегрин, Норман, Альф, Реджинальд, Седрик, Эрнест, Джордж, Харви, Арнольд, Уилберайн, Тристрам, Клайв, Юстас, Оберон, Феликс, Певерилл, Уинстон, Годфри, Гектор, и Губерт, родствен-

[1] Шутка состояла в том, что оба имени — мужские.

ник Гектора, тоже попадал под запрет. Как и Ламберт, или Лоуренс, или Говард, или другой Лоренс, или Лайонел, и Рандольф, потому что Рандольф был как Сирил, который был как Ламонт, который был как Мередит, Гарольд, Алджернон и Беверли. Тоже и Майлс был под запретом. Как и Эвелин, или Айвор, или Мортимер, или Кейт, или Родни, или Эрл Руперт[1], или Уиллард, или Саймон, или Сэр Мэри, или Зебеди, или Квентин, хотя, может, сейчас уже и не Квентин, поскольку этот режиссер прославился в Америке. Или Альберт. Или Трой. Или Барклай. Или Эрик. Или Маркус. Или Сефтон. Или Мармадьюк. Или Гревилл. Или Эдгар, потому что все эти имена запрещались. Еще одно запрещенное имя — Клиффорд. Лесли тоже. Певерилл — под двойным запретом.

Что касается женских имен, то здесь «заморские» допускались, потому что имя девочки — если только это не Помпа и не Серкамстанс[2] — не были политически заряжены, а потому их можно было выбирать свободно без всяких разрешений или запретов. Неправильные девчоночьи имена не вызывали такой издевательской, уходящей далеко в прошлое, архаичной, «не-забудем-не-простим», основанной на исторических корнях реакции, как в случае неправильных мальчиковых имен, но если ты придерживался противоположных убеждений и жил «по другую сторону», ты мог сколько угодно пользоваться запрещенными здесь именами. Вы, конечно, не могли себе позволить ни одного имени, которые расцветали в нашем сообществе, но с учетом в равной мере обязательной в вашем сообществе рефлекторной реакции вы бы вряд ли ночей не спали изза того, что не можете дать ребенку какого-нибудь из этих имен. Так что имена Редьярд, Эдвин, Бертрам, Литтон,

---

[1] В оригинале: *Earl of Rupert*, где обыгрывается значение имени Эрл — в средневековой Англии эквивалент графского титула.

[2] Эти имена и в самом деле трудно признать «политически заряженными», потому что они означают «помпа» и «обстоятельство».

Каберт, Родерик и Дьюк бог знает чего[1] были последними именами с нашей стороны, в нашем списке, которые не разрешались, и все эти имена охранялись Найджелом и Джейсон. Но списка разрешенных имен не существовало. Считалось, что каждый житель знает, что разрешено, а что запрещено. Вы давали имя ребенку, и если вы были авантюристом по характеру, авангардистом, представителем богемы, просто непредвиденным человеческим фактором, захотевшим рискнуть и попробовать новое имя из неутвержденных, нелегитимированных имен, пусть и не включенных в список запрещенных, то вы и ваш ребенок со временем неизбежно обнаруживали, совершили вы ошибку или нет.

Что же касается психо-политической атмосферы с ее правилами лояльности, трайбалистской идентификации того, что разрешено и не разрешено, вопросы не исчерпывались темой «их имена» и «наши имена», «мы» и «они», «наше сообщество» и «их сообщество», «по ту сторону», «заморский» и «через границу». К другим вопросам тоже прицеплялись похожие требования. Существовали нейтральные телепрограммы, которые могли транслироваться из «заморья», «через границу», но их могли смотреть все «с нашей стороны дороги» или «с той стороны дороги», не нарушая лояльности своему сообществу. Потом были программы, которые позволялось смотреть, не совершая предательства, одной стороне, тогда как другая сторона эту программу ненавидела и питала к ней отвращение. Были инспекторы, выдававшие лицензии на телевещание, регистраторы, проводившие переписи населения, граждане, работавшие в негражданской среде, и чиновники — все они принимались одним сообществом, а если хоть одной ногой заходили на территорию другого, то в них стреляли

[1] Здесь обыгрывается смысловое значение имени Дьюк — «герцог».

насмерть. Были еще еда и алкоголь. Правильное масло. Неправильное масло. Чай лояльности. Чай предательства. Были «наши магазины» и «их магазины». Названия. Школа, в которой ты учился. Молитвы, которые произносил. Церковные гимны, которые ты пел. Как ты произносил те или иные звуки. Где работал. И, конечно, были автобусные остановки. Ты фактически, куда бы ни пошел, чем бы ни занимался, делал политические заявления, даже если не хотел их делать. Учитывался и внешний вид, потому что считалось, что нас, «кто живет по эту сторону», можно отличить от них, «кто живет по ту сторону», по физическим данным. Существовал еще и выбор стенных росписей, традиций, газет, гимнов, «особых дней», паспорта, монет, полиции, муниципальных властей, воинской службы, вооруженных формирований. В эпоху «не забудем прошлое» существовало какое угодно число примеров и множество нюансов принадлежности. А посредине — нейтральные и исключенные, и то, что случилось в доме моего наверного бойфренда, — в присутствии всех других соседей — состояло в том, что его соседи сосредоточились на протоколе и поджигательской символике всего этого.

Он сосредоточился на этом вопросе с флагом, вопросе «флагов-и-символов», инстинктивном и эмоциональном, потому что флаги создавались так, чтобы быть рефлекторными и эмоциональными — часто патологически, нарциссически эмоциональными, — и он имел в виду тот самый флаг «заморской» страны, который к тому же был флагом сообщества по «другую сторону». Этот флаг не очень приветствовался в нашем сообществе. Этот флаг совершенно не приветствовался в нашем сообществе. Тут, по «эту сторону», не было ни одного, абсолютно ни одного. Поэтому я начала понимать — потому что я была не по машинам, а по флагам и символам — то, что этот классический «Бентли-Блоуер», изготовленный в «заморской» стране, имел и флаг «заморской» страны. Поэтому, читая между строк, а может, между замечанием соседа наверного бойфренда, я понимала, что имеется в виду: что думал мой наверный бойфренд, по мысли соседа, не только участвуя в лотерее, в которой он мог выиграть хрень с флагом, но и вообще, что он думал, участвуя в лотерее, в которой мог выиграть вообще любую хрень — с флагом или без флага — с такого патриотического, определяющего национальное сознание «заморского» символа? Историческая несправедливость, сказал он. Репрессивное законодательство, сказал он. Практика заключения пактов в его поддержку, сказал он. Искусственные границы, сказал он. Поддержка коррупции, сказал он. Аресты без предъявления обвинений, сказал он. Объявление комендантского часа, сказал он. Тюремное заключение без суда, сказал он. Объявление вне закона митингов, сказал он. Запрет коронерских расследований, сказал он. Закрепленное законом нарушение суверенитета и территориальной целостности, сказал он. Пытки теплом и холодом, сказал он. Что угодно, сказал он. Во имя закона и порядка. Он сказал все это, хотя даже тогда он не это имел в виду. Что он имел в виду за всеми интерпретациями этого вопроса с флагом, сводилось к тому, что другой вопрос стоял так: «заморский» флаг был к тому же и флагом с «другой стороны дороги». С «другой стороны» в нашем сообществе считалось еще оскорбительнее, чем вообще «заморский», а флаг, вывешенный там, находился в большей близости, чем когда-либо могла добиться — как ни старалась — та территория, откуда он вообще родом. Быть с этой стороны — с *нашей* стороны — и приносить сюда этот флаг было раскольничеством и считалось предательским пресмыкательством и самой чудовищной изменой, рядом с которой осведомители и те, кто сочетался браком с противоположной стороной, казались просто голубками. Это, конечно, все было частью политических проблем, в которые я прежде всего не хотела вдаваться. Но было удивительно, сколько поджигательских предположений можно было вместить в несколько замечаний. Но при всем при том этот парнишка еще не закончил.

«Я имею в виду то, что имею в виду, — сказал он, — не пойми меня неправильно или что-нибудь, и я, очевидно, говорю это с точки зрения униженного, и не то чтобы у меня есть опыт участия в чем-нибудь нелояльном моему сообществу, в чем-то таком, что может закончиться моим получением чего-нибудь с флагом, чтобы я потом гордился, что оно у меня дома, а не стыдился того, что оно у меня дома. И уж совсем я не имею ни малейших намерений оклеветывать что бы то ни было или кого бы то ни было, сеять семена вражды. Я не ниспровергатель устоев, не подводитель окончательных итогов, и не эксперт, и не подстрекатель, и не фанатик; напротив, я такой невежественный и робкий, что не решаюсь высказать свое мнение, но...» Тут он повторил свои слова о том, что как бы знаменита и почитаема ни была вещь с флагом, сам он и пальцем бы не пошевелил, чтобы легитимировать такой символ подавления, трагедии, тирании, не говоря уже о дурном привкусе, который остается во рту, когда теряешь лицо не столько перед «заморской» страной, сколько перед сообществом «по ту сторону». Ближе к делу, сказал он, тот, кто приносит этот флаг в решительно противозаморский район, подвергается опасности быть обвиненным в предательстве и осведомительстве. Так что да, флаги — дело эмоциональное. Перводно эмоциональное. По крайней мере, здесь.

Значит, вот он о чем: о том, что наверный бойфренд — предатель, — и в этот момент друзья наверного бойфренда начали говорить в его защиту. «У него нет этой фигни с флагом, — сказали они. — Любому видно, что на этом турбонагнетателе нет никакого флага». Они были скорее злы, чем пренебрежительны по отношению к такой логике, каким бы невероятным ни было явление такого флага по «эту сторону», на «этом берегу моря», но суть состояла в том, что времена тогда были параноидальные. Времена были поножовские, первобытные, каждый подозревал каждого. Человек мог миленько поговорить здесь с кем-нибудь, уйти и думать, вот был миленький откровенный разговорчик, но потом он начал прокручивать в голове подробности. И тогда начинал волноваться из-за того, что сказал «это» или «то», не потому, что «это» или «то» были сомнительны. Дело было в том, что люди даже в мирные времена склонны тыкать пальцем, выносить суждения, домысливать, а потому в бурные времена осуждалось, если кто не тыкнул пальцем, не обобщил сказанные слова, а это приводило не столько к тому, что человек чувствовал себя оскорбленным, когда узнавал, что говорят другие у него за спиной, сколько к появлению посреди ночи у твоих дверей людей в балаклавах и страшных масках с пистолетами наготове. Но сейчас друзья моего наверного бойфренда тыкали пальцем в турбонагнетатель, на котором совершенно очевидно не было флага. «И вообще, — сказали они, — эти машины не всегда выходили с флагом». — «К тому же, — отважился один из соседей — и это был храбрый сосед, потому что остальные, несмотря на весь свой первоначальный энтузиазм, теперь стушевались, — разве это будет не правильно, потому что машинка-то ого-го, редчайшая, разве не правильно было бы взять ее даже если бы и с этим флагом домой, закрыть флаг стикером с бомбардировщиком, скажем, стикером «Б29 Суперкрепость-Джолтин Джози», или стикером «Суперкрепость-Не очень одетая девушка», или стикером «Летающая крепость Б17-Немного кружев»[1], или стикером «Минни Маус», или «Олив Ойл», или «Планеты Плутон», или даже маленьким фото твоей мамы или побольше — Мэрилин Монро?» Он старался изо всех сил,

[1] Речь идет о так называемых знаках для техники; некоторые использовались на знаменитых самолетах времен Второй мировой войны, которые благодаря им получили те или иные прозвища.

этот дипломат, давая ссылки на вещи из ряда вон, на те исключения из правил, личности и ситуации, которые выносились за скобки фанатизма, предрассудков, гонений. К числу таких относились рок-звезды, кинозвезды, звезды культуры, спортсмены, люди, заслужившие исключительную славу или имевшие высочайшую репутацию. Возможно, намекал он, в эту категорию «вне подозрений» попадал и турбонагнетатель от «Бентли-Блоуера». Разве страсть и раритетность, настаивал он, не достаточны для того, чтобы реабилитировать турбонагнетатель, или мы имеем дело с тем случаем, когда флаг является слишком серьезным препятствием по одну сторону раздела — в данном случае по нашу сторону, — чтобы не обратить на него внимания и пропустить?

Он не знал ответа, и я чувствовала, что не знал его и никто другой, кроме одного человека. Я посмотрела на него. Все смотрели на него. «Я только хочу сказать, — сказал он, — что я бы не был уверен, что не совершаю что-то вроде предательства, случись мне захотеть до такой степсни заполучить часть машины, пусть и самую уникальную, если на ней имеются чьи-то самодовольные национальные символы, если они подразумевают узурпацию права на мою суверенную национальную и религиозную идентичность, даже если эта конкрстная машипа и пе несет на себе тех коннотаций и требований узурпации на всех своих моделях и сериях. Я говорю, что был бы поражен, — подчеркнул он, — если бы кто-либо "с этой стороны дороги" допустил, чтобы его предрасположенность к деталям машины оказалась сильнее того, что должно быть его инстинктивным неприятием символики и знаков другой стороны. И если до местных ребят дойдут эти слова, — он под этим подразумевал недругов той страны, что предполагало, что до них дойдет, потому что он считает своим долгом сообщить им, — тот, кто принес этот флаг, рискует встретиться с довольно внушительным уличным правосудием. А что тогда можно сказать о мертвых — обо всех тех, кто был убит из-за политических проблем? Неужели же все они полегли без толку?»

Слушая его, могло показаться, что если человек имеет такое намерение, то он может из любой мухи сделать слона, и вот, пожалуйста, он наговорил целого слона о том, что ненормально приносить сюда этот флаг. Да, это, конечно, было ненормально. Но, с другой стороны, наверный бойфренд и не приносил его. Пока наверный бойфренд не проронил ни слова. На его лице была туча, тень, а у наверного бойфренда редко бывали тени на лице. У него были живость, подвижность, игривость, и это придавало ему дополнительную привлекательность, как двадцатью минутами ранее, когда в комнате были только он и я. Если он радовался турбонагнетателю, то он и демонстрировал, что радуется, и даже уже потом, когда пришли все остальные, он все еще демонстрировал радость, пусть и без той демонстрации гордости и восторга, которые считал безопасным показывать мне до их прихода. Но теперь он с ними проявлял осторожность, не для того, чтобы не показаться невежливым и хвастливым, а из-за их зависти, когда люди вдруг напускаются на тебя и хотят мести, просто потому, что они такие. Это был счастливый случай, да, но случай имел привкус унижения, а потому наверный бойфренд, когда появились соседи, снизил градус своей эйфории. Но я видела, что тут присутствует и упрямство, что он опять делает то, что делал периодически, когда находился в обществе кого-то, кто не пользовался его уважением, вот и сейчас он не предлагал никаких объяснений. В данном случае я думала, он поступает глупо, потому что вопрос флагов и символов — вопрос серьезный, вот почему я приободрилась, когда друзья начали выступать в его защиту. Сам же он был от природы плохой спорщик и чужд мордобойной ментальности. Единственное, когда он злился и лез в драку, это если кто-то задевал шефа, его старейшего друга еще из начальной школы. Но теперь он смотрел на своего соседа, выражал недоумение неприличным поведением этого соседа, который пришел в дом наверного бойфренда, сам себя пригласил вместе с другими, а потом толкал такие речи, нарушал правила, налагаемые на гостя, затевал бучу, завидовал. И неудивительно, что, не успел он начать очередное «не имею ни малейших намерений», как получил удар по носу. Один из друзей наверного бойфренда — необузданный такой, тот, кто возражал, если его называли «горячая голова», хотя все знали, он ввязывался в драки даже по поводу таких вещей, которые его вполне устраивали, — и влепил ему по носу. Но этот тип не ответил тем же. Он вместо этого бросился прочь из дома этаким адреналиновым бегом, крикнув напоследок что-то вроде того, что наверный бойфренд запятнал этим флагом себя и сообщество. Вряд ли стоит удивляться, орал он, что наступят последствия. После этого он исчез, столкнувшись в дверях с шефом, который с целеустремленным и всполошенным видом в этот момент появился после работы в дверях дома наверного бойфренда.

В комнате теперь воцарилась атмосфера, которую никто не хотел признавать: неприятная, зловещая, серая. Невозможно было вернуть комнату в прежнее состояние, потому что энергия ушла, убила разговор о машинах. И хотя некоторые попытались, никто не смог поднять его с земли. Самый старый друг наверного бойфренда, который, как и всегда, был с ним, очистил комнату за считаные секунды. Таким он был, шеф, воистину человек со стальными нервами. Я имею в виду, чистые нервы, тотальные нервы, драматические нервы, нервы самых высоких нот, стопроцентно далеких от средних. Он был загнанный, безулыбчивый, со впалыми глазами, вечно изможденный, и он был таким еще до того, как ему пришла в голову идея стать шефом. Вообще-то он не стал шефом, хотя часто, подвыпившим, он говорил, что собирается в кулинарную школу, чтобы выучиться на повара. А работал он каменщиком, и его там стали называть шефом отчасти в шутку из-за его любви готовить, тогда как мужчине не подобает готовить, и прозвище это к нему так и прилипло. Как и другие оскорбления: у него тонкий вкус, он ложится спать с кулинарными книгами, он одержим внутренней природой морковки, он слишком взыскательная женщина чрезмерной изысканности. Но они так никогда и не могли понять, его товарищи по работе, удается ли им завести его, потому что с момента появления на работе утром и до ухода домой вечером шеф, вообще-то, так или иначе, казался заведенным. Даже еще до того как начать работать, еще в школьные дни и опять же по причине его кажущейся женоподобности, некоторые мальчишки так и хотели с ним подраться. Драка с ним казалась обрядом инициации. И так происходило до того дня, пока наверный бойфренд в школьном дворе не взял его под свое крыло. Шеф не знал, что его взяли под крыло, и даже после многочисленных избиений не понимал, что ему просто необходимо крыло. Но после того как наверный бойфренд вмешался, а в конечном счете к ним присоединились и другие друзья наверного бойфренда, желающих подраться с шефом сильно поубавилось. Время от времени даже сейчас случались вспышки: «Как твои артишоки?», за которыми следовало насилие. Я, бывало, заходила к наверному бойфренду и находила там шефа на кухне — иногда одного, но гораздо чаще с наверным бойфрендом — где он зализывал последние гомофобные раны. Что касается идеи стать шефом, то в районе, где жил наверный бойфренд, как и в районе, где жила я, бытовало убеждение, что потребность в шефах-мужчинах — в особенности специалистах по мелким кондитерским изделиям, птифурам, сдобам, лакомствам, которые можно приравнять к презрительному «десерты» и которые готовил шеф, — отсутствовала, а сами они считались социально неприемлемыми. В противоположность другим частям света, где существуют такие шефы, мужчина здесь мог быть поваром, но и в этом случае работать ему лучше было на судах или в лагере, где содержались интернированные мужчины, или в какой другой чисто мужской среде. В остальном же он был шеф, что означало гомосексуал, имеющий желание принимать мужчин-гетеросексуалов в гомосексуальную складку. Поэтому, если они существовали, эти шефы, то были тайным видом, немногочисленным, а этот шеф — хотя он и не был шефом — был единственным, которого я знала в радиусе миллион миль. Существовала еще и его красная линия, общее эмоциональное состояние, которое он мог демонстрировать без смущения и никого не провоцируя и по поводу таких дурацких мелочей, как мерная кружка и ложка. Когда он не сходил с ума по поводу еды и всякой кухонной мелочовки, он обычно поздним вечером, а еще позднее по уик-эндам бормотал: «Гранатовая меласса, флердоранжевая эссенция, карамельный пудинг, креп-сюзетт, запеченная Аляска», бормотал он себе под нос и со стаканчиком алкоголя, который уносил куда-нибудь в уголок, где и сидел в одиночестве. Так что он говорил о еде, читал о еде, давал почитать кулинарные книги (отчего я впадала в панику) наверному бойфренду, который (отчего я тоже впадала в панику) их читал. И он экспериментировал с едой, все время считая себя обычным парнем, хотя ни один обычный парень, включая и его друзей, которые его любили, не считал его обычным. И вот он оказался здесь, вошел в неловкое молчание гостиной наверного бойфренда, усилив напряженность атмосферы одним присутствием своей личности.

Но, с другой стороны, может, и нет. В этот раз, в первый раз, все началось с обычного: «О, нет, только не шеф!», и гости собрались было броситься прочь, но потом поняли, что видеть его — облегчение, он явно был предпочтительнее, чем прежняя напряженная история с флагом. Прежде чем он появился у наверного бойфренда, соседи перешли от беззаботного разговора о машинах на старую политическую траекторию «мы и они». И они все сильнее дистанцировали себя от наверного бойфренда, потому что, хотя там и присутствовали турбонагнетатели, тут имел место и судебный фарс, и тайная договоренность, и неблагонадежность, и доносительство. А шеф тут же помог всех расставить по своим местам. Он, как и обычно, не обратил внимания на атмосферу, не посмотрел на турбонагнетатель или на капельки крови из носа соседа наверного бойфренда. Он вместо этого огляделся и встревожился тем, что увидел. Его брови взлетели на октаву. «Мне никто не сказал, что тут столько народу. Вас сколько? Легко сотня. Я не считаю. Это невозможно, — он отрицательно покачал головой, — невозможно, чтобы я накормил всех вас». Но он ошибался. Если бы этот сосед не пришел со своими проблемами, разговор о машинах, вероятно, продолжался бы, а за ним последовала бы маленькая пьянка, потом слушание музыки. Кулинарные изделия и печеньица шефа не потребовались бы. Но у шефа на уме была еда, которую он не собирался им готовить, десерт, которым он определенно не собирался их угощать, а потому соседи встали и одновременно начали: «Ты совершенно прав, шеф, — сказали они таким дружеским тоном, какой только смогли на себя напустить. — Не волнуйся. Нет проблем. Мы уходим. Нам пора». На этом они бросили прощальный взгляд, теперь более чем двойственный взгляд, на турбонагнетатель. Предмет в конечном счете все же, видимо, основополагающий? Неудивительно, что больше никаких предложений на покупку не поступало. Вместо этого они попрощались с наверным бойфрендом, потом с его друзьями, которые еще оставались немного. Потом некоторые задним умом вспомнили и кивнули мне в угол на прощанис.

Проститутка. Прощелыга. Ночной горшок. Ублюдок. Кретин. Яйца хитрожопые. Ничего личного или чего такого, но. Я только хочу сказать. Я желаю тебе всего лучшего, но.

Вот некоторые из слов, сказанные друзьями наверного бойфренда о его баламутном соседе, после того как ушли этот сосед и другие. В комнате остались шеф, наверный бойфренд, три других друга наверного бойфренда и я. Шеф сказал: «А куда это они пошли? Куда пошли? Кто они? Они меня ждали?..» — «Забудь об этом, шеф», — сказал наверный бойфренд, но говорил он рассеянно, потому что был раздражен тем, что другие выдумывали извинения поведению его соседа и говорили всякие успокоительные слова. И я знала, что больше всего его выводят из себя их попытки сгладить замечания о флаге. Он считал, что, делая так, они играли на руку этому соседу. Другие говорили шефу: «Забудь об этом прямо сейчас», потом один импульсивный предупредил наверного бойфренда, чтобы он остерегался. «Он начнет мутить воду, этот грязный ублюдок, заварит какую-нибудь кашу». Другие кивали, и наверный бойфренд поначалу тоже кивал. Потом он сказал: «И все равно не нужно было бить его, и вы трое не должны были позволять ему подкалывать вас или говорить с ним о моих делах. Мои дела — не его дела. Мне не нужно подмазываться к нему или лебезить перед ним, чтобы получить его одобрение. И вам вовсе не нужно убеждать его, что я не такой-сякой». Другим это не понравилось, и они, скорее всего от обиды, принялись спорить, суть их возражений сводилась к тому, что наверному бойфренду нужно одуматься. Конечно, ему следовало объясниться, сказали они, и не столько перед этим типом, потому что его голосом говорила зависть. Он должен был высказаться ради других, пресечь слухи, чтобы они не расползлись по всему району. Наверный бойфренд сказал, что если речь уж зашла о слухах, то словам необязательно быть ни несомненными, ни вызывающими сомнение, их даже необязательно произносить. «Все дело в том, что вы лишили меня силы», — сказал он, и спор продолжался, пока один из них не сказал: «Этим дело не кончится». Он имел в виду то, что никто из них не должен удивляться, если вопрос о турбонагнетателе окажется в центре скандала о массовом завозе наверным бойфрендом флагов «оттуда». Тут они рассмеялись, хотя это и не означало, что они считают такие слухи невероятными. Не нужно было ему упрямиться, сказали они, и я, не участвуя в разговоре и не произнеся ни слова, согласилась. А тем временем шеф, который витал в облаках, проверял наполнение некой воображаемой кладовки, вернулся со словами: «Кто? Что?», и другие принялись его шпынять. «Ох-охо, старина, — сказали они. — Опять опоздал на пароход». Но шеф уже их не слушал, он поднялся наверх, чтобы помыться, прежде чем приготовить для всех какую-нибудь еду. После нескольких заключительных шутливых оговорок: «все это очень хорошо, но...», «я ничуть не сторонник этого, но...», «хотя я и не специалист, но...» — и с еще большим количеством вещей, которые трайбалист предпочитает оставлять несказанными, чем, может быть, сказать, по крайней мере, когда я могу эти слова услышать, другие тоже занялись делом, понесли детали машины наверх.

Это было делом обычным, потому что наверный бойфренд хранил машины везде: в гараже на работе, здесь, у себя дома, снаружи и внутри, спереди, сзади, в шкафах, на шкафах, на мебели, на каждой ступеньке, на площадке наверху лестницы, повсюду — у дверных ограничителей, во всех комнатах, кроме кухни и своей спальни, по крайней мере когда я там оставалась. Так что его дом был не столько домом, сколько любимой рабочей средой обитания вне работы, а теперь он и его друзья принялись за передислокацию, что в переводе означало «освобождение места для новых машин». «Ожидается новая машина?» — спросила я. «Машины, множественное число, наверная герлфренда, — сказал наверный бойфренд. — Всего несколько карбюраторов и цилиндров, бамперов, радиаторов, поршневых штоков, крыльев, подкрылков, всякая такая ерунда». — «Угу», — сказала я. «Сейчас вернусь, — сказал он, показывая на какие-то машинные обломки в пути, — помещу их в комнаты братьев». У наверного бойфренда было три брата, ни один из них не был мертв, но и ни один не жил с ним в доме. Прежде они жили с ним, но с годами переселились в другие места. И теперь наверный бойфренд и остальные занялись делом, а шеф внизу, судя по звукам, тоже занялся делом — на кухне. Он разговаривал сам с собой, что с ним случалось нередко. Он часто это делал, я слышала, потому что шеф ночевал в доме наверного бойфренда чуть ли не чаще, чем я. Как обычно, я слышала, как он описывает процесс какой-то воображаемой персоне, которая как бы проходит у него курс ученичества, описывает все, что касается приготовления этой еды. Часто он говорил что-то вроде: «Делай это так. Понимаешь, есть способ попроще. И помни: мы можем развить уникальный стиль и метод без актерства и драмы». И каждый раз, когда он это делал, голос его звучал так мягко и гораздо болес покладисто, чем когда он взаимодействовал с реальными людьми в реальной жизни. Он любил этого подмастерья, который, судя по звукам похвалы шефа и его подбадриваниям, был хорошим, внимательным учеником. «Мы сейчас добавим вот это. Нет, это. Теперь мы сделаем то, *то*. Мы хотим утонченности. Помнишь — чистая, аккуратная укладка, так что оставь этот листик. Почему этот листик? Он не добавляет ничего к строению, размерам или элементам. На вот — попробуй. Хочешь попробовать?» Я как-то раз заглянула, когда он приглашал своего невидимого ученика попробовать, он стоял там в одиночестве и подносил ложку к собственным губам. В тот раз, а это был первый раз, когда я застала шефа за этим, он напомнил мне саму себя прежнюю, когда я делала себе пометки в уме, отмечая периферийным зрением ориентиры, мимо которых я проходила во время чтения на ходу. Я останавливалась, прочитав около страницы, чтобы осмотреться, а еще иногда, чтобы сказать пару слов и помочь тому в моей голове, кто просил у меня наставлений. Я воображала, что показываю и говорю: «Иди туда, — говорила я. — За угол. Видишь угол? Завернешь за угол, а когда подойдешь к перекрестку у почтового ящика у начала десятиминутного пятачка, ты выйдешь к обычному месту». Под «обычным местом» понималось наше кладбище, а такая подсказка была моим способом помочь некоему заблудившемуся, но благодарному человеку. И шеф на кухне делал точно то же самое. Никаких истерических припадков, никаких вспышек ярости, только медитация, поглощенность, расслабление. Это была игривость в обществе его очень близкого и благодарного человека. И потому я оставила их с их занятиями, не желая ставить шефа в неловкое положение и выводить из его воображаемого мира, потому что в этом месте была целая куча неловкостей: и в том, что ты предавался игре, и в том, что забывался. Вот почему все читали мысли друг друга, а иначе было нельзя, иначе возникали трудности. Точно так же, как большинство людей здесь предпочитали не говорить, что у них на уме, защищая себя таким образом, они же могли в определенные моменты, когда понимали, что кто-то читает их мысли, предъявлять свой высший умственный уровень тем, кто их читал, а на заднем плане своего сознания приватно сообщали себе, о чем они думают на самом деле. И потому, когда наверный бойфренд и остальные были наверху, а шеф и его «ученик» на кухне, я вытянулась на диванчике, чтобы решить, что делать дальше. Я имела в виду свои варианты по жизни, потому что наверный бойфренд недавно спросил, не хочу ли я переехать жить к нему. В то время у меня было три возражения, объяснявших, почему это может оказаться неприемлемым. Одно состояло в том, что я сомневалась, удастся ли маме одной справиться с воспитанием мелких сестер, хотя сама я не принимала активного участия в воспитании мелких сестер. Мне просто казалось, что я должна быть там, поблизости, в роли некоего потенциального буфера, чтобы помешать их раннему созреванию, неуемному любопытству, чувству готовности к чему угодно, лишь бы выйти из-под надзора. Мое второе возражение состояло в возможном разрушении моих и наверного бойфренда и без того шатких и легко потрясаемых наверных отношений, которое может стать следствием моего переезда к нему. А третье возражение заключалось в том, что, как же я могу переехать, когда его дом находится в таком состоянии?

Много лет спустя, после того как я рассталась с наверным бойфрендом, я видела программу по телевизору о людях, которые припрятывали вещи, но не думали, что припрятывают вещи, и, хотя никто не припрятывал машин, я не могла не обратить внимания на сходство между тем, что делали эти люди столько лет во время того, что сейчас называется эрой психологического просвещения, и тем, что делал наверный бойфренд в те времена, когда психологического просвещения не существовало. В одной паре был он (который припрятывал вещи), а потом была она (которая не припрятывала вещи). Все делилось пополам, и его половина преобладала и представляла собой гору от ковра до потолка, занимая объем в половину каждой комнаты. Спустя какое-то время часть его вещей стала соскальзывать с горы и перемещаться в ее вещи, что было неизбежно, поскольку он не мог перестать добавлять к ним, а это означало, что у него кончилось пространство, а потому он по необходимости стал захватывать ее часть. Что же касается дома наверного бойфренда, то нигде припрятывание не было таким плотным и ограничительным, как определенно оно было позднее в этих телевизионных развлекательных программах. Но не было сомнений, что он наращивает накопительство. Что касается моей реакции, то я могла вынести захламленное состояние типа «приходи и добро пожаловать, но тебе придется смириться с тем, что здесь тесновато» в те дни, когда я оставалась на ночь, поскольку его кухня и спальня оставались в нормальном состоянии, а ванная в полунормальном. Но главным образом я могла выносить это благодаря «наверному» уровню в наших отношениях, имея в виду, что я официально с ним не жила и официально не имела перед ним никаких обязательств. Если бы между нами были надлежащие отношения, и я жила бы с ним и имела официальное обязательство перед ним, то я бы первым делом ушла от него.

И вот таким был дом наверного бойфренда, и это был целый дом, который в то время для двадцатилетнего мужчины или женщины — а в особенности для несемейных мужчины и женщины — был делом необычным. И не только в этом районе. Это было бы необычным и в моем районе. Так получилось потому, что, когда ему было двенадцать, а его братьям пятнадцать, семнадцать и девятнадцать, его родители оставили дом, чтобы полностью посвятить себя профессиональной карьере бальных танцоров. Поначалу сыновья даже не заметили их исчезновения, потому что родители всегда исчезали без предупреждения, чтобы успешно состязаться в жестоких, не на жизнь, а на смерть, состязаниях по бальным танцам. Но как-то раз, когда двое старших вернулись с работы и развернули, как обычно, обед из кулинарного магазина на четверых, второй по старшинству, сидя на диване с тарелкой на коленях, обратился к старшему, сидевшему рядом, и сказал: «Что-то не так. Похоже, что-то отсутствует. Тебе не кажется, будто что-то отсутствует, брат?» — «Да, что-то отсутствует, — согласился старший. — Эй, вы двое, — это было обращением к младшим братьям, — вы как считаете — что-то отсутствует?» — «Родители отсутствуют, — сказал старший из младших. — Они уехали». После чего старший из младших продолжил есть и смотреть телевизор, как и младший, которому семь лет спустя суждено было стать «почти годичным пока наверным бойфрендом». И тогда старший брат сказал: «Но когда они уехали? На очередные танцевальные соревнования, в которых всегда участвуют?» Но это не было очередными соревнованиями. В конечном счете братья узнали от соседей, что родители несколько недель назад уехали навсегда. Они написали записку, сказали соседи, но забыли ее оставить; на самом же деле они в первую очередь забыли ее написать, а потому написали и отправили из какого-то неназванного места, когда туда добрались, но неназванного не преднамеренно, а потому, что у них не хватило времени, или памяти, или понимания написать наверху адрес отправителя. Судя по почтовой марке, они уехали не в «заморскую» страну, а в «заокеанскую». К тому же двадцать четыре часа спустя после своего отъезда они забыли адрес дома, в котором прожили двадцать четыре года после женитьбы. В конечном счете они написали адрес наугад в надежде, что сама улица как-нибудь уладит дело, и улица благодаря своей сметливости таки сделала это. Она направила письмо их отпрыскам, а письмо, побывавшее в нескольких соседских руках, прежде чем добраться до рук братьев, гласило: «Извините, ребятки. Видя вещи в их истинном свете, мы никогда не должны были рожать детей. Мы утанцовываем навсегда. Извините еще раз, но вы, по крайней мере, теперь взрослые». После этого было добавлено запоздалое соображение: «Да, тех из вас, кто еще не взрослые, могут воспитать и довести до ума те, кто уже взрослые... и, пожалуйста, берите все, включая и дом». Родители настаивали, чтобы дети взяли себе дом, что им самим дом не нужен, что им нужно только то, что у них есть — они сами, их хореомания[1] и их многочисленные сундуки с феерическими танцевальными костюмами. Заканчивалось письмо такими словами: «Прощай, старший сын, прощай, второй, прощай, третий, прощай, самый младший, прощайте, все дор-рогие

---

[1] Танцевальная мания — социальное явление, отмечавшееся в Европе XIV–XVII вв. Речь идет об уличных танцах, в которых участвовали тысячи человек. Люди танцевали до изнеможения и падали без сил.

прекр-расные сыновья», но подпись была не «родители» и не «ваши любящие, но безразличные мама и папа». Вместо этого они подписались «танцоры», после чего следовали четыре поцелуя, после чего сыновья больше никогда не имели никаких вестей от своих родителей. Разве что по телевидению. Эта пара все чаще появлялась на экранах, потому что они, несмотря на возраст, доказали свою состоятельность как исключительно энергичные чемпионы по бальным танцам. Они принадлежали к высшему классу танцоров, эффектные, ослепительно целеустремленные, и, вероятно, благодаря их харизме, сверканию и международному признанию звездности, которым они возвышали страну — хотя какую страну: «по ту сторону» или «заморскую», тактично не упоминалось, — прошло совсем немного времени, и они с большим успехом перешагнули предательскую политическую пропасть. Это означало, что они стали одним из тех исключений, как здесь было принято обходиться с музыкантами, артистами, театральными и киношными, а еще со спортсменами, со всеми теми, кто находился в центре общественного внимания, кто сумел подняться выше завоевания полного одобрения одного сообщества и в то же время навлек на себя осуждение и угрозы убийства другого сообщества. Эта пара, которая стала одной из немногих избранных, имела всеобщее одобрение. Они были единодушно признаны и разрешены. Они были разрешены не только на политическом, религиозном и антимракобесном фронтах, но и в смысле нормального танца им аплодировали за то, что они несут радость и очарование в сердца всех людей, любящих танец. Их высоко ценили те, кто знал все о балах, даже притом что ни один из их сыновей не знал и не хотел знать о балах ничего. Но наверный бойфренд как-то раз показал мне их на экране телевизора. Он сделал это пóходя — переключал каналы как-то вечером и случайно попал на них: международная пара. В этот момент они делили первое место в нервном чемпионате мира в Рио-де-Жанейро, и ведущий перед Международным танцевальным комитетом бальных танцев кричал: «Боже мой! Исторический момент! Это исторический момент!», призывая всех, кто стоит, сесть, чтобы не упасть при виде того, что станет легкой победой. Я хотела увидеть эту легкую победу, потому что, прокричав: «Ты врешь! Она твоя!.. Это твоя!.. Она твоя!.. Она!.. Это... Это твоя мать! Она твоя мать!» и «Он твой отец!», хотя какие могли быть сомнения с такими глазами, таким лицом, таким телом, подвижностью, уверенностью, чувственностью и, конечно, этими костюмами, я имею в виду ее, я никак не могла не посмотреть. Я даже представить себе такого не могла, но наверный бойфренд сказал, что он смотреть не хочет. И вот, пока я сидела как приклеенная с раскрытым ртом и распахнутыми глазами, грызя ногти и восклицая: «Он похож на нее. Он, правда, на нее похож? У него точно такая спина, как у нее? Разве его отец на нее похож — я имела в виду, что он не похож на своего отца, разве он похож на отца?», наверный бойфренд удалился выправлять битую машину.

Что касается дома, то он стал одной из институций типа «здесь живут мужчины», братья время от времени приходили сюда ночевать, живя той жизнью, какой обычно живут парни, предоставленные сами себе. Часто приходили и уходили их друзья, оставались на ночь, потом все чаще стали приходить девушки на ночь, или подружки на недельку, или подружки на время. Но то время ушло, и трое старших каждый сам по себе тоже ушли. Они уплыли в ту жизнь, которая была заготовлена для них, и дом стал домом наверного бойфренда. Потом из-за машин и деталей машин он стал смещаться в сторону рабочего на три четверти гаража. Потом он попросил меня переехать к нему, и тогда-то я и высказала ему три моих возражения, а он относительно одного из них сказал: «Я и не имею в виду сюда переехать. Я имею в виду, что мы можем снять жилье на улице красных фонарей».

Улица красных фонарей находилась неподалеку, вверх по дороге от моего дома и вниз по дороге от его дома, и она называлась улицей красных фонарей не потому, что там происходили дела, которые происходят под красными фонарями, а потому, что там снимали жилье молодые пары, которые хотели жить вместе и не собирались жениться или оседать на обычный манер. Кому хочется жениться в шестнадцать, в семнадцать иметь ребенка, лежать на диване перед телевизором, чтобы умереть, как большинство родителей к двадцати? Они хотели попробовать — уверены не были — что-нибудь новенькое. Вот там и жили неженатые пары. По слухам, там жили и двое мужчин. Я имею в виду — сожительствовали. Потом еще двое мужчин переехали туда жить в другом доме — тоже сожительствовать. Сожительствующих женщин там не было, хотя про одну женщину из двадцать третьего дома говорили, что она открыто сожительствует с двумя мужчинами. Но по большей части там жили холостые молодые мужчины и незамужние молодые женщины, и хотя такая улица была всего одна, недавно стали поговаривать, что она грозит расшириться и присоединить к себе соседнюю улицу, а эта соседняя уже была знаменита тем, что там жили пары, в которых он мог принадлежать к одной религии, а она — к другой. В то же время из этого района, и не только с улицы красных фонарей, уезжали нормальные люди, я имею в виду женатые пары. Некоторые говорили, что они не возражают против красных фонарей, просто они не хотят оскорблять чувства пожилых родственников, как то: их родителей, бабушек и дедушек, их скончавшихся предков, давно мертвых ранимых прародителей, вероятно, имевших убеждения, которые легко можно задеть, в особенности тем, что в медиа называли «развратом, падением, моральным разложением, пропагандой пессимизма, попранием приличий и незаконными, безнравственными связями». Следующий серьезный вопрос, говорилось в новостях, состоит в том, не принадлежат ли неженатые молодые люди, занимающиеся блудом, также и к разным религиям? И вот нормальные пары выезжали, щадя чувства древних поколений, появлялись на телевизионных экранах. «Я делаю это ради мамочки, — сказала одна молодая жена, — потому что, думаю, мамочка не будет рада тому, что я живу беспринципно, в чем можно было бы меня обвинить, если бы я осталась жить на улице, где люди не приносят брачных обетов». — «Никого не хочу судить, — сказала другая, — но сожительство без брака следует осуждать, и осуждать сурово, потом обличать, потому что иначе к чему мы придем? К распутству? Животным страстям? Отсутствию чистоты? Не это ли мы поощряем?» И опять про разврат, падение, моральное разложение, пропаганду пессимизма, попрание приличий и незаконные, безнравственные связи. «Скоро будет, — сказала другая пара, укладывавшая вещи для переезда в фургон, — полторы улицы красных фонарей, потом две улицы красных фонарей, потом весь квартал будет увешан красными фонарями, а люди повсюду начнут жить семьей на троих». — «Делаю это для мамочки», — сказала другая жена, но некоторые говорили: «Ну, какой вопрос, что в этом такого. Есть трайбализм и есть фанатизм, и для них требуется история, но у этих сексуальных вопросов более быстрый оборот, а это означает просто, что нужно жить в ногу со временем». Но в основном говорилось: «Мы не можем допустить это», и «Люди не должны спать с кем попало», и «Брак после территориальных границ — главный фундамент государства». Но больше всего: «Если я не съеду оттуда, это убьет мою мамочку». Это было телевидение. О многочисленных вероятных будущих смертях уймы мамочек также часто говорилось на радио в интервью, взятых на улице, и в печатной прессе.

И вот та улица в том районе, который был довольно небольшим районом и который на моем родном языке, на котором я не говорю, как-то назывался, а еще он называлсяся «Шейная канавка», «Шейный изгиб», «Мягкая шейка» в переводе на другой язык, на котором я говорю, находился вниз по дороге. И вот теперь наверный бойфренд предлагал мне жить там с ним, а я там ни разу не была. Я сказала нет, потому что, не говоря о маме и мелких сестрах, а еще о его хламе, который, как можно предположить, появится и будет нарастать в жилище на улице красных фонарей такими же темпами, как в нынешнем жилище, было еще и другое соображение, состоящее в том, что мы, вероятно, имеем столько близости и хрупкости в наших отношениях, сколько каждый из нас может вынести. И вот это-то и происходило. Оно всегда происходило. Я предлагала близость как способ продвинуть наши отношения, а это выходило боком, и я забывала, что это я предлагала близость, и ему приходилось напоминать мне об этом, когда я в следующий раз предлагала близость. А потом он вставал не с той ноги, и у него случался сбой в нейронах, и он сам предлагал близость. У нас постоянно случались провалы в памяти, эпизоды типа *jamais vu*[1]. Мы никак не запоминали то, что мы помнили, и нам приходилось напоминать друг другу о нашей забывчивости и о том, что близость на нас не работала из-за состояния хрупкости, в которой пребывали наши наверные отношения. И теперь настал его черед забывать и говорить, что он думал, что мне следует рассмотреть вариант нашего совместного житья, потому что мы вот уже почти год были в качестве «наверных», так что вполне могли продвинуться до надлежащего парного существования, поселившись вместе. И прежде мы никак не обсуждали, сказал он, вариант близости или совместного житья, но когда мы закончили говорить, мне пришлось напомнить ему, что обсуждали. А тем временем в эпоху его приглашений жить с ним, он предложил прокатиться на машине в следующий вторник посмотреть на закат

[1] Никогда не видел (*фр.*).

солнца. И тогда я подумала, как же это получается, что у него возникает мысль посмотреть закат солнца, тогда как ни у кого из тех, кого я знаю — в особенности у парней, а еще у девушек, и у женщин, и у мужчин, и определенно у меня самой, — никогда не возникало мысли посмотреть на закат солнца? Это было что-то новенькое, правда, у наверного бойфренда всегда было что-то новенькое, что-то такое, чего я не замечала прежде у других, и, уж конечно, не у парней. Он, как и шеф, любил готовить, парни обычно этого не делали, и я не уверена, что мне нравилось, что ему нравится готовить. И еще он, так же как и шеф, не любил футбол, или вообще-то он его любил, но не трепал повсюду языком о своей любви к футболу, как это требуется от парней, и по этой причине стал известен в районе как один из тех парней, кто и не гей, а футбола все равно не любит. Я по секрету переживала: может, наверный бойфренд не настоящий мужчина? Эта мысль приходила ко мне в самые темные минуты, в мои сложные непрошеные минуты, неожиданно наступающие, неожиданно уходящие, в переживании которых я бы ни за что не призналась, в особенности самой себе. Если бы я это сделала, то после я бы почувствовала новые противоречия, потому что я и без того чувствовала, как они собираются, чтобы потребовать от меня объяснений, потрясти до основания мои уверенности. Вместе со всеми остальными я разбиралась с этими внутренними противоречиями, отворачиваясь от них каждый раз, когда они появлялись на моем горизонте. Но я заметила, что наверный бойфренд часто приносил их на горизонт, в особенности, чем дольше я находилась с ним в ситуации отношений «не исключено, не знаю, может быть». Я любила его еду, хотя и думала, что не следует мне ее любить, не следует своей любовью к его еде поощрять его. И мне нравилось спать с ним, потому что спать с наверным бойфрендом было все равно как если бы я всегда спала с наверным бойфрендом, и мне нравилось ходить с ним куда-нибудь, поэтому я сказала — да, я поеду с ним во вторник, а это был ближайший вторник — этот вечер после моей пробежки с третьим зятем в парках-и-прудах — посмотреть на закат. Я не собиралась говорить никому об этом, потому что не была уверена, является ли закат приемлемой темой, чтобы о нем сообщать кому-нибудь. Правда, я вообще редко говорила о чем-нибудь кому-нибудь. Меньше говоришь, здоровее будешь, считала я.

Но до мамы что-то дошло. Не про закат и не про наверного бойфренда, потому что он в мой район не приходил, и я его в мой район не приводила, а это означало, что основное наше время вместе мы проводили в его районе или где-нибудь в центре города в немногих межобщинных барах и клубах. Нет, дело было в одном слухе, который ее разволновал. Так что вечером перед днем моей пробежки с третьим зятем и тем же вечером перед моим заходом солнца с наверным бойфрендом она поднялась в мою комнату. Я услышала, как она идет, и, бог ты мой, подумала я, что еще?

С моего шестнадцатилетия двумя годами ранее мама изводила меня и себя из-за того, что я не замужем. Две мои старшие сестры были замужем. Трое моих братьев, включая и того, кто умер, и того, кто был в бегах, были женаты. Правда, возможно, мой старший брат ушел в бега, скрылся с лика земли, и хотя она не имела никаких доказательств, был женат. Так почему же я не замужем? Моя другая старшая сестра — неупоминаемая вторая сестра — тоже была замужем. Так почему же я еще не замужем? Это нежелание выходить замуж было эгоистичным, нарушало порядок, установленный богом, волновало более молодых, сказала она. «Ты только посмотри на них!» — продолжила она, и я посмотрела — они стояли за мамой с горящими глазами, дерзкие, ухмыляющиеся, я не увидела волнения ни у одной из сестер. «Подаешь плохой пример, — сказала мама. — Если ты не выйдешь замуж, то и они будут думать, что им можно не выходить». Ни одна из этих младших сестер — им было семь, восемь и девять — еще и близко не подошла к брачному возрасту. «А что будет, когда ты потеряешь привлекательность, ведь тогда ты никому не будешь нужна?» Я уже устала отвечать ей: «Я тебе ничего не говорю, ма. Никогда не скажу, ма. Оставь меня в покое, ма», потому что чем меньше я выдавала, тем меньше она могла понять. Это было утомительно для нее и для меня, но мамины попытки находили поддержку. В районе имелась целая группа матерей, помешавшихся на том, чтобы выдать дочерей замуж. Их паника была искренняя, примитивная; для них это определенно не было ни штампом, ни комедией, ни чем-то, от чего можно отмахнуться, ни чем-то необычным. Необычным было бы для матери выйти из их рядов и встать рядом с теми, кто в этом не участвовал. Так что между мамой и мной шла война — у кого сила воли окажется сильнее, кто кого первым додолбает. Каждый раз, когда до нее доходил слушок, что у меня есть мальчик (никогда от меня), я из двери не могла выйти, чтобы она не спросила: «Он правильной религии?» За чем обычно следовало: «А он еще не женат?» После правильной религии жизненно важным было, чтобы он не был женат. И поскольку я продолжала помалкивать, это становилось доказательством того, что он не той религии, что он женат и, вероятнее всего, не только состоит в военизированной организации, но и является членом вражеской военизированной организации, защитником «той страны». Она сама сочиняла для себя истории ужасов, заполняла пустые места, когда я отказывалась предоставлять ей информацию. Это означало, что весь сценарий писала она сама. Она стала совершать религиозные ритуалы, посещать праведников, от которых ждала чуда, как мне сообщили мелкие сестры: чтобы они сделали так, чтобы я отказалась от этих безбожных террористов-двоеженцев и в следующий раз влюбилась в кого надо. Я ей это позволяла, в особенности после того как связалась с наверным бойфрендом позволяла. И я ни при каких обстоятельствах, ни за что не выдала бы ей его, потому что она запустила бы процесс, пропустила его через систему: один оценочный вопрос, еще один оценочный вопрос — подталкивать события, подталкивать события, попытаться подвести итог событиям, подвести итог событиям, завершить события (что подразумевало любовные свидания), начать события (что означало брак), подкрепить события (что означало детей), заставить меня уже бога ради сделать шаг, какой делают все другие.

И вот религиозные ритуалы и визиты к праведникам — а позднее и к праведницам — продолжались с ее молитвой в три часа, молитвой в шесть часов, молитвой в девять часов и молитвой в двенадцать часов. Подавались еще и дополнительные петиции в половине шестого каждый день за души в чистилище, которые более не могут молиться сами за себя. Ни одна из этих молитв по часослову не препятствовала традиционным утренней и вечерней молитвам, в особенности ее продвинутым мольбам-ходатайствам за меня, чтобы я прекратила эти любовные свидания, которые я наверняка имею с еретическими защитниками в «таких-растаких» местах по всему городу. Мама всегда называла места, к которым относилась неодобрительно, «такие-растакие», отчего я и мои старшие сестры нередко спрашивали себя, а уж не посещала ли она их сама в юности. Что же касается ее молитв, ее вердиктов, то все это становилось более акцентированным, более настоятельным в просьбах, пока в один прекрасный день все не поменялось на противоположное. А иначе и быть не могло. Поскольку возводила она все это на ложном основании — избавить меня от мужчин, которые существовали только в ее голове, — теперь создалось впечатление, что она материализует то самое, чего ни я, ни она никак не хотели.

После моей второй встречи с молочником в парках-и-прудах любопытный первый зять, который, конечно, пронюхал об этом, сказал своей жене, моей первой сестре, чтобы она сказала нашей матери, чтобы та поговорила со мной. Это в особенности рекомендовалось, после того как старшая сестра прежде поговорила со мной, и этот разговор кончился совсем не так, как его планировали. И потому она отправилась к матери, и это была та сестра, которая не любила мужа, потому что все еще горевала по бывшему бойфренду. Но теперь она горевала не потому, что он ей изменил и завел роман с другой женщиной. Теперь она горевала потому, что он был мертв. Он погиб при взрыве автомобильной бомбы на работе, потому что был не той религии и не в том месте, и это было еще одно происшествие. Он умер. А что моя сестра? Она никак не могла забыть его, пока он был жив, а потому я не знала, как у нее это получится теперь, когда он...

Но сейчас, хотя и в скорби, старшая сестра сделала то, что ей было сказано. Она сообщила нашей матери о ситуации с молочником, а мать получила подтверждение еще и другим способом — через благочестивых соседок, которые все как одна теперь тоже были в курсе. Эти женщины были, как и мама, людьми заклинания, искренней молитвы, обоснованной, даже юридически выверенной петиции. Они были настолько виртуозны в своих мольбах небесным властям, их мольбы и демонстрации настолько были вплетены в обычную жизнь, что нередко можно было слышать, как это женское сообщество молится на своих четках одной стороной рта, а одновременно другой стороной ведет повседневные разговоры. И эти женщины вместе с мамой, старшей сестрой и первым зятем и всеми местными слухами ввязались в ситуацию со мной и молочником. Потом, в один прекрасный день, как мне сказали мелкие сестры, целая куча этих соседей пришла поговорить с мамой в нашем доме. Похоже, любовник у меня — какой-то молочник, сказали они, хотя еще они сказали, что он работает механиком. Ему недавно перевалило за сорок, сказали они... хотя вообще-то ему около двадцати. Он женат, сказали они, но еще и не женат. Он определенно «из них», хотя при этом он не «из них». Офицер разведки: «Ну, ты понимаешь, соседка, — сказали соседи, — он из тех, что всегда в тени, из тех, которые занимаются сталкингом, которые выслеживают, которые прячутся в тени, садятся на хвост и составляют досье, из тех, которые собирают информацию об объекте, а потом передают ее киллерам, которые...» — «Господи Иисусе! — вскричала мама. — И вы говорите, что моя дочь связалась с этим человеком!» Она схватилась за подлокотники своего кресла, сказали мне мелкие сестры, когда ей в голову пришла еще одна мысль. «Он не тот молочник, верно... он тот, который с фургоном, с таким маленьким белым фургончиком, неприметным трансформером...» — «Извини, соседка, — сказали соседи, — но мы решили, что лучше уж тебе знать». Потом они сказали, что мой любовник хотя бы неприемник той страны, а не защитник той страны, хоть за что-то можно быть благодарным, и это была такая скрытая отсылка к моей второй сестре, которая навлекла позор на семью и вообще на все сообщество — вышла за «заморского» полицейского, а потом еще и уехала жить в одну «заморскую» страну, может быть, даже в ту самую «заморскую» страну, после чего неприемники той страны в нашем квартале предупредили ее, чтобы никогда не возвращалась. Даже после смерти этого полицейского той страны — нашего второго зятя, которого никто из нас, кроме второй сестры, не видел и который умер, но не потому, что его убили неприемпики той страны, а из-за какой-то обычной неполитической болезни — сестре все равно не разрешали вернуться, хотя, я думаю, она и не собиралась. «По крайней мере эту дочь никто не сможет обвинить в предательстве, — успокоили ее соседи. — Но ты должна знать, соседка, — добавили они, — некоторые говорят, что этот молочник не какой-то мелкий игрок, а безжалостный деятель, и твоя дочь связалась с ним». — «Господи милостивый», — сказала мама, только теперь она говорила тихо, и мелкие сестры сказали, что голос у нее стал невыразительный, словно жизнь ушла из нее, не осталось даже потрясения, которое придавало бы ей хоть немного силы. Нет, сказали они, вид у нее был такой же несчастный, как тогда, когда случилось то дело, которое поставило под запрет вторую сестру. «Конечно, — продолжали они, — может, все это и неправда, и, может, твоя дочь и не связалась ни с этим неприемником, ни с каким-либо другим, а что, может, она полюбовничает с каким-то двадцатилетним парнем, который вкалывает пять с половиной дней в неделю, правильной религии, торгует машинами». Маму это не убедило. Торговля машинами появилась как нечто сомнительное и искусственное, как слабая неубедительная попытка ее доброй подруги Джейсон и других расположенных к ней соседей приободрить ее после взрыва этой бомбы. Вместо этого она приняла версию бомбиста, который ждет подходящего момента, который не останавливается, который преследует свою цель во что бы то ни стало, пока не добивается желаемого. Кроме того, описание этого молочника, которое ей дали соседи, в точности совпадало — исключая неправильную религию — с тем стереотипом, от которого она отмаливалась. И потому мама была настолько необъективна в своем предрешенном выводе о том, что я связалась со смертельно опасным любовником, что ей даже ни на секунду не пришло в голову, что «этот человек» может быть не один человек, а целых два.

Она разыскала меня и начала разговор на примирительных нотах. Она меня задабривала всячески. Вела увещевательные речи: «Почему бы тебе не оставить этого человека, который все равно слишком стар для тебя, который, может, теперь и производит на тебя впечатление, но в один прекрасный день ты увидишь, что он просто обычный эгоист, которому захотелось сладенького? Почему бы тебе вместо него не найти себе хорошего мальчика из нашего района, подходящего, более отвечающего твоей религии, твоему брачному статусу и твоему возрасту?» В мамином представлении хорошие мальчики принадлежали правильной религии, были благочестивыми, неженатыми, предпочтительно не состояли в военизированном подполье, были более устойчивыми и стойкими, чем те «стремительные, захватывающие, фантастически потрясающие, но все равно, дочка, умирающие до времени "повстанщики"», как она выразилась. «Их ничто не останавливает, — сказала она, — пока их смерть не остановит. Ты пожалеешь, дочка, когда попадешься в ловушку подполья всей этой соблазнительной, мозгокрутной, бурной военизированной ночной жизни. Она совсем не такая, какой кажется. Это бега. Это война. Это убивать людей. Это самой быть убитой. Это когда тебе дают поручения. Когда тебя бьют. Когда тебя пытают. Это объявление голодовок. Это превратиться в совершенно другого человека. Ты посмотри на своих братьев. Я тебе говорю: это все плохо кончится. Ты в конечном счете грохнешься о землю, если он прежде не заберет тебя вместе с ним в могилу. А что твоя женская судьба? Повседневные обязанности? Жизненное назначение? Рожать детей, чтобы у детей был отец, а не могильный памятник, к которому ты их будешь водить — раз в неделю на кладбище? Ты посмотри на эту женщину за углом. Ты можешь сказать, что она любила всех своих угрюмых мужей, но где они теперь? Где большинство мрачных, целеустремленных, совершенно неумолимых мужей этих женщин? Да всё там же — под землей, на участке обычного места этих борцов за свободу». После этого она обратилась к брачным обязанностям, к этой глупости дурацкого томления по любви против надлежащих целей и устремлений женщины в реальной жизни. Брак это тебе не кровать, усыпанная розами, а божественное установление, общественный долг, ответственность, поведение, сообразное возрасту; это воспитание детей в правильной религии, а также обязательства, трудности, ограничения, помехи. Это значит получить предложение руки и сердца, а не кончить жизнь желтой и усохшей старухой, робкой, но упертой старой девой на какой-нибудь давно забытой, пыльной полке в паутине. Она никогда не отходила от этой своей позиции, хотя я, становясь старше, часто задумывалась, неужели — когда-нибудь наедине с самой собой — мама и в самом деле всегда именно так и понимала женщин и женскую судьбу? А теперь она вернулась к верному решению, к хорошим мальчикам, к тем, кто послужит тому, чтобы подходить мне по всем параметрам. Она принялась называть имена и загибать пальцы подходящих мальчиков из района, чтобы я получила представление о том типе мальчиков, которых она одобряет. Перебирая этот перечень, я могла бы гарантировать ей, если бы она умела слушать, что ни один из них не подходит мне ни по каким параметрам, которые она имеет в виду. Начать с того, что некоторые вовсе не были хорошими мальчиками. Дальше, до черта из них не были благочестивыми, а многие уже успели жениться. Меньшее число сожительствовали со своими подругами на улице красных фонарей, как она называлась в сообществе, и на «такой-растакой» улице, как ее определенно назвала бы мама, когда узнала бы про нее. Другие были неприемниками или имели репутацию неприемников, у которых в голове было только продвижение собственной повестки через политическую повестку или которые искренне были преданы политической борьбе. Так что мама могла сколько угодно выбирать их, не зная, кого выбирает, но я предпочитала не просвещать ее, потому что все еще оставалась в своем оборонительно-защитительном режиме «ничего не выдавать». Это было преднамеренное утаивание с моей стороны, потому что я ни в жизни не имела намерений делиться чем-либо с мамой, потому что она ни в жизни не имела намерений понять, что я говорю, или поверить мне на слово. И только когда она предложила мне в качестве кандидата в женихи «этого хорошего мальчика, как его зовут-то? — того, у которого развился бзик называть себя в первом лице множественного числа, ну, как же, ты его знаешь, Какего Маккакего», и пустилась в объяснения типа «твоя сестра говорит, что ее муж говорит, что он слышал, как все говорят, что ты...», я почувствовала, что больше не могу сдерживаться. И вот, пожалуйста. «Он отвратительная жаба, мама, — сказала я. — Ублюдок высшего класса. Не слушай, что он врет».

Мама поморщилась. «Мне не нравится, когда ты разговариваешь таким языком, это вульгарный, похабный язык. Я удивляюсь, почему это только вы вдвоем говорите на таком языке, тогда как другие сестры никогда на нем не говорят». Она имела в виду меня и третью сестру, мы с ней и в самом деле говорили на нем, хотя третья сестра говорила еще похабнее, чем я. «Ну и христохрень, ма», — сказала я, сказала я это, не думая, не принимая во внимание тот факт — а это был факт, — что я разозлилась, что я пренебрежительна к матери, что устала от нее, разочарована тем, что она живет на другой планете и в своем невежестве настаивает, чтобы я переехала жить к ней; и еще, что я считала ее стереотипом, карикатурой, чем-то таким, чем я, конечно, никогда не стану. И я сказала «христохрень», и это было грубо, без всякой задней мысли грубо. Но если бы я подумала, я бы, вероятно, решила, что она не обратит внимания, не поймет презрительности этого словечка, что у нее влетит в одно ухо, а в другое вылетит. Но мама обратила внимание, поняла и неожиданно отказалась от своей комической роли, роли «мамы, беспокоящейся о венчальных колоколах», штамп исчез, на первый план вышло ее истинное «я». И теперь она была сплошные кости, кровь, мускулы и сила и с неожиданным осознанием своего «я», включавшего ярость, целую кучу ярости; она подалась вперед и ухватила меня за верхнюю часть руки.

«Ты мне тут прекрати кидаться гордыми своими словечками, своим превосходством, своей снисходительностью, своим уничижительным сарказмом. Уж не считаешь ли ты, что я жизнь не прожила, дочка? Уж не считаешь ли ты, что мне не хватает ума, что я ничему не научилась за те годы, что я здесь? Так вот, я кое-чему научилась, кое-что знаю, и я тебе расскажу кое-что из того, что знаю. Одно дело говорить похабным языком и совсем другое, куда как более отвратительное, быть самодовольной и высмеивать других людей. Я бы предпочла, чтобы ты говорила грязным, неподобающим языком всю остальную жизнь, чем превратилась в одну из таких трусливых теток, которые не умеют сказать, что у них в голове, но не могут усидеть на месте, а вместо этого бормочут себе под нос, а своего добиваются доносительством и распространением слухов. Такие люди, хотя они в своих головах и в своей театральной любви к себе думают, что они умные и уважаемые, на самом деле ничуть не такие. Следи за своим тоном и своими словами. Я разочарована. Мне казалось, я тебя лучше воспитала». Она отпустила мою руку и пошла прочь, что было удивительно, такого между нами никогда прежде не случалось. Обычно это я, кто первая наедалась, начинала негодовать, произносила последнее слово, а потом в раздражении разворачивалась и шла прочь. Но на сей раз я поспешила за ней, протянула руку, чтобы ее остановить. «Ма», — сказала я, хотя понятия не имела, что сказать дальше.

Я не знала стыда. Я имею в виду как слово, потому что как слово, оно еще не вошло в общинный словарь. Я, конечно, знала *чувство* стыда, и я знала, что всем вокруг меня это чувство тоже знакомо. Ни в коем случае это чувство нельзя было назвать слабостью, потому что оно казалось более сильным, чем злость, более сильным, чем ненависть, даже сильнее, чем самая скрываемая из эмоций — страх. В то время не существовало способа бороться с ним или преодолеть его. Еще одна проблема состояла в том, что это чувство нередко было публичным, ему требовалась численность, чтобы действовать эффективно, независимо от того, с кем ты — с тем, кто предается стыду, или с теми, кто просто присутствует, или же ты — это тот, кого пытаются пристыдить. Поскольку это чувство было таким сложным, запутанным, очень продвинутым, большинство людей здесь предпочитали претерпеть самые разные изменения, только чтобы отделаться от него: убивали людей, наносили людям словесные оскорбления, наносили людям умственные оскорбления и, далеко не последнее и далеко не нередкое, делали все это по отношению к себе.

Эта перемена в моей матери протрезвила меня. Вытолкнула меня из веры, будто она какая-то картонная личность, из заблуждения, будто причина ее маниакальных молитв — голова, полная глупости, а не, может быть, полная волнений, из списания ее со счета по возрасту в пятьдесят лет и наличия десяти детей, отчего остальная ее жизнь — в смысле проживания как-то по-новому — ничего не стоит. В этот момент я плохо себя чувствовала из-за христохрени, а это означало, что мне стыдно оттого, что я обидела мать. Несмотря на все ее разглагольствования и промывание мне мозгов. А потому мне хотелось плакать, но я никогда не плакала. Потом мне захотелось браниться, чтобы не расплакаться. Потом мне пришла в голову мысль, что я могу попросить прощения. Момент был подходящий, чтобы сказать «извини», не говоря, конечно, никаких «извини», потому что тогда никто здесь еще не знал, как говорить слово «извини», как и слово «стыд». Мы могли чувствовать раскаяние, как в случае со стыдом, но не умели его выразить. Вместо этого я решила предложить матери именно то, что она хотела, то есть рассказать все, что есть про молочника и меня. Так я и сделала. Я ей сказала, что у меня с ним нет никакого романа, и что я не хочу с ним никакого романа, что на самом деле это все он, только он преследует и домогается меня, видимо, чтобы завязать со мной роман. Я сказала, что он два раза приближался ко мне, всего два раза, рассказала об обстоятельствах каждой встречи. Еще я сказала, что он в курсе моих дел — работа, семья, что я делаю по вечерам после работы, что делаю по выходным, но он ни разу не прикоснулся ко мне и пальцем, он даже, если не считать первой встречи, не смотрел мне в глаза, а еще добавила, что я никогда ни в какие его машины не садилась, даже если люди говорят, что я к нему постоянно подсаживаюсь. А закончила я признанием, что ни о чем этом не хотела говорить, не только ей, но вообще никому. Я сказала это из-за искажения слов, выдумывания слов, преувеличения слов, которое здесь происходит. Я бы потеряла свою силу, какая уж у меня была сила, если бы попыталась объясниться и положить конец всем этим сплетням про меня. Поэтому я молчала, сказала я. Я не задавала вопросов, не отвечала на вопросы, ничего не подтверждала, ничего не опровергала. Я таким образом, сказала я, надеялась удержать границу, чтобы сохранить мой разум. Так я надеялась, сказала я, заземлиться и защитить себя.

Все это время мама смотрела мне в глаза, не прерывая меня, но, когда я закончила, она без малейших колебаний назвала меня вруньей, сказала, что этот обман есть не что иное, как насмехательство над самой собой. После этого она стала говорить о других встречах между мной и молочником, кроме тех двух, в которых я призналась. Сообщество держало ее в курсе, сказала она, и потому она знает о наших регулярных рандеву для безнравственных встреч и свиданий, знала она и чем мы занимались в местах, для которых даже определение «такое-растакое» слишком прилично. «Ты настоящая бандитская подстилка, — сказала она. — Вышла из границ. Потеряла представление о добре и зле. Ты ведешь себя так, девочка, что любить тебя трудно, и если бы твой несчастный отец был жив, у него бы наверняка нашлось, что тебе сказать по этому поводу». У меня на сей счет были сомнения. Когда отец был жив, он с нами почти не говорил, а его последние слова, сказанные мне на смертном одре, — может быть, его последние слова вообще — были беспокойными и о нем самом. «Меня мальчишкой много раз насиловали, — сказал он. — Я тебе об этом когда-нибудь говорил?» В тот момент мне пришел в голову только один ответ: «Нет». — «Да, — сказал он. — Много раз. Много-много раз он делал это со мной — я, мальчишка, и он в костюме и шляпе; он расстегивал пуговицы, притягивал меня к себе в том сарае на задворках, в этом сарае на задворках, снова и снова, а потом давал мне пенни». Отец закрыл глаза, и его пробрала дрожь, а мелкие сестры, которые пришли со мной в больницу, обошли кровать и дергали меня за руки. «Что такое насиловать? — шептали они. — Что такое “крамби”?», потому что отец с закрытыми газами бормотал «кромби». «Много жутких раз», — сказал он, снова открыв глаза. Он, казалось, слышал сестер, хотя вряд ли мог их видеть. Но меня он видел, хотя вряд ли понимал, которая я из сестер. Это, конечно, никак не было связано с умиранием, потому что отец, когда был жив, всегда пребывал в каком-то рассеянном состоянии, долгие часы проводил за чтением газет, смотрением новостей, слушанием радио, а на улице слушал, потом сам говорил — обменивался политическими дрязгами с соседями-единомышленниками. Таким уж он был — ничего не брал в голову, если не считать политических проблем. А если не политические проблемы, то любая война в любом месте, любой хищник, любая жертва. И он немало времени проводил с этими соседями, у которых была такая же мания и безнадежное помрачение ума, как у него. Что же касается наших, его отпрысков, имен, он их никогда не мог запомнить, сначала должен был пройтись по хронологическому списку в его голове. И, делая это, он включал в список и имена сыновей, даже если искал имя какой-нибудь дочери. И наоборот. Рано или поздно, пройдясь по списку, он находил, наконец, правильное имя. Но потом и это стало слишком обременительным, а потому он со временем оставил свой умственный каталог, предпочтя слова «сын» или «дочь», что было гораздо легче. И он был прав. Это было легче, и потому и мы сами пришли к заменителям «брат» и «сестра».

«Ягодицы, — таким было следующее произнесенное им слово, и мелкие сестры захихикали. — Мои ноги, — сказал он. — Мои бедра, но особенно ягодицы. Всегда ужасно, эти ощущения, никак не могу от них избавиться, эти дрожи, эта тряска, эти крохотные настойчивые пульсации. Они все время возвращались, повторялись, всегда ужасные, всю мою жизнь. Но была такая бесшабашность, жена, — сказал он, — *заброшенность, отвержение меня мною самим, начавшееся задолго до этого — я все равно должен умереть, не жилец, я теперь в любой день могу умереть, все время, насильственной смертью* — так что почему не позволить ему, потому что он все время знал, что поимеет меня, а я не мог ему помешать. Все прошло. Забудь уже об этом. Ты уже не войдешь в это место ужаса, вот почему, жена, у нас с тобой так никогда толком и не получалось». Мелкие сестры снова захихикали, на этот раз над словом «жена», хотя теперь хиханье их стало нервным. Потом отец — на этот раз с озлоблением — сказал: «Эти кромби[1], эти костюмы, кромби. Никто не носил кромби, брат, — и сестры опять стали дергать меня за рукава. — А он тебя, — спросил отец, глядя прямо на меня и, казалось, на мгновение полностью понимая меня. — *Он тебя... брат... он тебя тоже?*» — «Средняя сестра? — прошептали сестры. — Почему папа говорит...» Но они не закончили. Они вместо этого стали теснее и теснее притискиваться ко мне у меня за спиной. Отец умер от своей болезни той ночью, после того как я с сестрами ушла, а мама и другие пришли в больницу посидеть с ним. Мне остался его шарф и его приплюснутая рабочая шапоч-

[1] Имеется в виду одежда английского дома мод «Джей энд Джей Кромби», одного из самых знаменитых модных брендов.

ка, а еще на всю жизнь неприязнь к слову «кромби», которое я тоже поначалу приняла за «крамби», пока не нашла в словаре тем вечером, вернувшись домой.

А теперь мама злилась, угрожала мне мертвым отцом, потому что я лгала, когда я не лгала, потому что я опозорила нас обеих, сказала она, моим враньем и жестокосердием, тогда как на самом деле причина всего состояла в том, что мы не доверяли друг другу. «Ты пренебрегаешь моими наставлениями», — сказала она, а я ей сказала: «Ты пренебрегаешь мною». В ответ и, как я думаю, для нее это стало подтверждением ее правоты, я снова закрылась в себе, нашла свое подростковое удовлетворение, отвергая любую попытку найти какую-нибудь точку соприкосновения, которая могла бы существовать между нами. Вместо этого я подумала, это моя жизнь, и я тебя люблю, или, может, я тебя не люблю, но я вот такая, я стою за это, и вот граница между нами, мама. Я этого не сказала, потому что не могла это сделать, не вызвав ее ругани, а мы с ней всегда ругались, всегда нападали друг на друга. Вместо этого я закрылась, думая, христохрень, христо-хрень, христохрень, христо-хрень, и я с того места перестала брать в голову, винит она меня в чем-то или нет. С этого дня она от меня ничего не получит. Но разве не так все всегда должно было быть? Я, как она считает, не имею сердца? А она, как я считаю, получит только одно: выставит себя в глупом свете.

И вот я на следующий день с третьим зятем бегала в парках-и-прудах. Он бормотал что-то себе под нос, а я пыталась сосредоточиться не на молочнике, как думала мама — как все они думали, — а на наверном бойфренде, с которым я должна была встретиться вечером, чтобы посмотреть закат. Что же касается молочника, то, похоже, его нигде тут не просматривалось, что не означало «Ура! Я от него избавилась. Замечательно!», потому что он, конечно же, мог ошиваться где-то неподалеку. Парки-и-пруды с их действующей скрытно полицией, действующей скрытно военной разведкой, с людьми в гражданском, притворяющимися, что они вовсе не люди в гражданском, плюс еще и всякой плотской суетой, которая «вот она есть, а через секунду уже нет», явно представляли собой идеальное место для ошивания. Но нет. Похоже, его нигде тут не было, и это воодушевляло, означало, что я могу расслабиться, могу продолжать тихо-спокойно предаваться своей пагубной навязчивой склонности к физическим упражнениям, которой способствовал и потворствовал зять, предававшийся бок о бок со мной тому же занятию. Обычно мы во время бега не общались, не болтали, не поощряли словесного обмена, если не считать чисто практических «может, прибавим скоростишки, свояченица?» или «может, добавим бонусную милю в конце, зять?», или что-нибудь другое в таком же роде. Но на сей раз привычный, надежный зять не казался ни привычным, ни надежным, как прежде.

«Если ты простишь мою назойливость, позволь мне спросить у тебя кое-что личное», — сказал он, и его слова поселили во мне страх, поскольку зять никогда прежде своей назойливости не демонстрировал. Я тут же подумала, наверное, речь пойдет о молочнике. Он хочет разузнать про молочника, потому что и до него, вероятно, дошли слухи, хотя мне это и казалось невероятным: уж кто-кто, а третий зять — последняя твердыня на пути всяких таких сплетен — никак не мог попасться на эту удочку. Оказалось, однако, что нс попался и не попадался. Вместо этого он начал осторожные рассуждения, которые, как я предположила, уже некоторое время носил в голове. Он завел разговор о моем чтении на ходу. Книги и ходьба. Я. И ходьба. И чтение. Опять то же. «Ты со мной говоришь? — сказала я. — Что ты имеешь в виду? Ты со мной в жизни не разговаривал». — «Просто я думаю, ты не должна это делать, — сказал третий зять. — Это небезопасно, неестественно, это нарушение долга по отношению к самой себе, делая так, ты отключаешься, ты бросаешь себя, с таким же успехом ты можешь отправиться на прогулку среди львов и тигров, ты отдаешься на милость жестким, коварным и неуправляемым темным силам, это все равно что ходить, засунув руки в карманы...» — «Тогда я не смогу держать книгу...» — «Не смешно, — сказал он. — К тебе кто угодно может подкрасться. Они могут подбежать, — подчеркнул он. — Подъехать. Да господи ты боже мой, свояченица! Они могут прогуливаться бок о бок с тобой — твои защитные рефлексы притуплены, ты не готова ни к каким неожиданностям, ты не осматриваешь и не исследуешь окружающую среду, а если ты читаешь вслух...» — «Нет! Я не читаю вслух! Бога ради!» Это становилось смешным. «Но если ты предаешься небезопасному занятию чтения на ходу, отключаешь сознание, не обращаешь внимания на окружающий мир, игнорируешь его...» — бесценно было услышать это от человека, который не знал, что в стране вот уже одиннадцать лет политические проблемы. Именно это я и использовала как сдерживающее средство против молочника. Еще одно отклонение от нормы зятя, кроме его отклонения в том, что касается женщин, состоявшее в том, что, согласно слухам, ходившим в районе, он так строго придерживался своего расписания тренировок и драк, что не замечал политических проблем, которые вот уже десять лет не давали всем покоя. Это были не пустые слова, и я не сомневалась, что своей необычностью это тоже отпугнет молочника.

Сама я мало обращала внимание на политические проблемы, но все же немного обращала, в той мере, в какой не могла этого избежать из-за осмоса[1]. Но зять не обращал никакого внимания и на осмос, и на очень заметные

[1] Осмос (греч. *osmos* — толчок, проталкивание, давление) — самопроизвольный переход вещества, обычно растворителя, через полупроницаемую мембрану, отделяющую раствор от чистого растворителя или от раствора меньшей концентрации. Явление *осмоса* лежит в основе обмена веществ всех живых организмов.

социальные и политические потрясения времени и места, в котором он жил. Он словно шоры надел, ничего не видел, что было странно, очень странно. Я тоже находила это странным, и значило это, что молочник — идеологический провидец мечты, глашатай видения, человек, посвятивший свою жизнь общему делу, о существовании которого не знала некая скандальная личность, живущая за углом исключительно в мире куда как менее значимых личных драк и физических тренировок, — определенно сочтет такое небрежение обескураживающим, чтобы не сказать указывающим на невменяемость зятя. Это предполагает умственные отклонения от нормы, потому что в нашем районе существовало два типа умственных отклонений от нормы: малые, общественно допустимые, и не столь малые, выходящие за рамки. Люди с малыми отклонениями вполне вписывались в общество и такими были почти все, включая всевозможных пьяниц, драчунов и личностей, устраивающих беспорядки, обитавших в этом месте. Пьянство, драки, беспорядки были делом повседневным, обычным, даже необходимым и вряд ли могли считаться серьезным умственным отклонением от нормы. Также вряд ли существенным отклонением от нормы мог считаться весь этот репертуар сплетен, таинственности и подсматривания друг за другом, как и правила, устанавливающие, что разрешено, а что не разрешено, строго соблюдавшиеся в этом месте. Что касается малых отклонений от нормы, то, по молчаливому согласию, к ним относились терпимо, закрывали на них глаза, потому что жизнь все равно пробивалась там, где приходилось обходить правила, а потому достичь стопроцентного результата было невозможно. Невозможно было дать и пятьдесят процентов, невозможно даже пятнадцать, разве что пять процентов, а может, всего два. С теми же, кто не знал пределов, невозможно было добиться вообще никакого процента. У запредельщиков имелись свои маленькие забавные способы, которые, как считали в районе, были чуток уж слишком забавными. Они больше не выдерживали испытаний, их больше не устраивали тайны человеческого мозга, не допускавшие его полного приспособления к обстоятельствам, и это в те времена, когда еще не было групп усиления самосознания, семинаров личного усовершенствования, мотивационного программирования, в общем, до нынешних времен, когда ты можешь встать и слушать аплодисменты в свой адрес за то, что признал возможные отклонения у себя в голове. Вместо этого в те дни было лучше сидеть как можно тише и не высовываться, чем признаваться в собственных отличительных привычках, опустившихся ниже отметки социальной нормы. Если же ты высовывался, то вскоре выяснялось, что на тебе клеймо психологического отщепенца, и ты прозябаешь в гетто вместе с другими такими же отщепенцами. В те времена в нашем районе такие прозябающие были наперечет. Был один человек, который никого не любил. Были женщины с проблемами. Был ядерный мальчишка, были таблеточная девица и сестра таблеточной девицы. Потом была я, и да, я совсем не сразу поняла, что включена в этот список. Зятя в списке не было, но это не означало, что его не следовало туда включить. Да одних его признаний в преданности женщинам, его идолопоклоннической миссии, его восхвалений и обожествлений, его убеждений, что женщина на земле — основа всего, что она объемлет все, что она — воплощение цикличности, начало начал, возвышенное существо, наилучшая, самая архетипическая и неразгадываемая тайна всего — не забудьте, что шли семидесятые годы, — и при нормальных-то обстоятельствах не было ни единого шанса, чтобы он не попал в список запредельщиков нашего района. А не попал он туда по причине своей популярности, что же касается его полной неосведомленности в политической ситуации, в особенности с учетом его нынешней критики в мой адрес, то я тут же за это зацепилась.

«Извини, зять, — сказала я, — но я о политических проблемах. Ты слышал о политических проблемах?» — «О каких политических проблемах? — сказал он. — Ты имеешь в виду горести, утраты, беды, печали?» — «Какие горести и печали? — сказала я. — Какие беды? Какие утраты? Извини, но это неумно». И вот тогда я узнала две вещи. Одна состояла в том, что давние слухи о том, что третий зять в полном отрубе от действительности, оказались неверными, потому что он был в курсе политических проблем. А вторая заключалась в том, что сообщество, может, и оба сообщества, может быть даже «заморская» страна и страна «через границу» довели дела здесь до политических проблем, которые теперь зовутся «горести», «утраты» и все остальное, что он сейчас назвал. «Похоже, я знаю о политической ситуации побольше тебя, свояченица, — сказал он. — Ничего удивительного, — продолжал он, — потому что, как я и говорил, ты невнимательна, что подтверждается в первую очередь твоим чтением на ходу. Я в прошлую среду собственными глазами видел, как ты вечером совершила социальное безумие, войдя в район полностью и опасно слепой по отношению к темным силам и влияниям, ты шла, опустив голову, освещая страницу самым крохотным из фонариков для чтения. Никто так не поступает. Это равносильно...» — «Ты знаешь про политичсские проблемы?» — спросила я. «Конечно, знаю, — сказал он. — Ты так думаешь, потому что считаешь меня ядерным мальчиком, который настолько погряз в американо-русских переговорах по размещению ядерного оружия, что не вижу, как мой собственный брат лежит рядом со мной без головы?» Он имел в виду одного из местных запредельщиков. Ядерный мальчик приходился младшим братом Какего Маккакего — а Какего Маккакего был, по версии мамы, одним из кандидатов в женихи для меня, а еще тем парнем, который, после того как молочник попадет в засаду и будет убит, наставит на меня пистолет в туалете самого популярного питейного клуба в районе, — так вот, у его брата, пятнадцатилетнего ядерного мальчика, была серьезная проблема с вооружением. Он был подвинут на гонке вооружений между Америкой и Россией, и никто не мог закрыть ему рот. Он постоянно волновался и расстраивался, что было бы в рамках нормы, считали все, как и не было бы лишено смысла, если бы он волновался и расстраивался в связи с накоплением оружия из-за политических проблем в его стране. Но нет. Он говорил о накоплении ядерного оружия где-то в других далеких местах. И он имел в виду Россию и Америку. Он переживал и никому не давал покоя своей болтовней, треща бесконтрольно о каком-то неминуемом катастрофическом событии. Это бедствие, говорил он, произойдет потому, что два незрелых, эгоистичных народа угрожают всем нам, другим народам, а он всегда говорил только об Америке и о России и даже понятия не имел, что при этом происходит у него перед глазами. Он ни о чем не беспокоился, не волновался, когда его любимому брату оторвало голову в середине недели, в середине дня, посреди улицы прямо у него на глазах. Только что его любимый брат, шестнадцатилетний любимец семьи, само спокойствие, шел через улицу к своему задерганному, заполошному брату, чтобы поговорить с ним, еще раз попытаться успокоить в этом его диком ядерном безумии. А через секунду тот уже лежал на земле совершенно без головы. Никогда, даже после того как все уже успокоилось, голову его так и не нашли. А люди искали ее. Человек, который никого не любил, — еще один запредельщик — и некоторые другие, многие, даже мой отец искали еще много дней и по вечерам. А ядерный мальчик после взрыва некоторое время отлеживался там, куда его отбросило взрывом, потом пришел в себя, потом вспомнил, где он был со своими словами об Америке и о России, потом продолжил с того места, на котором остановился. Среди этих криков он вернулся к своим волнениям, прямиком к волнениям. Не только за него волнение, сказал он. Не только за него. Мы все должны волноваться. Никто не может позволить себе отворачиваться от того факта, что безумные Россия и Америка стоят в воинственных позах, а мы все думаем, что можно не обращать внимания на этот риск. И вот ядерный мальчик был одним из таких отверженных, запредельщиков, который отдался этой странной одержимости холодной войной. Это означало, что, если вы его видели, видели, как он идет, быстрый, словно молния, вы разворачивались и спешили в другую сторону. И вот, пожалуйста, третий зять говорил, что сам он никакой не ядерный мальчик, что он политически и социально в курсе происходящего, что он в своем повседневном наблюдении и исследовании среды является антитезой ядерному мальчику. Кроме того, сказал он, если ты в курсе чего-то, это еще не значит, что ты должен распускать слухи. «А что касается распространения этих слухов, — добавил он, — то я должен сказать, свояченица, что я бы и представить не мог, что ты могла их распространять, я уж не говорю о том, чтобы распространять их через такое искажающее средство». После этого мы некоторое время бежали молча, зять думал о том, о чем ему думалось, а я думала о том, каким образом я тут попала в распространители слухов. И еще, он таки знает о политических проблемах. И еще, он критикует меня, тогда как — если бы не специальное освобождение, дарованное ему снисходительным сообществом, — он практически сам и был бы пресловутым запредельщиком в сообществе. Тут зять снова стал вторгаться в мое пространство и опять сделал это необычным образом, продолжив книжный вопрос. «Да. Эти книги, — сказал он. — И эта ходьба», — он начал под другим углом, на этот раз под углом, каким образом я буду изгнана в самые темные закутки темноты и без всякого милосердия подвергнута остракизму как районная запредельщица. Он меня предупредил, что за мной уже закрепилось прозвище «та, которая читает на ходу». Чушь, подумала я. Но его уже понесло, теперь его преувеличения и воображение были отпущены на свободу. «О'кей, — сказала я. — Значит, если бы я перестала читать на ходу, совать руки в карманы, пользоваться маленькими фонариками, а крутила бы головой направо-налево и снова направо, чтобы с опережением увидеть опасные, ни перед чем не останавливающиеся силы, то стало бы это означать, что я умру счастливой?» — «Речь не о том, чтобы быть счастливой», — сказал он, и это было и все еще остается самым печальным замечанием, какое я когда-либо слышала.

Но ни одного упоминания о молочнике. Ни одного слова. Зять, да благословит господь его душу, не слушал сплетен, что согласовывалось с моим уважительным отношением к нему как к человеку, который лишен всякого интереса к слухам. И, конечно, я тоже ни словом не обмолвилась о молочнике, потому что — как в случае со мной и наверным бойфрендом и моим осторожным отношением к допущениям или попыткам объяснить только для того, чтобы тебя неправильно поняли или к тебе перестали относиться серьезно, — в те дни я не могла понять, как я смогла бы заговорить об этой дилемме, в которой оказалась. Я не говорила ни с кем и ни о чем отчасти потому, что не знала, как рассказывать и что рассказывать, а отчасти потому, что было неясно, есть ли вообще о чем говорить. Что он, в конечном счете, сделал? Мне определенно казалось, что этот молочник сделал кое-что, собирается сделать, что стратегически он задумал какое-то действие. Я думаю еще — иначе, откуда все эти слухи? — что другие обитатели нашего района, вероятно, думали обо мне то же самое. Дело было в том, что он физически ко мне не прикоснулся. А в последний раз даже не посмотрел на меня. Так какие у меня были основания говорить о том, что он бсз всякого приглашения с моей стороны домогается меня? Но так у нас было принято. Все должно быть физическим, интеллектуально обоснованным, чтобы быть понятным. Я не могла сказать зятю про молочника не потому, что он бросился бы на мою защиту, поколотил бы молочника, а потом был бы застрелен, что настроило бы сообщество против молочника, привело бы к тому, что неприемники из военизированного подполья в районе взяли бы сообщество за горло. Потом сообщество взяло бы неприемников за горло, отказав им в укрытии, размещении, кормежке, перевозке для них оружия. А еще они перестали бы предупреждать их об опасности и служить им доморощенными врачами. Все это происшествие привело бы к расколу и положило бы конец столь обсуждаемому объединению с целью победы над вражеским государством. Нет. Ничего подобного. Дело сводилось к тому, что зять не смог бы поверить, что нечто нефизическое между двумя людьми может фактически продолжаться. Я тоже придерживалась такого же убеждения, как и все остальные, — если кто-то не делает чего-то, то как он может это делать, — а это означало, как я могу открыть рот и угрожать повсеместным нарушением существующего статус-кво? В особенности это было бы невозможно в контексте политических проблем, где громадные, физические, кричащие вопросы определенно возникали ежедневно, ежечасно, освещались в бесконечных телевизионных новостях, продолжались. Что же касается слухов обо мне с молочником, то с какой стати я должна была их развеивать, пытаться пресечь сплетни среди людей, которые жили сплетнями и явно не стали бы приветствовать, если бы кто-то надумал лишить их такой возможности. А бдительность или отсутствие бдительности? Отключение от окружающего мира или неотключение? На мой взгляд, в моем чтении на ходу я делала и то, и другое одновременно. А почему нет? Я знала, что, читая на ходу, я теряла связь с критически важным восприятием текущих общественных настроений, а это было, воистину, делом опасным. Важно было знать, быть в курсе, в особенности когда проблемы здесь нарастали с такой скоростью. С другой стороны, быть в курсе, быть настороже, фиксировать все по минутам — и то, что слухи, и то, что реальность, — никак не препятствовало тому, чтобы случались всякие неприятности, исключались посягательства или исправлялось то, что уже случилось. Знание не гарантирует силы, безопасности или облегчения, а нередко для кого-то знание означает утрату силы, безопасности и облегчения и не оставляет выхода для всей обостренной возбужденности, накопившейся как раз в результате того, что ты все время был настороже. Поэтому мое чтение на ходу как раз и было сознательным уходом от знания. Мое бдение сводилось к тому, чтобы отключать бдение, а мое возвращение к бегу с зятем было частью моего бдения. Пока я демпфировала его беспрецедентную атаку на мое чтение на ходу, пока демпфировала его самые избыточные замечания о беге, что, на мой взгляд, составляло его собственные защитные латы, я могла бежать с моим зятем и не быть одной в парках-и-прудах. К тому же я находилась там с мужчиной, что шло на пользу, потому что я чувствовала: молочник наиболее эффективен в случаях уединенности. А потому, бегая с зятем, я могла делать вид, будто этот молочник и две наши предыдущие встречи мало что значат, а то и вообще, будто бы ничего этого и не было.

Так что речь шла о книгах, только о книгах, о чтении книг на ходу, и я решила простить зятя за это несвойственное ему осуждение, что я и сделала, а потом дерево у верхнего пруда сфотографировало нас на бегу. Невидимая камера щелкнула, щелкнула один раз, издала полицейский щелчок, такой же щелчок издал и куст у этого же пруда неделю назад. Боже мой, подумала я. Я это как-то упустила из виду. Я вот что имела в виду: я упустила из виду, что теперь для полиции все мои знакомые автоматически становятся знакомыми молочника, поскольку и я для них знакомая молочника. Кроме того, за неделю после первого щелчка меня щелкали еще четыре раза. Один раз в городе, один раз, когда я шла в город, потом два раза на пути из города. Меня фотографировали из машины, из вроде бы заброшенного здания, еще из зарослей; возможно, были и другие щелчки, которых я не заметила. Каждый раз, когда я их слышала, камера издавала треск, когда я проходила мимо, а потому у меня возникало ощущение, будто я, да, провалилась в какой-то люк, может, в люк центральной канализации, как часть болезни, зараженная повстанничеством. И теперь другие мои знакомые, как, например, несчастный, ничего не подозревающий зять, тоже оказывались под подозрением как пособники пособника. Но зять, как и молочник, совершенно проигнорировал щелчок. «Ты почему игнорируешь этот щелчок?» — спросила я. «Я всегда игнорирую щелчки, — сказал он. — А что бы ты хотела? Чтобы я разозлился? Начал писать письма? Вести дневник? Подал жалобу? Приказал моему секретарю связаться с ООН, «Эмнисти интернешнл», омбудсменом, Обществом по защите прав человека, с людьми, выступающими за мирные демонстрации? Скажи мне, свояченица, с кем мне связаться и что сказать, и уж если мы об этом заговорили, то что ты сама собираешься делать с этим щелчком?» Я, конечно, собиралась прибегнуть к амнезии. Да что говорить, вот она, уже и наступала: «Не знаю, о чем ты говоришь, — сказала я. — Забыла». Его прямолинейность немедленно отправила меня в *jamais vu*. Таким был мой ответ — нечто, должное быть привычным, исключалось из привычного, — впрочем, в этой истории со щелчками возникло кое-что внушающее надежду. Зять не проявил ни малейшего удивления, услышав щелчок, и никак на него не прореагировал. Напротив, он потом признал, что слышал его, и не только этот щелчок, но и другие щелчки, предположительно, не имеющие отношения ко мне или молочнику. «Они это всегда делают, — сказал он. — Людей фотографируют на всякий случай», — что означало, что я могу не волноваться, могу перестать чувствовать себя виноватой из-за того, что навлекла подозрение полиции на зятя. И я перестала волноваться. Забыла об этом, мы продолжали бег, и зять опять взялся за свое, но не только в смысле бега, но и «за свое» в смысле, почему я должна бросить чтение на ходу. Я его не слушала. Я бы ни за что не отказалась от чтения на ходу. Но я помалкивала, потому что с какой стати, если уж об этом пошла речь, устраивать переполох, если ты уже твердо приняла решение.

Так мы и бежали, в конечном счете, он оставил чтение на ходу и вернулся к своему обычному бормотанию, сопровождающему его беговое пристрастие. На сей раз он дискутировал сам с собой на тему, что лучше: разогреваться по отдельным частям тела или по всем сразу, а если по отдельным, то не лучше ли сразу по двум или трем мышцам, все это меня вполне устраивало, потому что я поставила силовое поле, чтобы демпфировать наиболее пустопорожнюю часть его занудства. Нет, я не вовсе не сбрасывала зятя со счетов, потому что, как и все женщины района, я его очень, очень любила. А еще я была ему благодарна не только за то, что смогу возобновить мои пробежки, после того как увижу, что мой план перехитрить молочника удался. Я к тому же чувствовала себя с ним в безопасности, потому что знала его и его привычки, потому что в его обществе могла позволить себе немного расслабиться, потому что могла побыть в обществе человека, который не будет поучать и выяснять, что я собой представляю. У него не было никакой скрытой повестки; это у меня была скрытая повестка. А еще я забыла, как мне нравились — при нашем сходном понимании бега и этикета бегуна — совместные пробежки с ним. В конце концов он выговорился про разогрев, и мы вернулись к нашей норме — безмолвному бегу. Только раз он сказал: «Нс хочешь побыстрсс, свояченица? Мы же не хотим перейти на шаг, правда?» Что же касается молочника и моего желания вытеснить его из моей жизни возвращением к бегу с моим третьим зятем, то все произошло точно так, как и планировалось.

Третья

Третья встреча с молочником случилась, когда он появился вскоре после моего вечернего урока французского для взрослых. Занятия проводились в центре города. И на них происходили странные вещи. Иногда ничего французского на них вовсе не было. Нередко было французское, но нефранцузского больше. На нашем последнем занятии в среду вечером преподавательница читала из книги. Из французской книги, настоящей французской книги — такой, какую настоящий француз будет читать, не считая, что это ниже его достоинства, — и преподавательница сказала, что она читает из книги для того, чтобы мы привыкли к звучанию настоящего французского, когда слова связаны воедино в пассажи, в данном случае в литературные пассажи. Но оказалось, что небо в этом пассаже, который она читала, было не голубым. В конечном счете, ее прервали, потому что кто-то в классе — наш спикер, говоривший от имени всех, — естественно, не смог этого вынести. Кое-что там было не так, и он испытывал потребность ради всего разумного указать на это.

«Я не понимаю, — сказал он. — Это пассаж о небе? Если о небе, то почему автор не может сказать об этом? Почему он усложняет текст замысловатыми ухищрсниями, тогда как ему всего-то и нужно сказать: небо голубое?»

«Верно! Верно! — закричали мы, и если кое-кто из нас, вроде меня, и не закричал, мы все равно в душе были с ним согласны. *“Le ciel est bleu! Le ciel est bleu!*[1]”, — кричали многие из других. — Так все стало бы яснее. Почему он не сделал этого?»

Мы разволновались, и немало разволновались, но преподавательница — она рассмеялась, она вообще часто смеялась. Она делала это, потому что обладала юмором

[1] Небо голубое (*фр.*).

в устрашающем количестве — еще одна вещь, которая тоже нас будоражила. Каждый раз, когда она смеялась, мы не были уверены, смеяться ли нам вместе с ней, проявить любопытство и заинтересованность и спросить, почему она смеется, или надуться, оскорбиться и всерьез подготовиться к сражению. В этот раз мы, как делали это и обычно, выбрали подготовку к сражению.

«Какая потеря времени и смешение предметов, — посетовала одна женщина. — Автор не должен выставлять себя напоказ на уроке французского, даже если он француз, если он ничего не делает для обучения этому языку. Это “изучение иностранного языка”, а не класс, где наши мозги загружают разбором на части на том же языке вещей, чтобы разобраться, стихи это или еще что. Если бы мы хотели изучать фигуры речи и риторические приемы, в которых одна вещь подменяется другой, тогда как подменяемая вещь вообще вполне могла бы оставаться на своем месте, то мы бы пошли на курс английской литературы с этими чудиками в соседнем классе». — «Да! — закричали мы и еще закричали: — Называть вещи своими именами! — и еще популярное: — *Le ciel est bleu!* — и: — Какой смысл? Нет никакого смысла!» — все это срывалось с наших языков. Все кивали, стучали по столам, бормотали, поддерживали. А теперь, решили мы, настало время устроить нашим спикерам и нам самим хорошую овацию.

«Значит, класс, — сказала преподавательница, когда стихли аплодисменты, — вы считаете, что небо может быть только голубым?»

«Небо голубое, — изрекли мы. — Какого еще цвета оно может быть?»

Консчно, мы знали, что небо на самом деле может быть не только голубым, что оно может иметь еще как минимум два цвета, но с какой стати мы будем в этом признаваться? Я так никогда в этом и не призналась. Даже неделей ранее, когда я с наверным бойфрендом наблюдала мой первый закат, я этого не признавала. Даже тогда, когда на небе было цветов больше, чем три приемлемых — голубой (дневное небо), черный (ночное небо) и белый (облака) — даже в тот вечер я держала рот на замке. А теперь и другие в этом классе — все старше меня, а некоторым вообще под тридцать — тоже не хотели это признавать. Между нами возникло соглашение не признавать этого, не принимать нюансы для этого типа нюанса означало делать выбор, а выбор означал ответственность, а что, если нам ответственность окажется не по плечу? Не по плечу еще и потому, что нам же придется и отвечать за последствия, а если не сможем? А еще хуже, если там все хорошо, что уж там есть, и нам оно понравится, мы к нему привыкнем, нас оно будет воодушевлять, мы уверуем в него, а оно потом уйдет от нас или будет у нас отнято и никогда не вернется? Поэтому преобладающим чувством было: уж лучше тогда совсем не иметь с этим ничего общего, а поэтому мы и держались за наш голубой цвет неба. Но преподавательница не желала это оставлять так, как устраивало нас.

«И это, вы думаете все, да?» — сказала она, изображая удивление, которое еще больше укрепило наши подозрения на ее счет; короче говоря, наши подозрения в том, что она была не кем иным, как отъявленной запредельщицей. Потому что да, хотя я и была в центре города, то есть за пределами моего района, за пределами моей религии, то есть в классе, где были люди, носившие имена Найджел и Джейсон, это не влекло за собой никаких беспорядков, никакой дисгармонии, а потому и запредельщики не могли сюда попасть. Например, вы должны знать, независимо от религии, у кого дисгармония не выходила за значения нормы, а кто был человеком за бортом. Преподавательница, казалось, определенно принадлежит к последнему виду. Одно было ясно: французский никогда не удерживался надолго, если занятия вела она. И этот вечер проходил, как обычно, и победил английский, что означало, что французский, тоже как обычно, был выброшен в окно. Потом она попросила нас посмотреть в окно. Она сама проскакала к нему — женщина с прямой спиной на великолепной лошади под чепраком — и принялась показывать своей авторучкой.

«О’кей, все, — сказала она. — Вам нужно посмотреть на небо. Вам нужно немедленно посмотреть на заход. *Великолепно*!» — Тут она перестала показывать и стучать по стеклу, чтобы вдохнуть это небо. Вдохнув его, что выглядело непристойно, она выдохнула его с гигантским «Аааааxxxx», вырвавшимся из нее, что выглядело еще непристойнее. После чего она снова принялась показывать и стучать по стеклу. «Скажите мне, класс, — сказала она, — какие цвета — вы слышите, что я спрашиваю: *цвета, множественное число* — вы сейчас видите?»

Мы смотрели, потому что она нас заставила, хотя закаты солнца и не входили в нашу программу, но мы смотрели, и нам казалось, что небо, как и обычно, меняет оттенок со светло-голубого на синий, что все равно означало, что оно остается голубым. Но я, после недавнего тревожного и настораживающего заката, который я видела с наверным бойфрендом, знала, что небо в тот вечер во французском классе не имело ни одного из этих оттенков голубого. Человека любого уровня упрямства или упертости можно было заставить признать любой оттенок голубого во всем окне нашего класса. Она нас заставляла. Но мы упирались.

«Голубое!»

«Голубое!»

«Может, чуть-чуть... нет, голубое», — последовал наш всеобщий ответ.

«Мой бедный обездоленный класс!» — воскликнула преподавательница, и опять она блефовала, изображая сочувствие к нашей неспособности различать нюансы, к узости наших горизонтов, наших умственных ландшафтов, тогда как она сама явно была человеком, слишком ограниченным внутри себя, чтобы долго предаваться волнениям по какому угодно поводу. И как она стала такой? Как получилось, что она разогревает враждебность, что она проводит антикультуру, противостоящую нашей культуре, тогда как сама она принадлежит нашей культуре, в которой правила восприятия, касающиеся подобий наших цветов, — при этом независимо от принадлежности к той или иной церкви — должны применяться к ней в той же степени, что и к нам? Но она снова рассмеялась. «Во всем окне вы не найдете ни крошки голубого, — сказала она. — Посмотрите еще, пожалуйста. Попробуйте еще раз, пожалуйста, и, класс, — тут она замолчала и на секунду все же стала серьезной, — хотя на самом деле там нет недостатка в цветах, *ничего особенного там нет*. Но для временных целей, пожалуйста, имейте в виду — небо, которое, кажется, находится там, может иметь любой цвет, какой существует на белом свете».

«Фигня!» — воскликнули некоторые леди и джентльмены, и по нашим спинам пробежал *frisson*[1] — единственное французское слово за вечер, если не считать *le ciel est bleu*, и того литературного вздора, который проводил в жизнь автор книги. Нам казалось, нет, то, что она говорит, не может быть правдой. Если то, что она говорила, правда, если небо — там, не там, где угодно, — может иметь любой цвет; если все что угодно может быть чем угодно другим, если может произойти все что угодно в любое время, в любом месте во всем мире и с кем угодно, а возможно, уже и произошло, только мы не заметили. Так что нет. После множества поколений отцов и праотцев, матерей и праматерей, после веков и тысячелетий наличия одного официального цвета и трех неофициальных, многоцветное небо типа этого было непозволительным.

«Ну же, — настаивала она. — Вы почему отвернулись?»

[1] Холодок (*фр.*).

А мы и в самом деле отвернулись; это движение было защитным и инстинктивным. Но она заставила нас снова повернуться к окну и посмотреть на небо. На сей раз она принялась показывать через разные части окна на разные сегменты неба, которые были не голубыми, а сиреневыми, фиолетовыми, на заплаты розового — розового различных оттенков — с одной зеленой заплаткой, по которой проходила золотисто-желтая полоса. *А зеленый? Откуда там взялся зеленый?* Потом, когда уже закат, по сути, не был виден из этого окна, она вывела нас из класса, и мы пошли по коридору в класс *littérateurs*[1]. Тем вечером там не было занятий, потому что учащиеся, взяв авторучки, фонарики и маленькие блокнотики, отправились в театр, чтобы посмотреть «Плейбой западного мира» и написать на него рецензию. Здесь преподавательница заставила нас взглянуть на небо под совершенно другим углом зрения; отсюда мы увидели солнце — огромное и совершенно невообразимого оранжево-красного цвета, к тому же на небе, без всяких оттенков голубого, — оно садилось за дома в одной из секций оконного переплета.

Небо здесь представляло собой смесь розового и лимонного оттенков с добавкой лилового на заднем плане. За время нашего короткого перехода по коридору небо поменяло цвета, а теперь это изменение продолжалось на наших глазах. Появляющееся за лиловым золото надвигалось на полоску серебра, откуда наплывал другой оттенок лилового. Потом добавилось розового. Потом — сиреневого. Потом бирюза вытеснила со своего пути облака не белого цвета. Слои перемешивались, переходили один в другой, формировались и трансформировались, то же самое происходило с закатом и неделей ранее. «Поедем, посмотрим закат?» — преподнес наверный бойфренд моим испуганным ушам. «Зачем?» — пригвоздила его вопросом

[1] Литераторов (*фр.*).

я. «Затем, что это солнце», — сказал он. «О’кей», — сказала я так, словно не услышала что-то беспрецедентное, словно люди в моем мире что ни день предлагали друг другу посмотреть на закат. И вот я сказала «да» и после пробежки с моим третьим зятем отправилась домой, приняла душ, переоделась, накрасилась, надела туфли на высоком каблуке, и наверный бойфренд подобрал меня в нижней части моего района на нашей стороне разделительной дороги. Эта грустная и безлюдная дорога проходила между религиями, и я договорилась с ним о том, что встречу его там не потому, что он принадлежал другой религии, потому что он не принадлежал другой религии, а потому, что так было проще, чем если бы он подъехал к моей двери. Но вскоре после того первого заката он начал сетовать на наши сложные, ненадежные договоренности о встречах, сказал, что я не хочу, чтобы он заезжал за мной домой или чтобы мы встречались в моем районе, потому что стыжусь встречаться с ним на глазах соседей, что для моих ушей было совершенно невероятно. Я сказала, что в моем районе некуда пойти, что не отвечало действительности, и он тоже знал, что это не отвечает действительности, потому что все знали, что одиннадцать лучших питейных клубов нашей религии расположены в моем районе, включая и самый популярный в городе для нашего конкретного вероисповедания. И потому он сказал, что я хитрю, и это было правдой, но я хитрила вовсе не потому, что стыдилась с ним встречаться. Просто я не хотела, чтобы он появлялся у нас дома из-за мамы. Посыпались бы вопросы. Сначала, когда брачная церемония. Потом церемония крещения, а если не это, то она бы обвинила его в том, что он молочник. Кроме того, были молитвы, которые она могла начать читать в любой момент, и в целом набиралось столько конфузов, сколько мне было не вынести. Так что мы заметали следы и хитрили, встречаясь в темных и низкопробных сектантских притонах, не потому что я его стыдилась или хотела уберечь. Я просто спасала себя от неловкости объяснений с ней.

В вечер заката с наверным бойфрендом, когда еще не были сказаны его горькие слова о выборе места встречи, он подобрал меня, как обычно, на разделительной дороге и сделал это, приехав на своей последней отремонтированной машине. Мы поехали из города в какое-то местечко на берегу, где он купил выпивку, и мы стояли под открытым небом вместе с незнакомыми людьми в ожидании события: захода солнца, которого я так и не понимала. Я не понимала не только заходы. Я не понимала звезды, и луны, и ветра, и росу, и цветы, и погоду, и то значение, которое некоторые люди придают — старики придают — времени, когда они лягут спать, и времени, когда встанут назавтра, а еще тому, сколько градусов по Цельсию и Фаренгейту на улице и сколько градусов по Цельсию и Фаренгейту в доме, и состоянию своих желудков, своих пищеварительных систем, своих ног, своих зубов, когда один из них громко говорит в переполненном автобусе: «А знаешь что? Я, когда приеду домой, перед обедом съем превосходный ломтик тоста», а его спутник говорит не менее громко: «Я тоже дома перед обедом съем ломтик тоста для аппетита». А если не это, то: «Ты съел вчера дома ломтик тоста?» — «Да, но ты сам после этого ел?» — «Ой, я не ем. У меня была яичница. Этот друг позвонил Пэм, только ты меня останови, если я тебе уже рассказывал, но мы прежде ездили вместе покупать чайники и гладильные доски...», и это было совершенно естественно, что я не понимаю таких вещей. То же самое и с закатами, потому что это было совсем не то, что получить клеймо «молодой запредельщик», и «наверный бойфренд», который тоже был молодой — всего на два года старше меня, — и тоже не должен был понимать и ценить то, чего никто из людей нашего возраста и не заметил бы. Столкнувшись с таким поведением и видя перед собой небо, и поскольку предполагалось, что я должна наблюдать его, присутствовать при нем, участвовать каким-то образом и должным образом на него реагировать, я стояла рядом с наверным бойфрендом и смотрела, и кивала, хотя и не знала, на что я смотрю и чему киваю. И в этот момент я снова начала спрашивать себя: а не заставляет ли себя наверный бойфренд ездить на закаты, а не заставляет ли он себя иметь кофеварки, а не заставляет ли он себя любить футбол, делая вид, что не любит футбол, и не важно, что я сама не любила футбол, но то, что я не любила футбол, если не считать музыки из «Матча дня», не имело к делу никакого отношения. Он, конечно, возился с машинами, и это было естественно для парней возиться с машинами, хотеть ездить на них, мечтать ездить на них, если у них нет средств их покупать и они недостаточно помешаны на машинах, чтобы их угонять, чтобы прокатиться. И все равно я забеспокоилась, я забеспокоилась, что наверный бойфренд на какой-то свой мужской манер отказывается быть как все. И опять это меня смутило, потому что не вытекало ли тогда из моих слов, что я его стыжусь, что нормальные парни, которые, как все, которые хотели поколотить Джули Ковингтон[1] за то, что она пела «Только женщины кровоточат», а они считали, что это песня о месячных, хотя она и не была о месячных, хотя все, включая и меня, тоже думали, что о месячных; а еще парни, которые, если они испытывали к тебе интерес, обвиняли тебя в том, что они испытывают к тебе интерес... не вытекало ли тогда из моих слов, что я предпочитаю встречаться с такими, как они? Каждый раз, когда я размышляла над этим, что мне не нравилось делать, потому что тогда я опять же оказывалась лицом к лицу с моими противоречиями, этими неконтролируемыми иррациональностями, каждый раз тогда я ис-

---

[1] Джули Ковингтон (р. 1946) — английская певица и актриса. Наиболее известна исполнением песни Элис Купер и Дика Вагнера «Только женщины кровоточат» — баллады о женщине, живущей с жестоким мужем.

пытывала беспокойство. Я знала, что предпочитаю наверного бойфренда всем другим моим предыдущим наверным бойфрендам, а мои любимые дни на неделе — те дни, что я провожу с наверным бойфрендом, что к тому же единственный парень, с которым я хотела спать на настоящее время, и единственный парень, с кем я когда-либо спала, был наверный бойфренд. Кроме того, поскольку он предложил нам жить вместе, а я отказалась, я стала ловить себя на том, что представляю себе, какой бы могла быть наша совместная жизнь с наверным бойфрендом — находиться с ним в одном доме, делить одну кровать, просыпаться каждое утро рядом с ним; неужели совместная жизнь, если мы к этому шли, могла быть такой уж плохой?

И вот я кивала на закат, на этот горизонт, что не имело никакого смысла, поскольку я все время предавалась этим противоречивым мыслям, а наверный бойфренд стоял рядом вместе со всеми этими людьми, тоже глазевшими на закат, вокруг меня, и как раз в этот момент, когда я думала *какого хера они тут*, как тут что-то изменилось там — или во мне. Оно попало на свое место, потому что теперь вместо голубого, голубого и еще голубого — официального голубого, понятного всем и по всеобщему мнению находящегося там, наверху, — меня осенила истина. Я смотрела на небо, и мне стало ясно, что голубого там нет вообще. Я впервые увидела цвета, и точно так же неделю спустя я увидела эти цвета на занятиях французского. В обоих случаях эти цвета смешивались, переходили один в другой, скользили и расширялись, появлялись новые цвета, все они входили в соприкосновение, постоянно двигались, вот только один цвет там отсутствовал: голубой. Наверный бойфренд впитывал все это в себя, как и вcс остальные, стоявшие вокруг нас. Я не сказала ничего, как не сказала ничего и неделю спустя на уроке французского, но два захода за одну неделю, тогда как за всю предыдущую жизнь не было ни одного — это, вероятно, что-то значило. Возникал вопрос — что это за *что-то*: безопасное что-то или угрожающее что-то? Что оно было такое, на что я реагировала?

«Не волнуйтесь, дорогие ученики, — сказала преподавательница. — Ваше тревожное ощущение, даже временная утрата психического равновесия перед лицом этого заката ободряет. Это может означать только прогресс. Это может означать только прозрение. Пожалуйста, не думайте, что вы предали или погубили себя». После этого она сделала несколько глубоких вдохов, надеясь воодушевить нас своим примером проникнуться более доблестным и авантюрным духом. Но в классе *littérateurs* не было ощущения авантюры, я думаю, другие следовали ее примеру в еще меньшей степени, чем я. Я хотя бы испытала потрясение при виде неба, провокационного характера захода всего неделей ранее, тогда как, судя по их виду и независимо от возраста, они, казалось, боролись с этими чувствами впервые в жизни. Конечно, я тоже испытывала воздействие паники. Я чувствовала, как она шевелится в воздухе, как она, излучаемая другими, накатывает на меня сначала рябью, потом волна за волной. Но я думаю, что, поскольку я испытывала точно такую же панику в мой предыдущий закат, но обнаружила, что если держать себя в руках, не позволять ей поглотить тебя, она постепенно проходит, то на этот раз я принимала ее и потому, позамыкавшись несколько раз в себе и поразмыкавшись, я, чтобы дать себе передышку от того, что, возможно, все же было непривычным, незнакомым спокойным сознанием, я перевела взгляд на улицу. Вот тогда-то я и увидела белый фургон, припаркованный в узком проезде по другую сторону. Я замерла, меня вышибло из того, что мгновение назад было чуть ли не умиротворенным сознанием.

Капот его фургона торчал из въезда, образованного тыльными сторонами питейных заведений с одного бока и ряда учреждений с другого. Я сумела преодолеть себя настолько, что смогла отойти от окна — мало ли, он там, смотрит. В бинокль? Телескоп? Камеру? И теперь я думала: *идиотка* — имея в виду себя, — так как считала, что добилась успеха, радовалась, поздравляла себя, веря, что разрешила проблему, что, возобновив пробежки с третьим зятем, отделалась от молочника. Хватит предположений. Хватит внутреннего хвастовства. Прошла всего неделя, а все мои попытки обхитрить его закончились ничем. Ну почему, почему мне не пришло в голову, что он изменит тактику — перестанет преследовать меня в парках-и-прудах, но станет проявлять интерес ко мне где-нибудь в другом месте?

Преподавательница продолжила. На сей раз речь зашла о транзиторном[1] (что уж это значит?) черном цвете уличных деревьев благодаря крепускулярному[2] (что уж это значит?) качеству неба за ними, и остальные — все еще продолжавшие борьбу — стали сетовать на то, что в нашем городе нет транзиторности, крепускулярности или уличных деревьев черного или любого другого цвета, но их заставили посмотреть еще раз, и они отступили: может, у нас и есть уличные деревья, но их, вероятно, посадили получасом ранее, а потому их прежде никто не замечал. Я в это время говорила себе, что нужно поумнеть, взять себя в руки, что я в центре города, а это значит, что фургон может принадлежать кому угодно, и велика ли вероятность того, что он случайно припарковал свою машину ровно против того колледжа, в который я совершенно случайно пришла на вечерние занятия? Очень маловероятно. Слишком много совпадений. Поэтому фургон не его. И в доказательство моих предположений в следующий раз, когда я выглянула в окно, фургон, стоявший в проезде, исчез. Я с приливом энтузиазма тут же восстановилась, забыла про фургон, воссоединилась с группой, небом, деревьями,

---

[1] Транзиторный — *здесь:* переходный, мимолетный.

[2] Крепускулярный (от фр. *crépuscule* — сумерки) — сумеречный, тусклый.

со всем тем, о чем они препирались. В то же время я прогнала физическое ощущение, которое возникло у меня в нижней половине тела сзади и в котором, казалось, двигалось основание моего позвоночника. Не казалось — *двигалось*. Это было не нормальное движение, как при наклонах вперед, назад, вбок, при разворотах. Это было какое-то неестественное движение, предчувствие, предупреждение, рождающееся где-то в копчике вибрациями, от которых исходит рябь — уродливая быстрая угрожающая рябь, — она переходит в ягодицы, набирает скорость в моих сухожилиях, откуда за считаные мгновения доходит до темных впадин под коленями, после чего исчезает. Все это произошло за одну секунду, и моя первая мысль — непрошеная, неконтролируемая — была в том, что это оборотная сторона оргазма, если можно представить себе такую неприятную отчасти судорожную тень оргазма в задней части тела — *антиоргазм*. Но потом я подавила эти дрожи, эти потоки, что уж они собой представляли, и вернулась к окну, где звучали некие реакционные крики: «Отцы и праотцы!», «Матери и праматери!», «Какой в этом вред — голубой цвет практичный!» Но большая часть класса пребывала в некоем подавленном состоянии, потому что они вместе со мной знали, что небо этим вечером было только началом. А потому на нас сошло спокойствие, которое переросло в полное молчание. Потом преподавательница вздохнула. Потом вздохнули мы. Потом она повела нас назад в наш класс со словами: «Дорогой класс, я даю вам еще несколько секунд молчания, размышления, воспоминания о том, что вы видели сегодня. После чего мы вернемся к литературному пассажу и всем этим тропам другого языка», чем мы и занимались остаток вечера.

На ступеньках у двери колледжа я попрощалась с Шивон, Уиллардом, Расселлом, Найджелом, Джейсон, Патриком, Кьерой, эрлом Рупертом и остальными, потому что они, как обычно, направлялись в бар, чтобы ругать возмутительность, дисгармонию и неуместность обучения нами нашей преподавательницей и возмущаться тем, что теперь французский мы знаем даже хуже, чем в сентябре, когда только поступили на курсы. На этот раз я не хотела идти с ними, потому что момент был неподходящий, чтобы сидеть в баре, сейчас было время подумать, а думала я всегда лучше всего, мысли мои всегда расцветали на ходу. Я двинулась к дому, и мне даже мысль в голову не пришла, чтобы почитать «Замок Рэкрент»[1]. Для чтения я была слишком занята, думала о преподавательнице, о том, как она сказала, что закаты происходят каждый день, что мы не должны хоронить себя заживо, что никакая тьма не бывает столь беспросветной, чтобы ее нельзя было преодолеть, что всегда есть новые главы, что мы должны отпустить прошлое, открыться символике, самым неожиданным интерпретациям, что мы еще должны обнаружить, *что* мы скрывали, что мы, по нашему мнению, потеряли. «Сделайте выбор, дорогой класс, — сказала она. — Выйдите из этих мест. Никогда не знаешь, — закончила она, — момента разворота, перелома, перемены, мгновения, когда тебе раскрывается смысл всего происходящего». Да, чудно́. Но такова была ее философия, а если ты философствуешь, разве это не значит, что Бог где-то поблизости? Я не знаю, как бы я отнеслась к присутствию там Бога, хотя она о нем и не упоминала, что случилось бы — с учетом неустойчивого равновесия и хороших манер, принятых в нашем классе в отношении чувствительных религиозных моментов и политических проблем, — когда пришло бы такое время, о котором она говорила? Что же касается этой новой традиции закатов, то у меня их было два за восемь дней, а это означало: чтобы сделать домашнее задание, мне нужен все-

[1] Роман английской (ирландской) писательницы Марии Эджуорт (1767–1849).

го еще один. Преподавательница попросила нас описать три заката — «если хотите, то по-французски», — чем выдавала то, хотя мы уже и без того знали, что ее приоритеты не в области языка. Ее слова вызвали новый протест, хотя и более мягкий, поскольку большинство из нас были все еще под впечатлением гармонии этого вечера, чтобы устраивать нашу обычную бучу несогласия.

Поэтому мы собрали вещички и ушли, они направились в бар, а я — домой, к моей запретной зоне. Спустя какое-то время размышлений на ходу — о цвете, о трансформации, об изменении внутренних ландшафтов — я оставила свои мысли, чтобы осмотреться, и тогда я поняла, что уже нахожусь в десятиминутном пятачке на окраине центральной части. Этот десятиминутный пятачок официально не назывался десятиминутным пятачком. Просто, чтобы его пройти, требовалось десять минут. Быстрым шагом, не задерживаясь, хотя никто в здравом уме и не стал бы тут задерживаться. Не то чтобы это было место, опасное в политическом смысле, не то чтобы одна из здешних обветшалых церквей могла случайно упасть на тебя, не то чтобы что-то ужасное могло произойти с тобой в этом месте из-за политических проблем. Нет, политические проблемы на протяжении этих минут в сравнении с этим пятачком казались наивными, нелепыми и едва ли имеющими значение. Дело было в том, что десятиминутный пятачок был, всегда был, некой гнетущей, зловещей земелькой, настоящей «Марией Целестой»[1].

Он имел округлую форму, и на нем возвышались три гигантские церкви, тесно и равномерно размещенные вокруг центра. Эти церкви давно перестали быть действующими, они стояли необитаемые, потерпевшие поражение, почти что одни корпуса зданий, хотя их черные шпили

[1] «Мария Целеста» («Небесная Мария») — название корабля-призрака, который был обнаружен в 1872 г. в Атлантическом океане в 400 милях от Европы, покинутый экипажем.

по-прежнему устремлялись в небеса. Девчонкой я воображала, что эти шпили пытаются соединиться вершинами, сделать такую «ведьмину шляпу», и тогда все будут вынуждены проходить под ней. В те давние времена для меня на пятачке это было первое, что бросалось мне в глаза. Кроме ведьминой шляпы здесь стояли еще несколько зданий, и то, что здесь было, тоже казалось заброшенным — предположительно офисы, жилые дома, — никто вроде бы не жил в них и не работал, а люди, если ты встречала здесь кого-нибудь, шли, как и ты, с опущенными головами, быстрым шагом. На пятачке было четыре магазина, но они не считались настоящими магазинами, несмотря на таблички «Открыто» и незапертые двери, чистые фасады и впечатление, что жизнь — пусть и невидимая в этот момент — внутри, несмотря ни на что, существует. Никто не видел, чтобы в эти магазины кто-то заходил или выходил оттуда. Возле одного из них находилась остановка автобуса, единственная остановка автобуса на десятиминутном пятачке. На ней тоже никогда никого не видели, никто не стоял на остановке в ожидании автобуса, никто не выходил из автобуса там. Потом там был почтовый ящик, но никому — кроме моих мелких сестер, которые один раз отправили что-то самим себе в ходе одного из своих многочисленных научно-исследовательских экспериментов, чтобы проверить, будет ли письмо доставлено по адресу, чего не случилось, — и в голову не приходило отправить почту оттуда. Все это указывало на то, что десятиминутный пятачок — место жутковатое, которое нужно просто миновать как можно скорее. Пройдя пятачок, я направлялась к следующему ориентиру, и у меня было семь ориентиров, которые я отмечала краем глаза, читая на ходу книгу. Десятиминутный пятачок был моим первым ориентиром после того, как я покидала границы центральной части города. Следующим было кладбище, которое все, включая медиа, военизированное подполье и полицию — даже некоторые почтовые открытки, — называли «обычное место». Затем шли полицейские казармы, за которыми находился дом, откуда всегда пахло печеным хлебом. После хлебного дома был дом святых женщин, где они часто пели псалмы, много раз Ave Maria. После святого дома шли парки-и-пруды, по которым, даже если все еще было светло, я в такое вечернее время никогда бы не пошла, чтобы срезать угол. Я вместо этого шла долгим путем, выходила на улицу к крохотному дому третьей сестры и третьего зятя. Это был мой последний личный ориентир, потому что дальше следовало несколько коротких проездов в жилой зоне, которые выводили на мою улицу и к дверям моего дома. Сейчас я вот-вот должна была войти в десятиминутный пятачок, который недавно был потревожен внутри своего обычного тревожного состояния взорвавшейся в самой его середине бомбой. Из-за этой бомбы одна из трех церквей перестала существовать.

Поначалу этот взрыв всех озадачил. Какой в нем был смысл? Никакого. Зачем подкладывать бомбу, говорили все стороны, в мертвое, жуткое, серое место, до которого все равно всем до лампочки, даже если бы его в один прекрасный день отправили на тот свет? Медиа высказали предположение, что это была случайная бомба, преждевременная бомба, может быть, бомба неприемника той страны, который нес ее в ближайшие казармы полиции; а может, бомба защитника той страны, предназначенная для сегрегированных питейных клубов, расположенных недалеко от казарм, но почему-то взорвавшаяся здесь.

Что бы это ни было, бомба никого не убила, кроме неустойчивой пустой церкви, которая так или иначе уже несколько десятилетий была неустойчивой, а ударная волна обрушила ее полностью. Она рухнула, но две другие церкви — все еще неустойчивые, все еще на грани обрушения — остались стоять. Магазины-призраки тоже не были затронуты взрывом, их двери оставались раскрытыми, никаких разбитых окон, обычные дела. Тоже и автобусная остановка — осталась в целости, на ней, как и всегда, никого не было, так что пятачок казался ничуть не мертвее, чем прежде, до взрыва. После официального расследования и криминалистической экспертизы, после доклада экспертов, а еще после множества обвинений, которыми обменялись стороны, стало ясно, что ни защитники, ни неприемники во взрыве не виноваты. Это взорвалась старая бомба, историческая бомба, бомба древних греков или римлян, большая, гигантская нацистская бомба. Ну, тогда все в порядке, вздохнули с облегчением все. Не их сторона. И не наша сторона. Все обвинения и взаимные упреки прекратились.

«Почему десятиминутный пятачок навевает такой страх?» — как-то спросила я у мамы. «Ты задаешь странный вопрос, дочка», — ответила мама. «Не такой странный, как те, что задают мелкие сестры, — сказала я, — а ты им отвечаешь так, словно это обычные вопросы», — добавила я, имея в виду их последний завтрак. «Мамуля, — сказали они, — а не могло бы так случиться, что если бы ты была женщиной и очень спортивной, и эта вещь, которая называется «менструация», в тебе прекратилась, — сестры недавно узнали про менструацию из книги, а пока не из личного опыта, — а потом ты бы перестала быть очень спортивной, и твоя менструация вернулась, не значило бы это, что у тебя будут дополнительные менструации и за тот период, когда они должны были быть, но их не было из-за твоих чрезмерных занятий спортом, которые блокировали производство твоего гормона, стимулирующего фолликулы, а еще блокировали бы твой лютеинизирующий гормон, который дает команду эстрогену стимулировать маточную оболочку в ожидании оплодотворения яйца с последующей нехваткой гормона и эстрогена, что препятствует выходу яйца для оплодотворения или — если яйцо выходит неоплодотворенным — дегенерации желтого тела и шелушению эндометрия, или, мама, менструации у тебя прекратились, когда настало биологическое время, независимо от месяцев или лет чрезмерных занятий спортом, когда у тебя прекратились месячные?» Мама согласилась, что да, вероятно, пришло биологическое время, она им ответила, относилась к вопросам мелких сестер так, словно это нормальные вопросы, но мелкие сестры были мелкими сестрами — даже их преподавательницы так говорили, — а это значит, что они задают неуместные и странные вопросы и требуют знания, тогда как, сказала она, она надеется, что я, имея побольше мозгов, чем у сестер, уже из всего этого выросла. Потом она сказала, что не знает точно, но десятиминутный пятачок всегда был странным, пугающим, серым местом, что даже во времена ее матери, во времена ее бабушки, в довоенные времена — если только такие были — место это все равно было пугающим, серым, оно всегда пыталось перенести куда-нибудь часть темных, зловещих происшествий, но у него не получалось перенести, а потому оно сдалось этим происшествиям, уступило им, воспылало желанием иметь их, погрязнуть в них, да что говорить, даже ухудшить свою натуру настолько, чтобы испытывать в них острую потребность, даже потащить за собой вниз, сказала она, соседние места, а на самом деле кто знает? — она пожала плечами — может быть, там ничего плохого и вообще не происходило. «Некоторые места просто заклинивает, — сказала мама. — Они впадают в обольщение. Как некоторые люди. Как твой отец», — в этот момент я пожалела, что открыла рот. Что угодно — пусть только оно будет темным, пусть оно будет погруженным в тень, пусть оно будет по уши погрязшим в том, что она называет «психолопатия», — оно всегда возвращало ее к предмету (и в особенности к очернению), называемому «ее муж», который приходился мне отцом. «В те времена, — сказала она, имея в виду старые времена, имея в виду ее деньки, их деньки, — даже тогда, — сказала она, —

я никогда не понимала твоего отца. Если уж по большому счету, дочка, то какая у него могла быть психология?»

Она имела в виду депрессии, потому что у отца они случались: большие, массивные, неожиданные, чудовищные, затянутые черными тучами, заразные, с воро́нами и во́ронами, галками, гробовыми гробами, катакомбными катакомбами, черепами-скелетами-костями, ползущими по земле в сторону депрессии могильного типа. У самой матери депрессий не случалось, к тому же она вообще не выносила депрессий и, как и многие местные, у которых они не случались и которые их не выносили, она хотела схватить и трясти тех, у кого они случались, пока за ум не возьмутся. В те времена, конечно, это называлось не «депрессии», а «настроения». У людей случалось «плохое настроение». Люди были подвержены «настроениям». Некоторые из тех, у кого случалось плохое настроение, не вставали с кровати, сказала она, лежали с вытянутыми лицами, создавали атмосферу бесцветной, бесконечной тоски, трагедии, болезни, оказывали влияние на окружающих своей бесцветностью, вытянутыми лицами, непрерывной, непреходящей тоской, независимо от того, говорили они что-нибудь или помалкивали. Достаточно было только посмотреть на них, сказала она. Да достаточно было только в дверь войти, как ты уже чувствовал, как этим тянет сверху, из его комнаты, из их комнат, тянет этой унылой наркотической атмосферой. И даже если такой поддающийся настроениям человек принадлежал к типу, которому удается подниматься с кровати, это едва ли что-то меняло — эти люди по-прежнему сгущали атмосферу. И опять своими вытянутыми лицами и неизменным расположением духа они продолжали ту же песню, тащились, ссутулившись по улице, волочили себя по земле, едва передвигая ноги, бродили туда-сюда по городу на свой эпидемический мрачный манер, заражая всех вокруг, и — если они выбирались из кровати — делали это в более широком, всеохватном масштабе. «Эти люди, поддающиеся настроениям и с тяжелым характером, должны понять, — сказала мама — и она говорила это не раз, а чуть ли не всегда, если в разговоре упоминался отец, — что жизнь у всех нелегкая. Не им одним тяжело, так почему же тогда к ним нужно относиться по-особому? Трудности нужно переносить стойко, продолжать жить, держать себя в руках, быть уважаемыми. Есть такие люди, дочка, — сказала она, — люди, у которых куда как больше оснований для психолопатии, больше поводов для страдания, чем у тех, которые наслаждаются своими страданиями, но ты не видишь, чтобы они предавались темноте, чтобы они сетовали на жизнь. Они вместо этого мужественно идут своим путем, отказываясь — я говорю об этих настоящих людях — сдаваться».

И мама возвращалась к привычному разговору, устремленному к новым вершинам, к ее иерархии страданий: к тем, кому позволено страдать, к тем, кому позволено, но кто бывает жестоко наказан, если переберет квоту; к тем, кто, как отец, незаконно валяется в кроватях наверху, крадя право на страдание у тех, кто имеет его по справедливости. «Твой отец, — сказала она. — Твой отец. Ты знаешь, что даже его сестра говорила, что он лежал в кровати, когда выли сирены, дома вокруг горели, а он не уходил в укрытие с другими людьми? Слишком молод, видите ли, — шестнадцать или семнадцать, а мне тогда было двенадцать, а ума у меня в голове было куда больше. Псих. Хотел, чтобы эти бомбы упали на него. Псих», — и я, услышав это в первый раз, — а этот раз был уже далеко не первый — еще до того как у меня самой начались депрессии, — решила, что я тоже псих. А она теперь говорила о большой войне, о мировой, Второй мировой, той войне — спросите об этом у любого тинейджера, — которая не имеет ничего общего с современным человечеством и жизнью современного общества; войне, в которой не участвовали мои ровесники, что и неудивительно, потому что большинство из нас вряд ли могло участвовать и в нынешней, более локальной войне, которая шла теперь. «После войны, — сказала мама, — даже когда мы поженились, долгие годы до его смерти, а в особенности когда начались горести, все, чего можно было ждать от него, так только того, что он будет забивать себе голову всякими темными вещами». Она имела в виду его газеты, его книги, его тетради, его собирание и разбирание всего, что имело отношение к политическим проблемам, его встречи с друзьями-единомышленниками, точно такими же мрачными, одержимыми и озабоченными утесами, скалами, вор́онами, во́ронами и скелетами, как и он сам. Они делились своими вырезками и подборками, своими системами классификации, новостями обо всех трагедиях, всех политических проблемах в такой мере, что казалось, будто это их работа, тогда как это не было их работой, и отец, конечно, спустя какое-то время перестал с этим справляться. Даже мы, его дети, видели, что все это гиперпогружение, вся эта дотошность, фиксация в какой-то момент должны рухнуть. И они рухнули, а он вместе с ними, шмякнулся на полном ходу головой от всего этого выуживания, архивации, обязательных вырезок из газет и только еще глубже погрузился в отчаяние, в котором его мир был ограничен кроватью, больницей, комиксами, спортивными страницами или передачами про холокост по телевизору. И еще программами про природные катаклизмы, как, например, рассказы Дэвида Аттенборо про то, как одни насекомые поедают других насекомых или как хищная дикая жизнь набрасывается на травоядную. Он никогда не смотрел программы про вересковые пустоши или про то, как поддерживать бабочек в счастливом, беззаботном состоянии. Такие программы его никогда не привлекали, не интересовали, он никогда, как говорила про него мать, «не позволял поднять себе настроение». Конечно, все в доме знали: холокост, мировые войны, поедание одних животных другими животными, все эти анестетики, которые включали и наши политические проблемы, — когда он имел возможность к ним возвращаться, настроения ему тоже не поднимали. Но было ясно, что какой-то цели они служили, какому-то чувству. «Смотри! Нет, ты только глянь. Какой смысл? Нет тут никакого смысла», что согласовывалось с ним, даже утешало его в его отчаянии, когда он знал, что дела обстоят, как всегда обстояли, никаких триумфов и преодолений не предвидится, потому что преодоления были фантазиями, а триумфы — снами наяву, потугами и новыми потугами, бесполезной тратой времени. «Я знала, что твой отец в настроении, когда он поет, — сказала мама, — и я знала, что он не в настроении, когда целый день лежит в кровати, по ночам встает, не спит, не раздвигает шторы, а вместо этого заделывает все щелки, чтобы никакой свет уличных фонарей не проникал, никакой дневной свет. Его меланхолия, дочка. Это неестественно. Будь она естественной, разве он бы чувствовал себя хорошо в меланхолии? Разве он выглядел бы хорошо в меланхолии? Но по какой причине, по какой, скажи ты мне, он вечно торчал в темном, мрачном месте?»

Так что с отцом и похожими на него, в отличие от мамы и похожих на нее, дело было не в «Я должен радоваться из-за холокоста» или «У меня чирей на носу, но тут у мужика по соседству вообще носа нет, поэтому я должен радоваться, что у него нет носа, тогда как у меня нос есть, а он должен радоваться из-за холокоста». С отцом никогда не было так, чтобы «Я должен упасть на колени и быть благодарным за то, что другие в мире страдают гораздо сильнее меня». Я не понимала, в чем уж он так был неправ, потому что все знали: жизнь устроена по-другому. Если бы жизнь не была устроена так, как она устроена, то все мы — кроме тех, кто решился быть самым несчастливым человеком в мире, — были бы счастливы, но все же большинство известных мне людей не были счастливы. Никто в этом будничном мире, в этом мире маленьких людей не проводил время, подсчитывая радости и отвергая скоротечное ради вечного. Этот скоротечный, этот бренный план — где обидчивость обидчивости рознь, где у каждого своя личная история, даже если у них одинаковая общественная история, где вещи, которые являются спусковым крючком для одного, проходят незамеченными для другого — явно был планом, на котором имело место грубое проживание жизни и неполноценная умственная реакция на это проживание жизни. Даже мама и люди ее типа — несмотря на всю их нетерпимость к депрессивным и, в особенности, к падению на колени перед лицом трагедии, чтобы поблагодарить Бога за то, что более страшные немилости достались каким-то другим несчастным, выбранным Богом для такой страшной судьбы, а не они — даже они не спали спокойно. Что же касается немногих, тех очень немногих, которые, казалось, спали спокойно или по меньшей мере продолжали постоянно излучать добрую волю и доверие к людям и жизни, даже притом что сон у них был не совсем спокойный, то мама и ей подобные, а также папа и ему подобные и почти все, кого я знала, включая меня, с этим типом уживались с трудом.

Сначала мое внимание к вопросу о тех блестящих, редких, непостижимых, лучезарных людях привлек фильм «Окно во двор». Я его увидела, когда мне было двенадцать, и он выбил меня из колеи из-за того смысла, который я вкладывала в него первоначально. Убивают маленькую собачку, душат, ломают ей шею, что не является месседжем фильма, но для меня это как раз и было месседжем фильма, потому что ее хозяйка — потрясенная, убитая — кричит в окно: «Кто из вас сделал это?.. и представить такого не могла... как подло убить маленькое, беззащитное, дружелюбное... единственное существо в районе, которое ко всем относилось с приязнью. Неужели вы убили его только из-за его любви к вам, только из-за любви?» И от этого «убили его только из-за любви к вам» у меня мурашки бежали по коже. Я сразу же поняла: «Боже мой! Так оно и есть! Поэтому его и убили. Его убили, потому что он их любил!» Как выяснилось, собачку убили не из-за этого, но, прежде чем я дошла до истинной причины, то представление было для меня абсолютно достоверным: в том мире, в котором я жила, так оно и происходило. Они убили собачку, потому что она их любила, потому что им было невыносимо, когда их любили, им невыносимы были невинность, искренность, открытость, беззащитность, умилительность и чистота, такая чистая, такая умилительная, что они должны были уничтожить собачку со всеми ее качествами. Не могли ее вынести. Не могли не убить. Возможно, они сами рассматривали ее убийство как самозащиту. В этом и состояла трудность с блестящими. Возьмите целую группу отдельных личностей, которые не блестящие, может, целое сообщество, целый народ, а может, карликовое государство, долгосрочно погруженное в физический и энергетический планы темных умственных энергий; а еще и закаленное за годы личных и общих страданий, личной и общей истории, чтобы еще сильнее сгибаться под тяжестью скорби, страха и злости... так вот, эти люди не могли бы этак с бухты-барахты позволить какому-нибудь яркому, блестящему, сверкающему человеку войти в их среду обитания и ослеплять их таким образом своим блеском. Что же касается среды обитания, то она тоже стала бы возражать, ссылаясь на пессимизм своих людей, что и случилось там, где я жила, где все место всегда словно было погружено в темноту. Будто здесь выключили электричество, навсегда выключили, и хотя наступила темнота, а потому электричество нужно бы уже было включить, но его никто не включал, и никто даже не замечал, что оно выключено. Все это тоже казалось нормой, что означало тогда, что часть нормы — это постоянная непризнанная борьба, напряжение зрения в попытке увидеть. Я даже ребенком знала — может быть потому, что и была ребенком, — что это вообще-то не физическое явление; знала, что это впечатление, которое создается пеленой, каким-то искажающим свойством света, и связано оно с политическими проблемами, со стародавними обидами, с усиливающейся смутой, с утратой надежды и отсутствием доверия, а также с умственной ограниченностью, со всем тем, что никто не готов и не в силах перебороть. Сама физическая среда в то время либо по сговору с человеческой темнотой, рождающейся внутри ее, либо будучи следствием этой темноты, не поощряла света. И потому все место погрузилось в одну долгую грустную историю до такой степени, что воистину блестящие люди, появляющиеся в этой темноте, рисковали не пережить ее, потерять в ней свой блеск, а в некоторых случаях — если эта персона считалась невыносимо суперяркой и суперблестящей — среда могла даже достичь такого состояния, что эта персона теряла не только блеск, но и его или ее физическую жизнь. Да и для тех, кто жил в темноте, кто давно привык к ее безопасности, это тоже был не хрен собачий. «Что, если мы примем эти лучи света, их прозрачность, их яркость; что, если мы позволим себе наслаждаться ими, перестанем их бояться, привыкнем к ним; что, если мы поверим в них, будем ждать их, будем впечатляться ими; что, если мы проникнемся надеждой и отречемся от нашего древнего наследства и, вдохновленные, начнем идти в ногу со светом, с самими собой, а потом станем излучать его; что, если мы сделаем это, возвысимся до него, а потом, как это и случается, свет погаснет, или его у нас украдут?» Вот почему в нашей среде обитания появлялось мало блестящих людей, в среде, которая в подавляющем большинстве состояла из страха и печали. В среде, которая была и моей средой, их по пальцам можно было пересчитать. Преподавательница французского, жившая в центре.

Потом, может быть (если бы не это его хламопомешательство), наверный бойфренд. Но единственным человеком в моем районе, которого можно было бы единогласно принять в немногочисленное блестящее братство, была сестра нашей местной отравительницы, той, которую называли «таблеточная девица». Эта сестра была моя ровесница, а это значит, что моложе таблеточной девицы, и вовсе не все хотели питать к ней неприязнь. На самом деле часть проблемы состояла в том, что мы не питали к ней неприязни. Проблема была в том, что люди с трудом мирились с той угрозой, которую она представляла, расхаживая повсюду и целиком и полностью оставаясь самой собой. Она была прозрачная, ее не тронула наша темнота, она ходила в нашей темноте, освещенная собственным светом. Но странным образом она была к этому абсолютно безразлична. Вместо того чтобы питаться надеждой, которую давало нам ее положение, давало то, что она представляла собой, в особенности, поскольку она была из нашего района, но ей удалось подняться выше преобладающих здесь нравов и местного национального мышления; вместо того чтобы думать «почему, если эта личность может, может гулять под открытым небом в солнечных лучах внутри и снаружи ее, почему не можем это делать и мы?..» Но нет. На нашем приниженном культурном уровне нам проще было сидеть и помалкивать; а также проще было говорить, что сестра таблеточной девицы на одно лицо с ее сестрой, и относиться к ней как полноценной изгнаннице из общества, районной запредельщице.

Таким образом, плохо было быть блестящей, плохо было быть «слишком печальной» и «слишком веселой», а это означало, что приходилось жить никем; еще нельзя было думать, по крайней мере о том, до чего ты еще не доросла, поэтому все держали свои мысли в безопасности при себе в неглубоких извилинках мозга. Что же касается отца и матери, то отец зашел слишком далеко, в смысле «вытянутого лица», а мать уж слишком принуждала себя «устремляться к новым вершинам»; при этом отец периодически ломался и ложился в больницу, а мать после этого забывала о своих «новых вершинах» и злилась на него за то, что он бросил ее с нами в этом месте. Много лет я, как и все младшие члены семьи, не знала, что отец ложился в больницу, как не знала и того, что в психиатрическую больницу. Мы считали — потому что так нам говорили, что если он исчезает, то, значит, задерживается на работе — на долгие часы, на долгие дни, на долгие недели, что он работает в каком-то далеком городе или далекой стране, а если не это, то он уехал куда-то далеко-далеко на прием к врачу узкой специализации, потому что у него боли в спине. Но ложился он в психиатрические лечебницы, и случались с ним нервные срывы, а это означало, что их нужно скрывать, это означало позор, что означало еще больший позор в его случае, потому что он был мужчиной. Мужчины в связи с психиатрическими лечебницами упоминались реже, чем женщины в связи с психиатрическими лечебницами. В случае с мужчинами это приравнивалось к тому, что человек роняет достоинство своего пола, будучи не в состоянии выполнять свои обязанности, а самое главное, он теряет свое лицо. И опять я поначалу не понимала. Я к тому же не знала, что мама под эмоциональным давлением, под давлением общества, под давлением стыда выкладывала соседям свой вариант болезни отца, а у соседей, конечно, было на этот счет свое мнение. «Удаленная работа в удаленных местах — хрена-с-два», — говорили они, и мама это знала, а поэтому винила отца, а когда он умер, винила его даже еще сильнее. Нередко казалось, что она его не любила, а, напротив, ненавидела. «Грустная история! — выпаливала она. — Что уж такая грустная? Умер без мучений. Вся болезнь в голове. Ничего там не было, в этой голове». И она делала вид, хотя у нее это плохо получалось, что она оставляет отца в прошлом. Я ненавидела, когда мама так делала, когда она охаивала его, особенно в нашем присутствии, хотя не должна была унижать отца в наших глазах. Но она продолжала это делать, потому что, раз начав, она зацикливалась на его зацикливании до такой степени, что воспламененная, заведенная и чрезмерно, чрезмерно обозленная, она должна была пройти полный круг, потому что не могла остановиться. Я прежде размышляла об искренности ее злости, обо всех ее обвинениях, разглагольствованиях, сетованиях. И только гораздо позднее я стала понимать: все дело в том, что она никак не может его простить за многое — может быть, за все, — а не только за то, что он не умел воспрянуть духом.

И вот что она сделала. Она перенесла свое непрощение на все, что и близко с отцом не лежало, например на десятиминутный пятачок. По ее представлениям, пятачок, как и отец, тоже не лелеял никакой надежды на то, чтобы посветлеть. «Слишком заклиненный, — говорила она, — слишком погрязший в себе, слишком мрачный. Это лишено всякого смысла, дочка. Это вымышленное — эта история пятачка, что значит, что нет у него никакой истории». — «Понимаю», — сказала я, хотя на самом деле я, конечно, ввиду таинственности и свойств десятиминутного пятачка, ничего не понимала. И вот теперь я шла по нему, поначалу думала о небе и о нашей преподавательнице, о ее словах про свет и тьму и нашем автоматическом ответе: «Тьму! Нам, пожалуйста, тьму!» Что же касается нацистской бомбы, то большая часть руин к настоящему времени была убрана. Земля все еще оставалась бугристой, еще не выровненной, и участок, на котором прежде стояла церковь, имел, вероятно, мало шансов превратиться в парковку, как обычно превращались в парковки другие разбомбленные места. Историческая и необъяснимая заброшенность этого десятиминутного пятачка категорически противилась всякому желанию со стороны кого бы то ни было приехать сюда и припарковать машину.

Здесь еще оставались обломки битого кирпича, и их приходилось обходить, перешагивать через них, именно это я и делала, направляясь по пятачку к моему следующему ориентиру. Посмотрев в его сторону, в сторону кладбища, я впервые заметила на нем деревья, а это вернуло мои мысли к небу, которое недавно принимало зеленый цвет. Но если небо может быть зеленым, подумала я, ну по крайней мере иногда, то не означает ли это, что земля тоже иногда может быть голубой? Это заставило меня перенести взгляд на землю, и теперь я заметила, что на ней что-то лежит. Среди нерасчищенной груды обломков лежала все еще покрытая шерстью, перепутанной шерстью, маленькая голова кота. Лежала она мордой к земле, а землею здесь был растрескавшийся от взрыва бетон. Поначалу я подумала, что это детский мячик, какая-то игрушка, детский кошелек, притворяющийся настоящим, с ушками, как у зверька, шерсткой и усиками. Но это был кот, голова кота, который был жив до этого взрыва. Я поняла: что-то все же умерло тогда во время этого взрыва старой бомбы.

Коты не такие привязчивые, как собаки. Им все равно. От них не следует ожидать, что они станут опорой человеческому эго. Они ходят своими путями, заняты своими делами, они не раболепствуют и никогда не будут просить прощения. Никто никогда не видел, чтобы кот извинялся, а если бы кот и извинялся, то было бы совершенно очевидно, что он делает это неискренне. Что же касается мертвых котов — как в случае преднамеренного убийства котов, убийства как чего-то само собой разумеющегося, то я с этим сталкивалась много раз. В детстве случались дни, когда я с этим сталкивалась; в те времена коты считались вредителями, погубителями, ведьмаками, левой рукой, неудачей, женщиной — хотя никто никогда не выходил из дома, чтобы прикончить женщину, разве что в пьяном виде во время запоя — и если какая-то несчастная женщина попадала под горячую руку, то потом в преступлении обвиняли кота. Котов убивали мужчины и мальчишки или, по меньшей мере, если с убийством не получалось, пинали их, бросали в них камни на ходу. Такие вещи случались часто, а поэтому увидеть мертвого кота было делом обычным. Что касается меня, то я не убивала котов, не хотела видеть, как их убивают. Но те времена, благоприобретенное отвращение настолько сформировали меня, что я боялась встретить живого кота больше, чем увидеть мертвого. Я бы побоялась его потрогать, кричала бы как резаная, если бы прикоснулась. Много котов тогда было убито. А вот собаки водились в изобилии, и никто их и пальцем не трогал. Собаки были надежные, преданные, послушные, они годились для того, чтобы поднять человека в собственных глазах, и имели рабскую потребность подчиняться кому-нибудь. А по всему тому были приемлемыми. Ими можно было гордиться. Их агрессивность компенсировалась инстинктом защитника, и собака была у каждого, но это их не спасло, потому что как-то ночью их тоже — почти всех, кроме двух — убили. Их убили в один день, этих мертвых собак, одновременно, и это великое истребление собак в противовес обыденному, каждодневному истреблению котов, оно тоже случилось в моем детстве, и произошло оно ужасным, демонстративным способом, когда «заморские» солдаты перерезали посреди ночи глотки всем собакам в районе. Они оставили мертвые тела гигантской грудой, стратегически разместив ее на одном из въездов, у которых обычно складировались ящики из-под молочных бутылок с завернутыми в тряпки бутылками с зажигательной смесью, подготовленные к следующим беспорядкам, которые и случились в тот самый день. Все знали, что это сделали солдаты, что это их урок нам, местным, этим они хотели показать, что могут разобраться с нашими собаками, что могут разделаться с ними, чтобы они своим лаем и рычанием не предупреждали неприемников о приходе солдат. Но наши собаки никогда не предназначались для этого.

Они лаяли, рычали, сторожили ради всех нас, а не ради неприемников. Делая это, наши собаки предупреждали всех, в особенности всех парней и мужчин — молодых мужчин, стариков, неприемников, приемников (потому что мужчинам доставалось больше всех) — о появлении этих солдат, которые приезжали огромным числом на своих бронированных машинах, выпрыгивали на землю и с повышенной осторожностью обходили все улицы района. Все высоко ценили эту раннюю систему оповещения, которую обеспечивали собаки, потому что она давала фору в одну-две минуты — таким образом люди получали возможность убраться и не попасться на глаза солдатам. Не было ничего приятного в том, чтобы выйти из своей двери с опозданием и быть остановленным на улице многочисленными солдатами, которые берут человека на прицел, приказывают отвечать на вопросы, прижимают к стене, прижатого обыскивают — близ этих въездов, — держат в этой позе для обыска столько, сколько солдаты считают нужным; не было ничего приятного и в том, чтобы видеть самодовольные улыбки этих взрослых парней с винтовками, если ты — жена, сестра, мать, дочь — выходила из двери, чтобы посмотреть, что они делают с твоим сыном, твоим братом, твоим мужем или твоим отцом. В особенности не было ничего приятного в том, что тебе давали посмотреть, как твой сын, или твой брат, или твой муж, или твой отец стоят распластанными у стены, пока ты остаешься здесь, пока смотришь, что тут происходит. Будешь продолжать? Будешь стоять на своем? Будешь присутствовать, даже несмотря на то что ты тем самым приносишь ему больше страданий и продолжаешь унижение твоего сына, или твоего брата, или твоего мужа, или твоего отца? Или ты все же уйдешь в дом, оставив твоего сына, или твоего брата, или твоего мужа, или твоего отца на милость этих людей? А если не это, то вряд ли могло быть приятным для любой женщины выйти из дома и услышать по нарастающей в свой адрес сексуальные замечания, которыми тебя приводят в бешенство эти похабники: «Твой багажник, — говорили они. — Твой приёмник, — говорили они. — Твоя пригодность к уличной профессии». А потом: «Что бы мы сделали с твоим лицом, если бы...», или что-нибудь в таком роде и опять же с винтовками в руках и почти не сдерживаемыми, а часто и не сдерживаемыми эмоциями, переливающимися через край. Естественно — а может, неестественно, но объяснимо — не было бы ничего предосудительного в том, чтобы девушка или женщина, слышащая этот язык, подумала: «Если бы снайпер-неприемник из какого-нибудь окна на верхнем этаже снес бы тебе голову точным выстрелом, солдат, то меня не только не огорчил бы твой безвременный уход, а, я думаю, он был бы для меня приятной, умственно облегчающей, очаровательной, кармической штукой». Тут господствовала ненависть. Это была великая ненависть семидесятых. Чтобы правильно оценить влияние этой ненависти, нужно отбросить вводящую в заблуждение и обременительную неадекватность политических проблем, а еще все рационализации и избирательные выводы, касающиеся политических проблем. Как сказал кто-то по телевизору, совершенно ординарный человек «с другой стороны», коротко так сказал, потому что он хотел убить всех, принадлежащих к моей религии, а это означало всех, кто жил в моем районе, в ответ на то, что какой-то неприемник той страны перешел через дорогу и, взорвав бомбу, уничтожил немало людей его религии в его районе: «Это удивительно, какие чувства живут в вас». И он был прав. Это было удивительно, независимо от того, что в конечном счете ты мог и не быть тем человеком, кто в конечном счете нажимает на спусковой крючок.

И вот почему собаки были необходимы. Они были важны, они были компромиссом, посредником, буфером безопасности против мгновенного, лицом к лицу, смертоубийственного столкновения эмоций, вызывающих отвращение к противнику и к самому себе, тех самых эмоций, которые за считаные мгновения возникают между отдельными людьми, между кланами, между народами, между полами, нанося непоправимый ущерб всему окружающему. Чтобы уйти от этого, избегнуть его, чтобы оттолкнуть от себя те дурные воспоминания, всю эту боль, и историю, и ухудшение характера, ты слышишь лай, начало этого дикого, племенного лая, и понимаешь, что тебе нужно не выходить за дверь — четверть часа не появляться на улице, — чтобы ушли солдаты. Так ты избегаешь контакта, тебе не приходится чувствовать свое бессилие, несправедливость, или, хуже всего, избежать появления у тебя — нормального, обычного, очень приятного человеческого существа — желания убить или почувствовать облегчение от убийства. А если ты уже на улице, которая есть поле боя, которое есть улица, когда ты слышишь неожиданный лай, то ты просто прислушиваешься, определяешь направление, в котором идут эти солдаты, и, если они идут в твою сторону, ты легко сворачиваешь в проулок на другую менее опасную улицу. Но они убили собак, устранили посредника, и теперь, пока не родятся новые собаки, пока их не вырастят, пока не научат партизанской войне в нашем районе, мы, похоже, вернулись к ранней, древней ненависти, когда вплотную, глаза в глаза. Но первым делом утром после ночи уничтожения собак, перед лицом реальности в виде горы собачьих тел, поступил местный ответ и тоже глаза в глаза.

По большей части это было молчание. Или поначалу молчание, с одной собакой — первое время ее считали единственной оставшейся в живых собакой в районе, — которая смотрела вместе со всеми нами, периодически повизгивала, засунув хвост далеко между ног. А мне в мои девять лет казалось, собак было столько, что район просто не мог вместить такого количества, что солдаты, вероятно, привезли дополнительных, но когда местные стали опознавать и разбирать их, то забрали всех до последней. И еще, моим детским глазам и глазам третьего брата, который стоял рядом, казалось, что у всех собак в этой громадной собачьей куче отсутствуют головы. Мы решили, что их обезглавили. «Мама! Головы! Они забрали головы! Где головы? — кричали мы. — Где Лесси, мама? Где папа? Братья нашли Лесси? Где папа? Где Лесси?» И мы дергали ее за полы пальто, потом третий брат начал плакать. Его плач выбил меня из колеи, а потом наш с ним совместный плач выбил из колеи всех других детей. А потом последняя оставшаяся в живых собака тоже начала выть. Нас в тот день было много, много детей, и мы жались к взрослым, цеплялись за них. Так что поначалу стояла тишина, потом наш плач, потом от звука нашего плача взрослые, прогнав шок, пришли в действие. Они начали разбирать тела, мужчины — молодые, пожилые, неприемники – стали пробираться через эту осклизлую, покрытую шерстью массу, принялись распутывать тяжелую, напитанную влагой вязкую плоть, отделять одно тело от другого, передавать их по цепочке тем, кто находил свое, ждал своего, чтобы отвезти домой на повозке, на коляске, на тачке, на тележке из супермаркета или, чаще, укутанное и на руках, как что-то, бывшее прежде живым. Что касается отца, я помню волнение третьего брата и мое собственное, когда мы спрашивали про него, умоляли, чтобы его вызвали сюда, чтобы он был мужчиной среди мужчин, делал то, что полагается делать мужчинам, как ему удалось сделать это позднее, годы спустя, когда он вместе с другими искал голову брата Какего Маккакего. Но, может быть, тот собачий день был плохим, одним из тех дней, когда он был прикован к кровати, в больнице, днем холокоста или древним, пожелтевшим, подарочно-магазинным днем. Каким бы этот день ни был, отец так и не появился. Но братья были с нами, и вместе с другими они копали и, казалось, собирались прокопаться на другую сторону Земли. Они были посреди земли, исчезли из виду и все же продолжали копать. Я добавила им совочки, и мне представлялось, что они копают этими совочками, земля теперь стала влажной, а братья и другие мужчины ушли в нее по пояс. Сгустки, комки, пряди становились краснее, коричневее, темнее, липче — чернее, — а они все закапывались, чтобы вытащить этих собак. Я помню братьев, всех наших собак, нас, людей, стоявших кругом. Но я не помню ни малейшего запаха смерти. В какой-то момент третий брат закричал: «Собаки шевелятся! МАМА! СОБАКИ ШЕВЕЛЯТСЯ!», и я посмотрела, и они шевелились, совершали крохотные движения вверх и вниз. И наша мать тоже, я помню ее окаменелость, ее отсутствие реакции на наши дерганья, на наши «ЛЕССИ, МАМА!», «МАМА, ГДЕ ПАПА?», «МАМА, СОБАКИ ШЕВЕЛЯТСЯ!» Наконец кто-то, третья сестра, объяснила. Она сказала, что головы оставались, но были закинуты назад, и, как я поняла позднее, горла были порезаны так глубоко, до кости, что нам казалось, будто их вообще нет. Это объяснение, я думаю, словно принесло облегчение, облегчение третьему брату, головы на месте все же лучше, чем отсутствие голов, что солдаты не забрали их, чтобы позабавиться, попинать, усугубить их бесчестье; а может быть, мы испытали облегчение оттого, что получили хоть какое-то объяснение. Но мы продолжали плакать, как и другие дети, в особенности когда выносилась какая-нибудь определенная собака, или когда паника усиливалась в ожидании какой-нибудь определенной собаки. Случались и волны надежды: может быть, они не мертвы, потому что они ведь шевелятся. «Они не шевелятся», — говорили взрослые, и в конце концов, когда мы в нашей надежде отчаяния стали невыносимы, кому-то из старших братьсв или сестер поручили отвести нас, малолеток, в дом.

Первая и вторая сестры увели третьего брата и меня в дом, и в это время мы были самыми маленькими в семье. Мы двое продолжали оглядываться, смотреть назад, бросать долгие последние взгляды, все наши мысли были о Лесси, когда мы шли от того въезда, где все еще работали братья и другие мужчины. Это были наши собаки, и они были уличными собаками, то есть каждый день ты выпускал свою собаку на улицу искать приключения, как выпускали детей искать приключения. С темнотой собаки и дети возвращались, вот только тем вечером дети вернулись, а собаки — нет. И вот меня и брата отвели домой, подальше от этого въезда, старшие сестры обнимали нас за плечи. Но мы все оглядывались, пока не подошли к дому, когда в нас зародилась новая надежда. Хотя все остальные собаки умерли, кроме одной, и хотя она, как и мертвые собаки, всю ночь оставалась на улице, может быть, Лесси вернулась и теперь находилась в доме. И мы побежали, ворвались в дверь и увидели там Лесси. Она лежала у очага и подняла голову и зарычала на нас — из-за того, что мы напугали ее, открыв дверь? Впустили сквозняк, может быть. Лесси была обычной дворовой собакой, как и все собаки в районе. У нее не было ни родословной, ни сертификатов, она не была игривой, не имела подготовки, она не оказывала помощь тем, кто попадал в опасную ситуацию, не вытаскивала из воды тонущих детей. У Лесси не было времени на детей, на малолеток в семье, но для нас это был самый счастливый день, когда мы увидели и услышали ее, поняли, что у нее все еще есть горло, чтобы рычать и выказывать недовольство. Мы, конечно, не набросились на нее, потому что Лесси это бы не понравилось. Но утро было очень плохим, пока она не вернулась. После этого я забыла. Я забыла собак, их смерть, скорбь нашего района, потрясение, явное торжество солдат. Тем днем после обеда я, все еще девятилетняя, отправилась на поиски моих новых приключений, прошла мимо того въезда, у которого стояли бутылки с зажигательной смесью для следующих беспорядков в районе. Ничто не говорило о мертвых собаках, хотя я почувствовала запах этого мощного моющего средства «Жидкости Джейеса». Этот запах я никогда не забуду, хотя до того момента любила, когда его использовали дома.

И вот солдаты убивали собак, а местные жители убивали котов, а теперь еще котов убивало Люфтваффе. Я посмотрела на маленькую голову, лежащую среди мусора, и вдруг меня словно стукнуло — не помню, чтобы со мной когда-нибудь такое происходило, и я даже не могла понять, почему в данный момент у меня случилась такая сильная реакция. Я приняла меры — отвела глаза в сторону, твердым шагом поспешила прочь, но оно оставалось со мной. Это зрелище сопровождало меня, пока я не остановилась и не развернулась. Я прошла назад к голове и теперь рассмотрела ее внимательнее, увидела, что она влажная, черноватая от почерневшей крови, размокшая у шеи, или там, где была шея. Я присела на корточки, взяла камушек, повернула им голову. Теперь она лежала мордочкой вверх, и я увидела, что по ней все еще можно узнать кота — глаза больше размером, или глазницы, потому что один глаз отсутствовал. Пустая глазница была громадной, а в самой голове что-то происходило. Я решила, что это насекомые, а в подтверждение этого увидела комки, выпуклости — у носа, ушей, рта, и у оставшегося глаза тоже были выпуклости. Я увидела несколько неповоротливых личинок, хотя пока, если не считать чего-то сладковатого, бродильного, особых запахов не было. Я поискала взглядом остальное тело, но его нигде поблизости не было. Но и одной головы пока хватало. А через секунду уже более чем достаточно. Я встала и снова пошла прочь, потому что занятия французским были хороши. Я получила от них удовольствие сегодня, как и всегда получала — эксцентричность преподавательницы, ее разговоры об этом «веянии тихого ветра[1]», о том, что

[1] См. Третью книгу Царств, 19,12: «После землетрясения огонь; но не в огне Господь. После огня веяние тихого ветра». В английском переводе Библии: *and after the fire still, small voice* — «после огня тихий, тонкий голос».

«жить нужно настоящим моментом», о том, что «нужно поменять то, что вам хотелось, чтобы случилось, на то, что может случиться». И еще было ее: «Поменяйте что-нибудь одно, класс, и, я вас уверяю, поменяется и все остальное», и говорила она это *нам*, людям, которые не то что метафор не понимали, но даже не хотели признавать то, что видели собственными глазами. Но все это казалось ценным. Она казалась ценной, и я не хотела терять это чувство. Но казалось, что с этой кошачьей головой в грязи — а перед ней фургоном, десятиминутным пятачком, бомбой военного времени, которая напомнила мне об умершем отце с его депрессиями и о маме, нападающей на него за его депрессии, — уже стали возвращаться все эти «Какой смысл? Наличие смысла не приносит никакой пользы!». И еще преподавательница говорила: «Пытаться и снова пытаться». И еще: «Вот как это нужно делать». Но что, если она ошибалась, когда говорила о том, что нужно пытаться и еще раз пытаться, о том, что нужно переходить к следующим главам? Что, если все главы будут такими же или даже со временем будут только ухудшаться? И опять во время всех этих размышлений я себя физически заставила вернуться к коту, прошла назад, словно у меня в этом не было никакого выбора. «Не будь идиоткой, — сказала я. — Что ты собираешься делать — стоять там вечно и смотреть на нее?» — «Я ее возьму, — ответила я. — Отнесу ее куда-нибудь, где трава». И это меня удивило. Оно меня ошеломило. Потом я удивила себя живыми изгородями, кустами, древесными корнями. Я могла укрыть ее, не оставлять на этом открытом ужасном месте. «Но зачем? — возражала я самой себе. — Ты меньше чем через минуту можешь уйти отсюда. Ты могла бы уже дойти до кладбища, твоего второго ориентира. Потом будут полицейские казармы, потом успокоительный запах корицы из дома-пекарни, потом...» Конечно же! — оборвала я себя. Обычное место!

Я уже достала из кармана носовые платки, и это были настоящие, тканевые, не какие-нибудь бумажные, и до недавнего времени ими пользовались только мужчины, такими большими, белыми, льняными, потому что как бы ни были красивы женские, проку от них было мало, когда требовалось высморкаться. Мне они пришлись по вкусу, когда я получила их в подарок на Рождество от мелких сестер — целый комплект в коробочке. С тех пор я носила женский платок для культурных, эстетических целей, а мужской для практических целей, и в этот вечер я собиралась использовать их как для практической, так и для символической цели. Сначала я расстелила на земле маленький, расшитый, женский, потом с помощью большого, простого, мужского, положила на него голову. При этом я почувствовала укол кошачьих клыков через ткань, почувствовала, как начинает сходить с головы шкурка. Шерсть начала выпадать, и тут я запаниковала, подумав, что череп выскользнет из своей оболочки. Но потом, завершив миссию, уложив голову в середину расшитого женского платка, я завязала его узлами. После этого я уложила женский платок с головой в расстеленный теперь большой мужской, его тоже завязала. «Доказательство того, что ты чокнулась, — продолжила я разговор с самой собой. — Неужели ты и вправду хочешь пройти здесь с этой головой, прекрасно понимая, что, каким бы пустынным это место ни казалось, уж по крайней мере кто-нибудь один да наблюдает? А это означает новые слухи, новые выдумки, новые уточнения касательно того, что у меня помутнение мозгов». Но в тот момент мне было все равно. И потом я не могла остановиться. На это уйдет всего минутка, предполагала я, потому что я быстро найду подходящее место — уединенное, тихое у дальней стены, где находятся древние участки, где земля слежавшаяся, комковатая, трава некошеная, потому что кладбищенским работникам лень дотащить туда свои задницы. Я уже связала концы большого платка и была настроена выполнить мое намерение, но когда выпрямилась, то чуть не столкнулась с молочником. Он вел себя так тихо, а я была настолько погружена в свое занятие, что не почувствовала его присутствия. И теперь он стоял в нескольких дюймах от меня, а я от него с этими платками, с их темным, мертвым содержимым, которое было теперь словно буфером между нами.

Первое, что случилось, — я почувствовала, как мурашки поползли у меня по спине, что-то скребучее, царапучее, весь этот студень, трясущийся внутри меня, переходящий из копчика прямо в ноги. И все во мне в этот миг остановилось. Так просто взяло и остановилось. Все мои механизмы. Я не шевелилась, и он не шевелился. Так мы стояли, никто из нас не шевелился, никто не говорил, потом заговорил он, сказал: «Была на своем греческом или римском уроке, да?», и то была единственная ошибка за все время в том досье, которое он собирал на меня. Правда, я подумывала о греческом и римском, собиралась поступить на греко-латинское классическое отделение вместо французского. Эти древние меня завораживали — их несдерживаемые чувства, их беспринципные характеры, их мифы, ритуалы, все эти жуткие, чужестранные, параноидальные козни и очищения. Потом еще были их капризные боги и простые люди, которые молили богов, чтобы те обрушили проклятия на их врагов, а этими врагами оказывались люди, живущие по соседству. Все это очень походило на «Алису в Стране чудес», как и их бесстыдные цезари, которые женились на яблонях, а своих коней делали консулами. Что-то там было интересное, что-то психологичное, что-то ненормальное — что нормальный человек всего лишь с приемлемыми мозговыми аберрациями вполне мог осмыслить. Поэтому я лишь просмотрела информационную брошюру, проверила, смогу ли я поступить на эти вечерние курсы, но занятия по Древней Греции и Риму были по вечерам во вторник, а вторничные вечера были вечерами наверного бойфренда, а потому я выбрала французский — там занятия проводились по средам. И это означало, что молочник ошибся, а я не стала его поправлять, потому что это давало мне надежду, что в своем знании обо всем он не знал всего. Но иллюзорную надежду, как я поняла, когда добралась до дома и разобрала случившееся по косточкам. Он прочел мои мысли в том, что касалось этих занятий, да, а это были мысли верхнего уровня, мысли поверхностные, то есть незначительные, не тайные, не настолько уязвимые, чтобы их шифровать. И потому любые из этих Томов, Диков и Гарри, если у них было желание, могли легко, очень легко войти. И тем не менее он их прочел, хотя его даже не было рядом со мной, когда я их думала. Это показалось мне жутковатым, свидетельствовало о том, что этот человек, который собирал, регистрировал и классифицировал каждую кроху информации, пусть он и ошибся на этот раз, проводил тщательное расследование.

Как и в случае двух наших предыдущих встреч, то есть того, как он проводил наши встречи, он и в этот раз главным образом задавал вопросы, хотя вроде бы и не особо ожидал каких-нибудь ответов. Потому что его вопросы были не настоящими вопросами. Не искренними запросами информации или подтверждения его выводов. Это были утверждения, риторические силовые замечания, намеки, предупреждения, сообщения о том, что ему и без меня все известно, с такими ярлычками, как «была ведь?», «верно?», «правильно я говорю?», «разве не так?», которые прицеплялись в конце, чтобы создать видимость вопроса. И вот он сделал это замечание о греках и римлянах, и когда он говорил, я думала о его фургоне, том белом фургоне, о том, что он, вероятно, стоял все время в том проезде. Значит, он выслеживал меня? Неужели он все время, пока шел урок французского, сидел в фургоне, наблюдал за мной, наблюдал за другими, видел нашу тревогу, когда мы проходили закат. И опять он говорил так, словно знал меня, словно мы прежде были, как полагается, представлены друг другу. И на этот раз, как и в парках-и-прудах, он смотрел в сторону, а не прямо на меня, скорее уж если на меня, то както боком. Потом последовал еще один вопрос, на сей раз про наверного бойфренда, человека, которого он до этого момента не касался.

Сделал он это так, словно время пришло, ну, пора уже, разве нет, немного нам поговорить об этом так называемом, вроде как бы бойфренде? «Этот парень, с которым ты иногда встречаешься, – сказал он, – молодой парень, – словно наверный бойфренд был так уж молод, словно он не был на два года старше меня. – Ты танцуешь с этим молодым парнем в клубах за пределами своего района и в его районе, верно? И в тех нескольких клубах в городе, и в других вокруг университета? И вы выпиваете с этим молодым парнем, да?» Тут он перечислил конкретные бары, точные названия, дни, время, потом сказал, что он заметил, что я не всегда теперь сажусь по будням в автобус, чтобы доехать до города. Он имел в виду не утренний автобус, которым я пользовалась и о котором он говорил в прошлый раз, а уже новый, на котором я ездила, изменив привычный маршрут, чтобы избежать встреч с ним. Он сказал это потому, что по некоторым утрам меня подвозил на работу молодой парень, после того как я проводила ночь в доме молодого парня. Оказалось, что он знает дом наверного бойфренда, его район, а еще и его имя, его друзей, знает, где он работает, даже то, что прежде он работал на автомобильном заводе, которому пришлось его уволить из-за избытка рабочей силы. Еще он знал, что я сплю с наверным бойфрендом, и тут я стала раздражаться из-за ощущения, что меня поймали, из-за тех подспудных смыслов, которые он, возможно, а я знала, что наверняка, вкладывал в свои слова. «Но не жених, верно? – сказал он. – Не то чтобы настоящий жених, ничего постоянного, ничего установленного, так, топчетесь на одном месте, верно?», и в это время я почувствовала себя не в своей тарелке, потому что в эту, в нашу третью встречу, если я чего и ждала от этого молочника, так только укоров за то, что я продолжаю бегать, тогда как, по его словам, я должна была во время бега не только неспешно идти, но и вообще перестать ходить, потому что — разве не это он сказал в прошлый раз? — я слишком много хожу, а потому он разочарован, что я продолжаю делать и то, и другое. Не только это, но я еще и бегаю с третьим зятем в парках-и-прудах. Но он ничего не сказал ни о третьем зяте, ни о том, что я продолжаю пользоваться ногами, ни о парках-и-прудах. А потому его новый подход к разговору совершенно сбил меня с толку.

Он сказал — так, вскользь, — что молодой парень по-прежнему занимается машинами, верно? И значит, теперь стало ясно, что ему известно точное местонахождение нынешней работы наверного бойфренда. Потом он сказал и про «Бентли-Блоуер». За этим последовал турбонагнетатель. Потом «заморский» флаг, и к этому времени мои икроножные мышцы работали уже в неприятно-лихорадочном ритмическом темпе. Он знал обо всех подробностях жизни наверного бойфренда, обо всех его перемещениях с такой же доскональностью, как и обо мне. Потом он сказал, что молодой парень любит заходы солнца, и сказал он это так, будто было что-то непристойное в том, что кто-то — а в особенности кто-то мужского пола — вообще замечает заходы солнца, словно за все свои годы сбора информации, слежки и планирования убийств людей он никогда не встречал ни одного человека, у которого мозги были бы настолько набекрень — *без всяких преувеличений набекрень*, — чтобы тратить время, ехать куда-то, чтобы посмотреть закат (не считая, конечно, тех, кто ездит туда в порядке сбора информации, слежки и планирования убийства), а я именно это и делала в связи с наверным бойфрендом и закатами. Потом он сказал: «Каждому свое», и сказано это было тихо, возможно, в большей степени для себя, сказал так, будто это проясняло что-то, исключало легкомысленность. Потом он вернулся к турбонагнетателю, а точнее, к слухам, которые циркулировали по району, где жил наверный бойфренд, слухи о нем и турбонагнетателе, и о его предполагаемой склонности — предательской склонности — иметь у себя дома такой важнейший «заморский» предмет с этой красной, белой и голубой штукой на нем.

Я обнаружила, что в ответ делаю нечто вовсе на меня не похожее. «Он не брал себе эту штуку с флагом, — сказала я. — На ней не было никакого флага. Это сплетни, которые распространяют всякие болтуны в его районе. — После чего я, противореча самой себе, добавила: — Ту штуку с флагом взял один парень, который работает с моим бойфрендом, а живет “по другую сторону”». И тут сразу три пункта были новыми. Во-первых, я врала, сочинила какого-то человека, принадлежавшего к другой религии на работе наверного бойфренда, который якобы и взял штуковину с флагом. На самом же деле я не знала, были ли на работе наверного бойфренда ребята, принадлежащие к другой религии. Во-вторых, я превратила «наверного бойфренда» в «моего бойфренда», и это случилось со мной впервые за всю жизнь. В этом был защитительный мотив, я хотела не позволить молочнику увидеть какую-нибудь щелочку в слове «наверный», в которую он мог бы пролезть и встать между мной и наверным бойфрендом, а в-третьих, весь этот неожиданный поток из моего рта, эта трескотня, этот форс — и вранье, как я уже сказала, в моей попытке защитить и прикрыть наверного бойфренда от этого зловещего всезнающего молочника — резко контрастировали с тем, что я и рта почти не раскрыла, чтобы как-то защитить или оградить себя. Я не понимала, что происходит, что я делаю, но я чувствовала некоторое сходство между этим и моим криком из окна, когда я кричала вслед моей старшей сестре, приходившей ко мне, чтобы меня несправедливо отчитать, потому что ее прислал ее муж, чтобы меня несправедливо отчитать. Я тогда, как и теперь, чувствовала, что делаю глупость. Я давала промашку, я становилась сама не своя, потому что обычная моя манера поведения состояла в том, чтобы держаться подальше от слухов, от длинных языков, от этого насыщения пяти тысяч[1]. Одной только инерции этого враждебного группового разума было достаточно, чтобы повлиять на человека, обхитрить его. Я вряд ли понимала, что делаю, почему говорю, почему объясняюсь и извиняюсь от имени наверного бойфренда, и делала я это впервые после нашей первой встречи — когда читала «Айвенго», а он остановил рядом со мной машину, — попыталась что-то сказать этому человеку. Но тем не менее я рассказывала мою кажущуюся подлинной историю, снова говорила о парне с «другой стороны дороги», говорила об этом как бы невзначай, чтобы звучало убедительнее. И тут мне пришло в голову, что, наверно, мне не следовало выдумывать этого парня с «другой стороны», что вместо этого я должна была говорить правду, что никакой детали с флагом вообще не было. Но, с другой стороны, все с «этой стороны», с «нашей стороны», «нашей религии» знали, что нельзя участвовать в чем бы то ни было, на чем может лежать хоть малейшая тень подозрения в «заморском» патриотизме, — точно так, как говорил завистливый сосед наверного бойфренда, — будь там флаг, не будь там флага, наверный бойфренд должен был бы инстинктивно отшатнуться от участия в любых лотереях, имеющих цель заполучить какую-либо часть такой машины вообще. И потом была вся эта история про лотерею, про выигрыш чего-то, про то, как можно вдруг прослыть в районе богачом, получившим достаточное и умно-

[1] Аллюзия на евангельскую притчу о Христе, накормившем пять тысяч человек (не считая женщин и детей) пятью хлебами и двумя рыбами.

жающееся количество денег, как в карманном, так и в материальном выражении, появление которых в нормальных условиях объяснить невозможно. Обычно, если такое случалось, то появлялись слухи, что тут не обошлось без доносительства. «Скажи им, что у тебя появились кое-какие деньги», — говорили своим информаторам вербовщики от власти. «Скажи местным ребятами, неприемникам, что ты выиграл эти деньги — этот пустячок, какой уж он есть, который мы даем тебе в обмен на информацию — скажи, что выиграл его в лотерею или в бинго, а мы уж сделаем так, чтобы ты и в самом деле выиграл их в лотерею или в бинго». И эти информаторы непременно так и говорили. «Выиграл в лотерею», — говорили они, сопровождая свои слова этаким недоуменным пожатием плечами, должным обозначать, что они никакие не информаторы, и никто не должен думать, что они информаторы. Они, несмотря на все растущее число трупов информаторов в регистрационных книгах, казалось, никак не могли понять, что никого им не удается обмануть, а уж меньше всего неприемников. Они продолжали говорить: «Выиграл в лотерею. — И добавляли: — Об этом даже в газете написали!», как будто сообщение в газете об их выигрыше могло быть свидетельством того, что они на самом деле не были информаторами. И опять же, они говорили про «неправильные» газеты, про газеты «оттуда». Подобное заявление о подобной публикации скорее обвиняло и определяло судьбу в моем сообществе и в сообществе наверного бойфренда, чем оправдывало и спасало в наших сообществах. Но хотя эти газеты подозревались в сотрудничестве с правительством, информаторы держались за свои истории, которые подсказывали им их кураторы. Конечно, наверный бойфренд и в самом деле выиграл на своем рабочем месте в лотерею, в стихийной игре — кому повезет. И какой такой жалкий информатор попросит — получит — турбонагнетатель от «Бентли-Блоуера» в качестве вознаграждения за низкосортную информацию на местных неприемников? Но сложно. Очень сложно. И дважды за время этой встречи я чувствовала, как легко угодить в ловушку. Про кого-то могут пустить слух, слухи будут продолжаться, он увязнет в этом, он будет не в состоянии выбраться из этих слухов, и я, главным образом, поэтому и ввязалась в разговор. Я начала с одного вранья о том, что наверный бойфренд выиграл нейтральную деталь нейтральной машины, хотя, вероятно, в этом не было ничего нейтрального. И теперь, противопоставив себя острому холодному уму, какой, как я воображала, был у молочника, едва ли я могла отыграть назад и предложить историю попроще — истинную историю, — потому что, сделай я так, это лишь осложнило бы ситуацию для наверного бойфренда, а также раскрыло бы глаза этому молочнику на то, что я все время врала.

«Ты чокнулась, что ты несешь, — говорила я себе. — Что ты скажешь дальше, и что, если вся эта история с флагом закончится кровавым судилищем? Ты скажешь, что этот парень с “другой стороны” — назовем его Айвор, — который, как следует предположить, скорее из-за его религии, чем из-за его вымышленности, не хочет собственной персоной появляться в зонс врагов-неприемников, возможно, не откажется написать записочку в поддержку коллеги по работе? Напишет ли Айвор в своей записочке, что деталь с флагом принадлежит ему, может, даже приложит поляроидную фотографию, на которой он будет стоять рядом с деталью с флагом, и предложит другие указания своего статуса человека с “другой стороны дороги” — может быть, еще флаги? Это, пожалуй, могло бы решить проблему». Эта пророческая, хотя и саркастическая часть меня, снова ввернула неосмотрительность наверного бойфренда, его патологическую страсть к машинам и навязчивое собирательство, заполнившее дом до чердака, сказала из-за этого, мол, он и перешел допустимые границы нашего политического, социального и религиозного кодов. С парнями это иначе, чем с девушками. Вопрос «что дозволено» и «что не дозволено» у них стоит жестче, более затруднительно, и я по большей части в этих мужских делах ужасно неосведомленная. Такие вещи, как пиво, лагер, даже некоторые спиртные напитки; еще и спорт, я про него не знаю, потому что я ненавидела спорт, я ненавидела пиво, ненавидела крепкие напитки, как и лагер, поэтому я никогда не обращала внимания на важный аспект местного мужского политического и религиозного выбора таких вещей. И про машины я тоже не знала, которые из них «заморские», а которые нет. Что же касается «Бентли-Блоуера», то даже я пришла к ощущению, что машина определенно предполагала некоторую разновидность национальной эмблемы — но разве не является возможным, рассуждала я — как рассуждал еще раньше мягкий, дипломатичный сосед наверного бойфренда, — чтобы эта вещь попадала в категорию допустимых гибридных исключений? Злобные слухи, распространявшиеся теперь в районе наверного бойфренда, казалось, говорили о противном. Поэтому никаких нейтральных деталей. А что, если Айвор такой фанатик, что откажется писать записку?

«Автомобильная бомба разносит все в клочья».

Это сказал молочник, и я подпрыгнула, услышав его слова. Он сказал: «Это было “устройство”, верно? То, что они затейливо называют “устройством”, закрепленным внутри выхлопной трубы, перед тем как машину сдают на рутинное обслуживание? Должен сказать, меня удивляет, что бывший твоей сестры с учетом его профессии не обнаружил такую вещь, которая должна быть очевидна любому автомеханику». Услышав это, я подумала, нет, это не так, он неправильно понял. Умерший бывший сестры, тот, кто изменял ей, а потом был убит в своей машине, когда коллеги-сектанты, принадлежавшие к противоположной религии, подложили бомбу под нее на фабричной парковке, работал водопроводчиком, а не механиком. Автомеха ником был наверный бойфренд. А потом я подумала, но почему он говорит о сестре и ее бывшем? Мне показалось, что, хотя молочник напутал с греками и римлянами, невозможно, чтобы такой человек, как он, был настолько невежественным, чтобы не знать того, что даже и не секрет никакой. А он, конечно, не был невежественным. Он бы не перепутал водопроводчика и автомеханика. Просто мои логические способности еще не освоили ту двусмысленную манеру, которой предпочитал выражаться молочник. Но он продолжал, ронял намеки, давал мне время, щедрую возможность. Он плавно переходил от одной темы к другой и обратно, от мертвого бывшего сестры и бомбы защитников, которая его убила, к «он теперь работает дома над этим битком, верно?», имея в виду моего бойфренда. Потом снова возвращался к убитому мужу, который на самом деле так и не стал ее мужем, но был таковым в сердце его убитой горем вдовствующей подруги. Потом он укоризненно покачал головой, сочувствуя им, — сестре и ее мертвому любовнику. «Неверное место, неверное время, неверная религия», — сказал он и еще сказал, он надеется, что первая сестра придет в себя и не будет вечно скорбеть о мертвом автомсханике. «Прекрасная женщина, все еще прекрасная женщина. Очень красивая», — и за все это время он ни слова не сказал о человеке, за которого она таки вышла замуж, о ее настоящем муже, о первом зяте. Я к этому времени запуталась. Так, значит, речь идет о сестре? — думала я. Значит, я с самого начала неправильно его поняла, и он все время имел в виду первую сестру, а не меня? Но при чем тут ее бывший бойфренд? И почему эта бомба убила его? И при чем тут тогда наверный бойфренд? А тем временем, пока длилось все это недоумение, эти неприятные волны, биологическая рябь следом за биологической рябью продолжали атаковать мои ноги и позвоночник.

После всех откровений этого молочника я обнаружила, что мои страхи начинают смещаться от разгневанных обитателей его района, желающих покарать наверного бойфренда за то, что он пренебрегает своей историей, забыл свое сообщество, принес домой оскорбительные символы, нежелательные в этом районе, и строит из них пирамиду до небес вместе с запасными частями в своих забитых до отказа шкафах и забитом до отказа доме. Начинают смещаться мои страхи, я говорю о более личной мести со стороны завистников-коллег любой религии, желающих худшего наверному бойфренду, потому что он получил эту часть всемирно известной ценной машины, заполучить которую они хотели сами. Теперь, услышав молочника, я заволновалась, что наверному бойфренду может грозить опасность гораздо более серьезная, чем эта. Он, конечно, работал с машинами, много машин проходило через его руки, работал, вероятно, до степени пресыщенности, вплоть до того, что он безразлично садился в них и без всякого энтузиазма поворачивал ключ зажигания. Что касается религий на его работе, то я никогда не задавала наверному бойфренду вопросов об этом. Возможно, он работал в смешанной среде, а если так, то это может быть пристойная среда или, более вероятно, среда обитания озлобленная, напряженная, чреватая убийством. Я не знала. И он тоже не знал, не задавал подобных вопросов мне. А я работала с некоторыми девушками противоположной религии, хотя у меня никогда язык не повернулся спросить, принадлежат они или нет противоположной религии, вот только эти вещи выплывали сами по себе. Иногда это происходило постепенно, время шло, и люди узнавали друг друга ближе; но чаще это происходило быстро, например, когда становились известны имена отцов, дедов, дядей, братьев твоих коллег по работе. Между мной и наверным бойфрендом этого разговора никогда не возникало, хотя армы, естественно, не питали никаких добрых чувств к армии другой страны, или к местной полиции, или к местному правительству, или к «заморскому» правительству, или к военизированным приемникам той страны по «ту сторону», или к кому угодно любой религии, ввязывающемуся в драку с намерением убедить другого в своей правоте. Конечно, что касается людей, живших здесь, то тут ничего не поделаешь — у каждого было свое мнение. Было бы невозможно — в те дни, в те оголтелые, жуткие дни с людскими толпами и на тех улицах, которые были полем боя, которое было улицами, — жить здесь и не иметь своего мнения о происходящем. Сама я проводила большую часть своего времени, повернувшись в девятнадцатый век, даже в восемнадцатый, а иногда в семнадцатый и шестнадцатый века, но даже тогда я ничего не могла с собой поделать и имела собственное мнение. И третий зять тоже, несмотря на всю его одержимость физическими упражнениями, несмотря на то что все в районе могли бы поклясться, что у него нет мнения, как оказалось, имеет очень резкое мнение. От мнений, конечно, было никуда не деться, проблема состояла в том, что эти мнения разнились от района к району, от той стороны к этой. Каждый был нетерпим к мнению другого до такой степени, что ситуация становилась неуправляемой, мнения периодически приводили к распрям; и это было причиной того, почему — если ты не хотел ввязываться в эти чреватые взрывом разборки, хотя у тебя и было собственное мнение, не могло не быть — тебе требовалось умение вести себя, проявлять вежливость, чтобы преодолеть (или хотя бы нейтрализовать) стремление к насилию, ненависть и перекладывание вины на другие плечи... потому что... а как по-другому? Это была не шизофрения. Это была жизнь, проживаемая иначе. Это была попытка нормальности прорасти через травмы и темноту. А потому соблюдение приличий — а не антипатий — было критически важным для сосуществования, и примером такого сосуществования был наш французский класс, смешанный класс, где можно было пренебрежительно отзываться, скажем, о Франции, а точнее, о французских писателях — любителях метафор, но где считалось абсолютно неприемлемым, ни на одну секунду, уважая приличия, требовать, чтобы кто-то поведал о своих симпатиях или рассказал о своем мнении или просто сослался на свое мнение или на твое мнение. Что же касается неприемников — как понимал неприемников наверный бойфренд и как понимала их я, — то мы и о них не говорили. Я не делала этого из-за двух пунктов, занимавших тогда мои мысли. Один из них — наверный бойфренд, а другой — наши отношения, которые были «не совсем чтобы налажены и не совсем чтобы разлажены». А теперь еще появился и молочник — так что три пункта, а не два. Кроме того, если сложности неприемников суждено было пробиться в мои мозги, вынудить меня составить о них внятное — а это значит противоречивое — мнение, то тогда этих пунктов стало бы четыре. Затем политические проблемы, потому что я не могла держать неприемников в своей голове, не обосновав их каким-то образом, так что с проблемами было бы уже пять пунктов. *Пять пунктов*. Вот что происходит, когда двери распахнуты и внутрь впускают противоречия. Со всеми этими непримиримыми пунктами невозможно понять — не только корректно с политической точки зрения, но хотя бы вразумительно — себя самое. Отсюда дихотомия, прижигания, *jamais vu*, вымарывание, чтение на ходу, даже мои размышления на тему, не отказаться ли полностью от нынешнего кодекса ради безопасности свитка и папируса прежних веков. В противном случае насущные силы и чувства прорвутся в мое сознание, я не буду знать, что мне делать. Я видела необходимость в них, в неприемниках, понимала, откуда они взялись, почему казалось, что их приход был неизбежным с учетом всех узаконенных и защищаемых неустойчивостей. Потом было нежелание слушать, упрямая непокорность, окапывание, свидетельствующее о самих этих бурных временах. И потому различия во мнениях неизбежно проявлялись; и появление неприемников было неизбежным. Что же касается убийств, то они стали делом обыденным, и это означало, что и бороться с ними не надо, но не потому, что не стоило обращать на них внимание, а потому, что они были чудовищны, а к тому же настолько многочисленны, что вскоре на борьбу с ними просто уже не хватало времени. Но довольно часто происходили события, настолько выходящие за всякие рамки, что все — «по эту сторону», «по ту сторону», «заморские», «заграничные» — ничего не могли поделать, только остановиться. Жестокость неприемников ошарашивала настолько, что ты начинал орать: «Боже мой, боже мой! Как я мог иметь мнение, способствовавшее этому?», и так продолжалось, пока ты не забывал о случившемся, а это происходило, когда что-нибудь ужасное совершала другая сторона. И опять это был прилив-отлив. Месть, и месть в ответ. Соединение движений за мир, демонстрация стремления к межобщинным переговорам, маршам с участием всех, к настоящей, доброй гражданской позиции — все это происходило, пока не возникали подозрения, что эти движения за мир, добрую волю, за настоящую гражданскую позицию захвачены либо одной, либо другой фракцией. И тогда человек выходил из движения, прощался с надеждой, отказывался от потенциальных решений и возвращался к точке зрения, которая всегда оставалась знакомой, надежной, неизбежной. В те дни невозможно было оставаться открытым, потому что повсюду была закрытость: закрытость нашего сообщества, закрытость их сообщества, государство здесь закрыто, правительство «там» закрыто, газеты, радио и телевидение закрыты, потому что не приветствовалась никакая информация, если хотя бы одна из сторон могла воспринять ее как искажающую действительность. Хотя люди и говорили о будничности, на самом деле никакой будничности не было, потому что сама сдержанность вышла из-под контроля. Не имело значения, какие принимала на себя та или иная сторона ограничения касательно методов и нравственных норм, касательно различных группировок, которые вводились в действие или действовали с самого начала; не имело значения и то, что для нас, в нашем сообществе, «по нашу сторону», правительство было врагом, и полиция была врагом, и правительство «там» было врагом, и солдаты «оттуда» были врагами, и военизированные защитники «по другую сторону» были врагами и, в более широком плане — благодаря подозрительности, и хода истории, и паранойи — больница, электроуправление, газоуправление, водоснабжение, комитет по образованию, служащие телефонной компании и все, кто носил форму или одежду, которую легко было принять за форму, тоже были врагами, и где нас в свою очередь наши враги тоже считали врагами, в те темные времена, когда все дошли до крайности, если бы у нас не было неприемников как некоего подпольного буфера между нами и владеющим подавляющим превосходством и объединенным врагом, то кто еще мог бы у нас быть, черт побери?

Конечно, никто этого не говорил. И потому я в восемнадцать лет не говорила о неприемниках, отказывалась думать о них, замыкала слух, когда возникала эта тема. Дело было в том, что мне хотелось сохранить то здравомыслие, которое, как мне казалось тогда, у меня было. И поэтому наверный бойфренд, по крайней мере когда он был со мной, тоже не говорил о неприемниках, а еще, может, поэтому он занимался машинами так, как некоторые люди сходили с ума от музыки. Это не означает, что мы были глухи и слепы, точно так же, как не означает, будто мы не знали, как стать фанатиками. Так что оставалось некоторое уважение, по крайней мере к неприемникам старой школы, у которых имелись принципиальные основания для сопротивления и для борьбы, прежде чем они были убиты или арестованы, освободив место, как выражалась мама, «для отморозков, для озабоченных мирскими делами, карьеристов и людей с персональной повесткой». Так что да, крышку нужно было держать закрытой, покупать старые книги, читать старые книги, серьезно относиться к тем свиткам и глиняным табличкам. Такой я тогда была в свои восемнадцать лет. Таким был и наверный бойфренд. И мы не говорили об этом, не размышляли об этом, но, конечно, вместе с другими впитывали это в себя день за днем, капля за каплей все, что витало в воздухе. И вот с помощью этого молочника выяснилось, что мои собственные опасливые фантазии и катастрофическое мышление предсказывали насильственную смерть наверного бойфренда. Конечно, это было не совсем предсказание, потому что по собственной терминологии молочника он практически разжевал это для меня: смерть от автомобильной бомбы, хотя автомобильная бомба, возможно, и не планировалась для данного случая, а использовалась только как образ, чтобы произвести впечатление. И дело было не в том, что его коллеги по работе «с другой стороны», если только таковые были, будто бы собирались убить наверного бойфренда из соображений фанатизма. Нет. Дело было в том, что, как и молочник бегал в парках-и-прудах из-за меня, а не из-за того, что он любил бегать в парках-и-прудах, так и бойфренду грозили смертью в общей куче политических проблем, даже если на самом деле молочник собирался его убить из-за тайной сексуальной ревности ко мне. Такой представлялась подоплека нашего разговора. И вот среди потока этих мыслей — таких путаных, испуганных мыслей, не то что мои обычные безопасные литературные мысли из девятнадцатого века — я не знала, как мне реагировать. Я знала, как мне не следует реагировать — то есть не спорить, не задавать вопросы, не требовать пояснений. Это исключалось категорически. Я знала, что он знает, что по большому счету я поняла, о чем он мне говорил; а еще, что я поняла и то, что он мне не сказал, хотя общество меня и воспитало так, чтобы я делала вид, будто он ничего такого и не имел в виду, и это было не только воспитание обществом, но еще и нервная реакция. На публичном корневом уровне я даже не должна была догадываться, что этот человек — неприемник, что в любом случае было правдой, потому что я этого и не знала. Я просто приняла это, потому что среди всего неназываемого здесь, которое все равно каким-то образом называлось, сохраняя при этом патину неназванности, здесь существовало широко распространенное «восприятие некоторых вещей как само собой разумеющихся», что в данном случае — в случае был или не был молочник неприемником — неназываемое в расхожих сплетнях было: «Не валяй дурака, конечно, он неприемник». Но поскольку недавно появилась еще одна неупоминаемая вещь — то, что у меня роман с молочником, хотя я-то точно знала, если никто другой и не знал, что у меня нет никакого романа с молочником, — разве нельзя было в том же ключе сказать, что этот человек не принадлежит к военизированной подпольной организации? Он мог быть каким-нибудь проходимцем, фантазером, одним из тех людей типа Уолтера Митти, которые, ничего собой не представляя, пытаются, и нередко с успехом, создать себе мифологическую репутацию — в данном случае одного из верховных неприемников, сборщика разведывательной информации, — основанную исключительно на неверном представлении о нем других людей. Не мог ли этот молочник начать как один из «диванных неприемников», тех людей, которые в своем рвении и фанатической преданности неприемникам иногда трогаются умом и начинают верить, потом намекать, потом хвастаться, что они и сами неприемники? Такое случалось. Случалось периодически. Это случилось с Какего Маккакего, с этим мальчишкой, который грозил мне после смерти молочника, прижав меня в углу в туалете самого популярного питейного клуба в районе. Он явно свихнулся мозгами, считая себя одним из главных неприемников той страны.

Какего Маккакего, вероятно, не согласился бы с такой характеристикой, но я считаю ее справедливой и точной. Когда нам обоим было по семнадцать и после того, как он в первый раз попытался меня уломать, и когда я отказала ему, потому что он мне не нравился, мне пришло в голову, что Маккакего из тех, кто не забывает обид, из сталкеров. «Мы будем следить за тобой», — сказал он и продолжал говорить, как только понял, что я его отвергаю, а не принимаю, хотя он и рассчитывал, что я его приму. И хотя я в своем отказе пыталась быть вежливой, из этого ничего не получилось, потому что «Мы будем рядом, всегда будем рядом. Ты это начала. Ты привлекла наш взгляд. Ты навела нас на мысль... Ты давала понять... Ты не знаешь, на что мы способны, и когда ты меньше всего будешь этого ожидать, когда будешь считать, что нас тут нет, когда будешь думать, что мы ушли, тут-то ты и заплатишь, да-да ты заплатишь за... Ты... Ты...» Понимаете? Типичный сталкер, да еще и говорит о себе в первом лице множественного числа, тогда как совсем недавно он был обычным парнем в первом лице единственного числа, как и все остальные. У него было и еще одно качество: он был генератором вранья. Я нс говорю, что он врал, попадая в уязвимые, нервные, опасные ситуации, вроде той, в которой я оказалась недавно, когда на ходу изобрела и вывалила молочнику кучу вранья про наверного бойфренда, Айвора, турбонагнетатель и тот «заморский» флаг. Я хочу сказать, что Какего Маккакего в своем вранье зашел так далеко, что, думается мне, сам считал каждое свое слово образцом правды. Это вранье начиналось на манер Джеймса Бонда, хотя, конечно, здесь, «на моей стороне», «по эту сторону моря» никто Джеймса Бонда нс признавал. Это был еще один запрет, хотя запрет не такой строгий, как на просмотр новостей, касающихся политических проблем и передаваемых сетью, которая считалась манипулятивной, не такой строгий, как на чтение неправильной газеты — и опять «заморской» — и, уж конечно, не такой строжайший, как слушание поздно ночью гимна по телевизору. Просто Джеймс Бонд попал под запрет, поскольку, как и турбонагнетатель, был еще одной основополагающей национальной «заморской» патриотической скрепой, а если ты жил «по эту сторону моря» и «по нашу сторону дороги», и смотрел Джеймса Бонда, то ты это никак не афишировал, напротив, ты выкручивал ручку громкости на минимум. Если же кто-то ловил тебя на этом, то ты быстренько, захлебываясь, лепетал «Чушь! Тьфу! Ни слова правды! Так не бывает!», имея в виду, насколько невероятно то, что Джеймс Бонд в смокинге может лежать в гробу в крематории, изображая покойника, а через минуту выскакивать из гроба, побеждать врагов своей страны, что он посещает все вечеринки и спит с самыми красивыми женщинами мира. «Не бывает так, — говорил ты. — Они что — американцами себя воображают? Да никакие они не американцы! Ха-ха!» Таким образом ты отмазывался от того, что могло быть классифицировано как предательский отказ от поддержки борьбы, длящейся восемь веков, а также пособничество таким понятиям, как Оливер Кромвель, Елизавета Первая, вторжение 1172 года[1] и Генрих Восьмой. Таким был Джеймс Бонд в общем понимании, в том запрещенном политическом и историческом смысле. Но что касается лжи на манер Джеймса Бонда, то на нее смотрели под несколько другим углом зрения. И эта ложь подразумевала использование патриотического образа замечательного парня, хорошего парня, героического парня, непобедимого, сексуального, бунтаря-одиночки, победителя всех плохих парней во славу своей страны, только в данном случае, в нашей культуре, с «нашей стороны» кто есть кто и что есть что следовало вывернуть наизнанку.

[1] Нормандское вторжение в Ирландию (1169–1172) положило начало английской колонизации Ирландии.

В нашем районе неприемники той страны считались хорошими ребятами, героями, людьми чести, неустрашимыми, легендарными воинами, сражающимися против превосходящих сил противника, рискующими своими жизнями, выступающими за наши права, ведущими партизанскую войну и побеждающими наперекор всем обстоятельствам. Большинство района — если не весь район — считали их такими, по крайней мере поначалу, до кончины этого идеального образа, когда начали нарастать сомнения в этом новом типе, который все больше походил на неприемника гангстерского типа. Параллельно с этим кардинальным изменением возникла нравственная дилемма для приемника «с нашей стороны дороги» и не очень политизированного человека. Эта дилемма, еще раз, сводилась к внутренним противоречиям, нравственным двусмысленностям, трудностям полного проникновения в истину. Здесь были Джоны и Мэри этого мира, пытающиеся жить цивилизованной жизнью, настолько ординарной, насколько это позволяли существующие политические проблемы, но они начинали тревожиться, они утрачивали уверенность в нравственной корректности средств, с помощью которых наши хранители чести сражались за наше общее дело. И дело было не только в смертях и все множащихся смертях, но еще и ранах, забытом ущербе, всех этих личных и приватных страданиях, становящихся следствием успешных операций неприемников. А с увеличением силы неприемников и с предположениями об их увеличивающейся силе нарастало и беспокойство Джонов и Мэри, беспокойство в связи с тем, что другая сторона («там», «по ту сторону дороги», «за морем») не будет давать спуску, привнося в нашу жизнь свои варианты разрушения. Существовала еще повседневная проблема выставления грязного белья на публику, районных неприемников, устанавливавших свои законы, выносивших свои предписания, свои постановления и осуществлявших наказания за малейшее кажущееся их нарушение. Имели место избиения, клеймения, смола и перья, исчезновения, синяки под глазами у людей со следами побоев, без пальцев, хотя определенно еще вчера эти пальцы у них были. Происходили и импровизированные суды в какой-нибудь лачуге в районе, в других заброшенных сооружениях и домах, особенно лояльных неприемникам. Существовали миллиарды способов, с помощью которых неприемники собирали деньги на свое дело. Но самое главное, организация неприемников страдала паранойей, их расследования, допросы и почти всегда убийства осведомителей и подозреваемых, но пока эта обеспокоенность внутренними противоречиями еще не одолела Джонов и Мэри, неприемники успели создать в глазах почти всех членов сообщества иконный образ благородных борцов. Но для групи при этих членах военизированного подполья — а это почти поголовно были девушки и женщины, которые ни умом, ни чувствами не могли воспринять никакую концепцию нравственного конфликта, — мужчины, состоявшие в неприемниках, не только воплощали собой замечательные образцы незапятнанной жесткости, сексуальности и мужественности, но еще и были средством, благодаря близости с которым эти женщины могли реализовывать собственные социальные и карьеристские цели. Вот почему подобные особи женского рода всегда находились неподалеку от неприемников: посещали притоны неприемников, входили в круги неприемников, проникали в их лежбища и, если их когда-либо видели виснущими на каком-нибудь незнакомом мужчине в нашем районе или за его пределами, можно было ставить обеих своих бабушек на то, что этот мужчина, объект такого обожания, являлся неприемником. И для групи важно было не столько то, что эти люди сражаются за общее дело, сколько то, что они обладают существенной властью и влиянием в тех или иных районах. Они необязательно должны были быть членами военизированного формирования, необязательно даже подпольщиками, они могли быть кем угодно. Но обстоятельства сложились так, что в условиях того времени, в каждом из этих тоталитарно управляемых анклавов именно мужчины военизированных формирований в большей степени, чем кто-либо другой, властвовали в этих районах, именно им принадлежало последнее слово. Хотя, конечно, они не имели признания за рамками своих сообществ, в отличие от признаваемых повсеместно рок-звезд, кинозвезд, спортивных звезд, а теперь еще и чемпионов бальных танцев — тем не менее член военизированного формирования в своем районе, будучи относительной знаменитостью местного масштаба, был на равных с более признанной знаменитостью с другой стороны. На взгляд групи, эти люди *были* Джеймсами Бондами, хотя Бондами не на службе у того другого государства. Это были подобия Бонда с его неотразимыми, необузданными, сверхчеловеческими, разрушающими стереотипы манерами, в особенности те, кто занимал наиболее высокое положение в иерархии неприемников и был готов, если понадобится, умереть за общее дело. Что касается этого дела — всех этих «по нашу сторону дороги», «по нашу сторону моря», «их флаг — не наш флаг» и так далее, — то опять же для их групи все это не имело значения с точки зрения их личных, примитивных побуждений и мотивов. И не всегда их мотивом были приятности жизни. Не всегда хорошая одежда, хорошие ювелирные украшения, хорошие магазины, хорошие обеды, хорошие вечеринки или крупные суммы денег в тайниках, чтобы замечательно проводить время, жить на широкую ногу и счастливо. Нередко, по крайней мере в старые времена, во времена преданных общему делу, неуловимых, жестоких неприемников тех дней, денег для личного возвеличивания не было, потому что все собранные деньги — незаконно, совершенно незаконно и ошеломляюще незаконно — и взаправду приходилось тратить на общее дело. Поэтому, что касается личных материальных выгод, то таковых не было, и неприемник тех времен, казалось, не был в них заинтересован. Что же касается групи, то истинным достижением для них было высокое положение: она становилась той самой женщиной того самого мужчины. Он должен был быть лидером, первым номером, который делал ее в свою очередь приложением первого номера. Если же место приложения первого номера было занято (например, в случае если какая-нибудь другая харизматическая групи заняла его раньше), то она могла стать фрейлиной приложения первого номера — что само по себе было обещающим местом, хотя и менее влиятельным, — что вовсе не считалось «не у дел». Если же он был женат, этот первый из мужчин, первый из воинов, а жена маловлиятельной — например, не была женщиной-неприемницей, готовой убить любую женщину, посматривающую на ее мужа, — то и это было вполне приемлемо. Так что групи были счастливы стать второй женщиной, любовницей, потому что это гарантировало статус, немалый престиж и известность. Эти «стремительные, захватывающие, фантастически потрясающие, но все равно, дочка, умирающие до времени повстанщики», как опять же сказала моя мать, когда принялась обвинять меня в том, что я групи при члене военизированного подполья, были тогда теми самыми мужчинами, посредством которых эти амбициозные женщины надеялись добиться собственных целей.

И вот почему она все еще приходила ко мне. Моя мать. Чтобы распекать меня. Чтобы поразглагольствовать передо мной. Чтобы потребовать от меня перестать — хотя я и не начинала — быть одной из тех женщин. Был пущен слушок — и всего лишь после двух моих встреч с молочником, — что я пытаюсь проникнуть, уже расположилась рядом с территорией групи, что я стучусь в дверь, чтобы меня впустили в прихожую дома «той страны», говорилось, что я погрязла по уши в амбициях, желаниях и мечтах. Мама продолжала меня предупреждать, напоминать о том, что я должна проснуться, понять, что эти мужчины — не кинозвезды, что это не шутки, не пример великой страсти, за которой я гоняюсь в этих старых романах, которые читаю на ходу. Нет, говорила она, напротив, мы тут имеем дело с наивной неумелой попыткой из благодарного, на мой взгляд, сырого материала сотворить себе дикого самца-любовника. «Вот только в этих книгах не говорится, дочка, — говорила она, — о том, что ты видишь его не настоящего, а такого, каким хочешь, чтобы он был». Хотя она и добавила, что сама она не старомодная, не невежественная, что еще не совсем забыла свою молодость, а потому прекрасно видит привлекательность головокружительного, соблазнительного и чрезвычайного возбуждения. На самом же деле, сказала она, я не только пытаюсь словить любовь на ужасный, неженственный, сталкерский, агрессивный манер, но и подвергаюсь опасности оказаться в этом отнюдь не малом женском мире пособничества убийству. «Если уж об этом, — сказала она, — об этих темных авантюристах — первопроходцах, спасителях, изгоях, дьяволах, — как их ни назови — то все они социопаты, может, даже психопаты. Но даже если они и не такие, — добавила она, — тот факт, что их воинствующий индивидуализм и упертая ментальность делают их идеально готовыми к тому, чем они занимаются в своем движении, то эти же умонастроения и индивидуализм свидетельствуют об их неспособности к чему-либо другому в этом мире». Они не способны работать с девяти до пяти, сказала она. Неспособны к каким-либо устойчивым связям. Неспособны жить в семье и исполнять семейные обязательства. Продолжительность жизни у них не достигает и средней. «Этого вполне достаточно, чтобы не связываться с ними, дочка. И в любом случае правильная девушка, нормальная девушка, девушка с неиспорченной нравственностью и чувствами, настроенными на то, что цивилизованно и уважаемо, будет бежать от них сломя голову, да просто никогда близко к ним не подойдет». И еще она сказала, что я даже с ним не познакомилась, как полагается. Это означало, что мы возвращаемся к вопросу брака, брачных клятв. Казалось, что даже здесь, пытаясь оградить меня от этих ненормальных, опасных революционеров, она не может выкинуть из головы мысли о формальной стороне дела — с кольцами, священником и всем прочим. Она имела в виду, что и знакомство-то мое неправильное, что я не жена, что если я и в самом деле хочу связать свою жизнь с неприемником, то разве я не должна подумать о том, чтобы официально стать его женой. Тогда я буду принята обществом. «Хотя один Господь знает, — сказала она, — быть женой само по себе непросто. Все эти посещения тюрьмы. Посещения кладбища. Быть под наблюдением у вражеской полиции, у солдат, у жен других неприемников, у мужниных товарищей-неприемников. Тут просто все сообщество будет участвовать, — сказала она. — Следить, хранит ли она верность. Не позволяет ли себе вольностей, не оскорбляет ли мужа своим поведением, вместо того чтобы блюсти себя как полагается. Так что нет, — сказала она. — Нелегкая жизнь. Напротив, выматывающая, ущербная, очень одинокая. Но она по крайней мере при деле, дочка. Замужняя. Зарегистрированная. С безупречной репутацией, и за ее детьми присмотрят, когда она помрет или сядет». И, напротив, по словам мамы, избрав путь полюбовницы, я бы уничтожила то, что она вложила в меня своим воспитанием меня как женщины, которую в один прекрасный день пожелает взять в жены какой-нибудь мужчина. Я уронила себя, сказала она, вместе с моими будущими перспективами до такого дня, когда я превращусь в «порченый товар», опущусь даже до последнего места в иерархии групи. «И тогда все. Тогда ты себя погубила, погубила все свои шансы, все возможности. И ради чего? — Она покачала головой. — Они не узаконивают этих фронтовых жен, дочка», — предупредила она.

Эту проповедь она закончила обычным: «Помяни мои слова, ты думаешь, что получила пирожное и ешь его, веришь — это то, что вдохнет в тебя жизнь, что обычная жизнь скучна, что все мы, остальные, скучны, но правда жизни вернет тебя с небес на землю, девочка, хочешь ты этого или нет. Ничего плохого в обычности нет, нет ничего плохого в том, чтобы выйти замуж за обычного человека, в том, чтобы исполнять обычные обязанности. Но я вижу, что тебя загипнотизировала красивая жизнь, ослепили побрякушки, деньги, субкультуры, то, что тебя принимают, собственная молодость, собственная незрелость. Но все это плохо кончится, — сказала она. — Ты превратишься в пустышку, он тебя сформирует, будет держать под контролем, выпотрошит, высосет из тебя все соки, все твои силы. Ты станешь потерянной, потеряешь себя, скатишься ко злу. А что касается того туманного нечто, что он делал, что он делает, всего этого... *Скажи-ка мне, а что это такое было? Что это за туманное нечто, все это нечто из тумана, к которому он стремится через этот свой военизированный образ жизни?* — ты и помнить не будешь. Ты намеренно станешь выкидывать это из головы, и странно, что я только теперь это поняла, но чем больше я имею с тобой, взрослой, дело, тем больше ты, кажется, становишься похожей на твоего отца в его переменчивых настроениях, в его психопатии, в его вере в ничто и еще в том, что тебя, дочка, так и тянет к теням».

Вот такая ерунда. Вот что она мне наговорила. И я уже перестала быть отвратительной старой девой, не желающей выходить замуж, а теперь определенно превратилась в беспутную, пошедшую по рукам блудницу, но ее слова, оскорбительные и непотребные, происходили не из неумелой попытки ее дочери творить из благодарного, на мой взгляд, сырого материала, а из ее собственной неумелой попытки творить из благодарного, на ее взгляд, сырого материала; она передавала мне последние слухи обо мне и молочнике и одновременно умудрялась увековечить их.

Что же касается молочника — что же касается всех их, — то здесь я имела дело с человеком, который знал ответы, а потому не задавал вопросов и не интересовался моей возможной реакцией. Хотя я больше не собиралась реагировать или давать себе труд объяснять ей, что я все еще не принадлежу молочнику. Ее оскорбительное «врунья!» все еще жгло меня с прошлого раза, и мое молчание все еще мучило ее с прошлого раза, она просто швыряла слова, а я не желала признавать их воздействие на меня. Но они, тем не менее, на меня воздействовали, как и изменившееся ко мне отношение жителей района, которое я стала замечать. Не только районных сплетников, которые выслушивали, а потом передавали слухи в усовершенствованном виде. На меня теперь обращали внимание и групи при местных членах военизированного подполья. И именно они теперь решили поговорить со мной.

Это случилось как-то вечером, когда шесть из них подошли ко мне в туалете самого популярного питейного клуба района. Они окружили меня, принялись смотреть на мое лицо в зеркале. Одна спросила, не хочу ли я жевательную резинку. Другая предложила попробовать ее помаду. Третья предлагала какую-то фигню от «Эсте Лаудэр». И они были дружески расположены ко мне или притворялись, что дружески расположены, и я приняла эту дружбу или увертюру к напускной дружбе по той простой причине, что хотела выиграть время, потому что испугалась.

«У меня всегда был какой-нибудь крутой парень», — сказала по виду старшая из них, та, которая дала мне парфюмерию. Она стояла у раковины рядом со мной, говорила с моим отражением, потом перевела взгляд на себя. Посмотрела на свой вырез. Похоже, осталась удовлетворенной. Поправила его. Еще раз поправила. Похоже, ее удовлетворенность выросла. «Опасный мужик, — сказала она. — Самец. Настоящий. Иначе и быть не может. Люблю такие вещи». Она пригласила мое отражение согласиться, как тут вмешалась другая. «Но эти поиски экстрима, билет в один конец, уже не передумаешь, варианта уйти нет, я говорю обо всей этой жизни, смерти и героизме, — сказала она. — Не забывай этого». — «Это всегда рулетка, — сказала третья. — Иначе и быть не может, потому что, несмотря ни на какие репетиции, серьезную подготовку, все знают, что у него может случиться неудачный день, а неудачный день то же, что и последний день, но все же...» — она подвесила предложение, не договорив его до конца, потом... «Средний человек, — сказала другая, — на такое не способен. Даже средний неприемник». — «Да, и тебе всегда немного страшно, правда? — раздался голос за моей спиной. — Ты немного волнуешься, что ты проживаешь свой последний час с ним, что, если что пойдет не так — *бум-бум! ба-бах! очень плохо!* — он падает, он умирает или получает пожизненное. Это как если ты должна к этому подготовиться, должна оставаться мотивированной на это». И тогда я узнала, что означает мотивация среди местных групп. «Дай ему понять, как много он для тебя значит, — сказали они. — Выгляди хорошо. Выгляди классно. Всегда только платья. Никаких брюк. Высокие каблуки не забудь... и ювелирные украшения. Никогда его не подводи. Никогда не заходи в бар одна. Никогда не ходи на танцы с кем-то другим, никогда не позволяй себе остаться один на один с каким-либо парнем на грани флирта. Никогда не помышляй об отношениях с кем-нибудь другим, даже о наверных отношениях. Чти его. Пусть он тобой гордится. Не заявляй громко о себе. Не болтай лишнего и не задавай вопросов. Высоко цени его», — сказали они и продолжили инструктировать меня, потому что я поняла: именно это они и делали — инструктировали. С этими женщинами в этом туалете мне вручили вступительный пакет прихлебательницы.

Прежде чем я сформулировала ответ или поняла в тот момент, как его сформулировать, они вернулись к рискам, к привлекательности, к тому, почему оно стоит того. «Шумиха, — сказали они. — Почтение, антураж. Это присутствие рядом с тобой уверенного в себе, фантастического, настоящего мужчины. Это сила природы. Он все берет в свои руки, не выпускает из рук, все вокруг заискивают перед ним». Слушая этих женщин, я узнала, что не только средний мужчина не может стать неприемником, но очевидно, что и средняя женщина не может стать женщиной неприемника. «Средняя не смогла бы это выдержать, — сказали они. — Она бы и хотела жить такой жизнью, но слишком угнетена для этого... слишком боязлива. Обычная женщина, — сказали они, — приятная, ординарная, скучная — ей этого не выдержать». — «Она предпочитает серость, — продолжали они. — Не любит риска, впадает в ужас при опасности, ставит перед собой скромные задачи и впускает в свою жизнь только приземленных мужчин, не мужчину высокого полета, высоких устремлений, который обуздывает буйных, непредсказуемых. Эти женщины живут с безопасным, надежным пузырем, с благопристойным пузырем, который работает с девяти до пяти. Но кому нужен сонный пузырь, если ты можешь жить со стимулятором власти, стремящимся всех подмять под себя, не чурающимся даже жестокости. Все это постепенное, коварное, незаметное продвижение. Разве тебе не нравится, — сказали они, — неожиданная вспышка страсти?»

Так что мама ошибалась, ужасно ошибалась, потому что, слушая этих женщин, этих странных самодовольных женщин, я понимала: все, о чем она предупреждала меня — об их слепоте, их расплывчатом восприятии, их нежелании впускать в голову все темные дела, совершенные любовником, напротив, как раз их и манит. Не в том дело, что женщина не в силах смотреть на мир. Скорее уж дело в том, сказала бы я, что она доставала лупу и внимательно этот мир разглядывала. И этой хваленой женщине — той, которая в упор не видит плохих ребят, которая плохого парня принимает за хорошего и пытается приручить и преобразовать некоего неправильно понятого обществом человека, который на самом деле вовсе не хотел этой бойни, — было очевидно, что эти женщины не имеют с ней ничего общего. Здесь были женщины, которые любили звук бьющегося стекла.

Потом они назвали меня по имени, перейдя, таким образом, запретную границу. И вот была я посреди них — одна из них, — хотя пока и не сказала ни слова. Но, конечно, если бы какая-нибудь женщина зашла в туалет, она бы ничего такого не увидела. И девушки заходили, они видели нас — бросали на нас взгляд и тут же отводили глаза. Именно так и я сама поступала — та «я», которой я была прежде, при виде этих групп или любых других групп в этом заведении или в других, в этом туалете или в каких-либо других в нашем районе. Я смотрела и отводила взгляд, отворачивалась, потому что мне этот тип, эти девицы казались совершенно чокнутыми. Я просто считала их какими-то инопланетянками, нездешними сущностями, существующими в совершенно непонятных потоках. Они не только не были мною, но я твердо решила, что они гораздо ниже меня. Это было не только мое мнение, потому что, если бы они не были сексуальным приложением великих героев района, их бы уже давно подвергли остракизму как новых запредельщиц нашего района. Знаки опасности. Держатели непонятных страстей, в особенности сексуально приевшихся до самого не могу страстей. Я не сомневалась, что их образ жизни для меня абсолютно неприемлем. Но в восемнадцать я бы ни за что не призналась, что, если говорить о сексе, то я чертовски многого не понимаю. Эти женщины — судя по их внешности, по их речам, по тому, как они двигают своими телами, а еще по тому, что им нравится, когда за их движениями, за тем, как они перемещают свои тела, наблюдают, — грозили преподнести мне секс как нечто неструктурированное, нечто неконтролируемое, но почему я не была старше восемнадцати, когда понимание сложности огромного скрытого смысла, свойственного сексу и противоречиям секса, обрушилось на меня и вконец запутало мои мозги? Почему я не могла оставаться на стадии «была там, занималась этим, делала это с наверным бойфрендом, так что знала о нем все, что можно знать», и неважно, что ввиду моего на тот момент скромного и ограниченного сексуального опыта с наверным бойфрендом, я почти ничего о нем, о сексе, не знала? Несомненно, что в восемнадцать я должна была бы иметь возможность подумать об этом чуть подольше, чем я думала.

Так что я к этому не была готова, не была готова признать, что я, возможно, нахожусь на некоем пороге, накануне озарения, что я опять — как и с политическими проблемами здесь и моими наверными отношениями с наверным бойфрендом — сталкиваюсь с противоречиями в жизни. Эти женщины продолжали говорить — об их поведении, их похоти, о боли, которая бывает так сильна, что они приучили себя не противиться ей, что они живут в наслаждениях, чтобы всегда боль и всегда наслаждение; еще о том, что они в силках, в трансе, не могут действовать добровольно; они говорили об учащенном сердцебиении, о мурашках, о постоянных состояниях возбуждения — это зашло так далеко, что мой пульт управления не мог больше справляться и, как с третьим зятем, когда он выходил в режим перегрузки с разговором про тренировку, я заткнула все отверстия, чтобы блокировать их. В конечном счете, они прекратили этот гнетущий разговор и перешли к «У тебя красивые волосы», что меня испугало, потому что на самом деле волосы у меня были некрасивые. Совершенно некрасивые. Но они сказали об этом еще раз, добавив, что у меня волосы, как у Вирджинии Майо или даже Ким Новак. Явная лживость этих слов ничуть их не смущала. Теперь они сказали: «Ты похожа на Джоан Беннет в этом фильме “Женщина в окне”», и опять это не имело ко мне ни малейшего отношения. Но они продолжали говорить мне комплименты, включали меня в свой круг, пытались сойтись со мной поближе. Это сказало мне, что, вероятно, в их глазах, я уже принадлежу к нему, к этому кругу. А если еще и не принадлежу, то их инсайдерская информация, их барометр, даже их подсознательное понимание таких дел, вероятно, говорили им, что вскоре я буду к нему принадлежать. Они окружали меня, инструктировали меня не как соперницы, а как наперсницы, стоящие ступенькой ниже, желающие знать, где они могут оказаться в иерархии по отношению ко мне. Отсюда и постоянные заверения, что я точь-в-точь копия звезды того или иного фильма-нуар, на которую, как им казалось, я бы хотела походить.

А теперь речь пошла о моих скулах. Они были точь-в-точь, как у Иды Лупино. Я и Глория Грэм были просто чудо. А Вероника Лейк со мной. А Джейн Грир со мной, а Лизабет Скотт со мной. А Энн Тодд со мной, и Джин Тирни, и Джин Симмонс, и Алида Валли, и они были красотки, одевавшиеся, как кинозвезды, как *femmes fatales*[1], а меня пригласили им подыгрывать. «Мы должны посидеть вместе, — сказали они. — Приходи, посидим. В любое время, когда захочешь. Оставь своих пьющих друзей, приходи к нам, посидим». После этого они ушли, но сначала: «Держи, но это только когда домой придешь». Они дали мне таблетку. Глянцевитую черную таблеточку. Толстенькую. Маленькую, с маленькой белой точкой ровно посередине. Они протянули ее мне, и моя ладонь раскрылась, словно ждала ее. Я теперь, как никогда прежде, превратилась в ту самую персону, которой, по всеобщему мнению, и была.

Но казалось, что до этого вечера, в который состоялась скрепляющая встреча групи в туалете самого популярного питейного клуба района, а еще до того, как я поняла, какой влиятельный неприемник навел на меня свой стал-

[1] Роковые женщины (*фр.*).

керский прицел, Какего Маккакего — мой сталкер-любитель — вероятно, прознал, что я горю желанием попасть в сообщество групи при членах военизированного подполья, и решил попытать счастья, используя новый план продвижения своей влюбленности. Этот новый план был частью его второй попытки захомутать меня после первой попытки, когда он получил отлуп. На этот раз он решил в лепешку разбиться, но добиться своего в надежде, что, когда он покажет мне свое настоящее «я» — при условии, конечно, что я жажду влюбиться не в старика-неприемника, но в лучшего из лучших, суперзнаменитого неприемника, — я подумаю, боже милостивый! Так он один из тех ребят! Конечно, это то, что мне надо. До этого времени Какего Маккакего был известен в районе как ярый сторонник неприемников, и, уж конечно, он происходил из семьи закоснелых неприемников. Но побыв некоторое время в «бешеных», он перешел в другую категорию — тех, кто считает себя неприемниками, а это означало, что он, делая второй подход, решил, будто я ошиблась, отказав ему в первый раз. Он сказал, что, хотя и произносил много разоблачительных сталкерских речей по тому случаю в ответ на мой ему отказ, он вовсе не имел в виду ничего такого типа «ну, подожди, грязная кошка, ты еще сдохнешь». Он сказал, что надеется, что я его не поняла неправильно, но, напротив, узнала по-настоящему, приняла его слова, как следовало принять — как выражение его горячего желания быть со мной. А теперь, поразмыслив, он решил, сказал он, что пришло время доверить мне самую секретную информацию его жизни. Вот тогда-то он и сказал, что он неприемник той страны, истинный патриот, один из тех героев, которые готовы скромно отдать свою жизнь, пожертвовать всем ради движения, ради общего дела, ради страны. Он был убежден, что на сей раз его слова произведут на меня совершенно противоположное действие — в смысле благоприятное, в смысле положительное — в особенности еще и потому, что у меня два брата в неприемниках. Но невзирая на все испорченные телефоны и сплетенные утаивания предположительного знания о том, кто в районе неприемник, а кто приемник, я не знала, состоят ли два моих брата в неприемниках, по крайней мере до похорон одного из них, когда на его гробу лежал флаг «приграничной» страны и кортеж проследовал не на народный участок общего места, а на участок неприемников, где вдруг словно ниоткуда появились трое из них в форме, произвели салют над его могилой и быстро исчезли. Это было большим сюрпризом, я хочу сказать, для меня, а еще больший сюрприз случился позднее, когда я стала спрашивать у других об этой деятельности братьев. Вот тогда-то я и узнала, что моя мать и все ее дети, включая мелких сестер, знали, что второй и четвертый брат были неприемниками, хотя никто не выказывал ни участия, ни понимания на мой счет — почему это я не в курсе; ничего удивительного, сказали они, с моим-то затемненным сознанием по причине чтения на ходу. Что касается Маккакего, раскрывшего мне свою тайну, то я от этого лишь почувствовала себя неловко. Ясно как белый день, что он не был неприемником и в своей сумасшедшей лихорадке не признавал никого, кроме себя. Но он продолжал. То он был настоящим членом военизированного подполья. То он превращался в суперсоветника, чьему голосу внимали самые высокие руководители военизированных формирований, он рассчитывал, что я, пораженная его сексуально-героическим образом, брошусь в его объятия, пока не поздно. Он сказал, вернее, похвастался, исходя из предположения, будто я настроена на одну с ним волну, что он счел необходимым сохранять спокойствие, сохранять веру, что бы ни случилось во время операции. «Мы можем взять выходной, — сказал он, — и этот выходной может стать нашим последним днем. Понимаешь, средний человек, даже средний неприемник, — он пожал плечами, — когда доходит до дела, не всегда справляется с собой. Мы начинаем немного выходить из себя, немного нервничать, — и тут он назвал мое имя, не фамилию, а мое имя, — потому что у нас заранее, — продолжал он, — ощущение, что нам осталось жить всего час, и что есть три варианта — мы останемся живы, будем убиты, будем ранены, потерпим неудачу, власть схватит нас», и это было пять вариантов. Я решила его не поправлять, потому что это могло только воодушевить его. «Часа три или четыре, — сказал он, — мы остро осознаем, что, пока все не кончится, мы будем на взводе. Если в конце, когда все заканчивается, когда мы выполняем нашу миссию, то тогда, — сказал он, — мы понимаем, насколько прекрасна жизнь». На этом его скромное хвастовство не кончилось, был еще и «психологический драйв», и «стальные нервы», и «сверхчеловеческая выносливость», и «уникальное жертвование обычным домашним образом жизни». Но вне своего контекста и вообще-то даже в своем контексте, это была разновидность лапши на уши, которую мне столько вешали в последнее время в этом самом месте. «Как ты знаешь, для нас, — сказал он, продолжая, как он опять продолжал, называть себя в первом лице множественного числа, — как и для нашей семьи... хотя мы думаем, что и для твоей семьи тоже... военная жизнь так же важна, как есть, дышать, спать. Но ты не должна ни о чем спрашивать», — тут он поднял руку, словно и в самом деле, чтобы пресечь мой вопрос, и все это время со смыслом не сводя с меня глаз, подчеркивая связь, соединившую нас, словно мы и вправду были вместе в этом, словно он сейчас расположил меня к нему, рассказав о своем месте в военизированном подполье. Только ничего такого не случилось. Он не произвел на меня впечатления, не расположил к нему, да он даже и неприемником-то не был. А если бы и был, даже если бы все, что он наговорил, смогло романтически и сентиментально поразить меня до глубины души, он все равно оставался Какего Маккакего, как обычно плетущий ложь за ложью в духе бондианы.

Нет, кое-какие связи с неприемниками у него были. Его отец, старшая сестра, старший брат — пока были живы — все они состояли в рядах неприемников. Но нельзя брать себе в заслугу — по крайней мере вечно и в решительно противозаморской военизированной цитадели деяния твоего отца, твоей старшей сестры, твоего старшего брата, если ты сам ничего не совершил своими поступками. Какое-то время тебе это, может, и будет сходить с рук — доля внимания, некоторое уважение тебе достанутся за счет твоей кровной связи. В особенности от гостей района, собирателей истории, такого вот типа — на них это может произвести впечатление, они, не исключено, даже будут уважительно смотреть на тебя, потому что откуда им знать, что ты такое на самом деле? Но местные-то все знали, и беда этих лихорадочно слабоумных сторонников, которые начинают считать себя военизированными подпольщиками, когда они никакие не подпольщики, состоит в том, что они своим самохвальством и выпендрежем изолируют себя от всех остальных. Вот таким и было настоящее положение Маккакего, и ему не приходило в голову — потому что балаклаву можно было купить где угодно, — насколько он абсолютно прозрачен. Говорили, что он с таким шумом подавал себя как супергероя, борца за свободу, что настоящие неприемники подумывали, не пора ли с ним поговорить. Он пришел ко мне еще раз, хотя я его раньше отвергла, и начал новый сеанс. Он сказал: ему ясно, что человек вроде меня с такими верительными кровными грамотами от родственников-неприемников может понять, что он теперь в любой день может — как это случилось с моим четвертым братом — пуститься в бега. Я ужасно обозлилась после этих слов. Поначалу я, как и в прошлый раз, была вежлива с ним, спрашивая себя, сколько должно пройти времени, чтобы можно было сказать: «Мне пора идти». Все дело в том, что они, эти люди, считают, что ты дура, что ты не в состоянии понять, что они считают тебя дурой. Кроме того, они видят в тебе не человека, а некий шифр, некое «никто», которое не стоит и ломаного гроша, единственное назначение которого — отражать их величие. От их комплиментов и выражения заинтересованности бросает в дрожь. Они отвратительные, пресмыкающиеся, расчетливые, ненасытные, в особенности еще и потому, что вскоре после — или немногим ранее, как в моем случае, — как ты знаешь, будут оскорбления, угрозы насилия, угрозы убийства и вариации сталкерских речей. Дело в том, что по недостатку ума они думают, что видят, как ты даешь слабину, тогда как на самом деле это ты видишь, как они дают слабину, и вопрос тогда стоит так: проявить ли тебе доброту или с ожесточением оттолкнуть их в сторону. Но я оставалась вежливой, потому что в семье Маккакего были и другие смерти, две последние всего несколько месяцев назад. Эти последние смерти поставили семью в нашем районе на первое место по числу насильственных смертей в нашем районе, разве что в семье самой первой моей, старейшей подруги из начальной еще школы, в которой теперь все, кроме нее, были мертвы. Но бедный Маккакего. Мне было ясно, что смерти родственников повлияли на него, сдвинули его с катушек, что они, по крайней мере отчасти, ответственны за то, что он так космически потерял связь с реальностью. Сначала отец, потом старшая сестра, потом старший брат, все убиты в течение последних десяти лет в ходе различных операций неприемников. Потом погиб любимчик семьи, второй старший мужчина, его убили, когда он пересекал дорогу. Через два месяца после его смерти умер четвертый мальчик, все еще страдавший ядерным разоружением. Таблетки, выпивка, пластиковый мешок на голову и записка, которая удивила всех: «Я делаю это из-за России и из-за Америки». После этого из первоначальной семьи из двух родителей и двенадцати детей остался только Какего Маккакего, его мать, теперь физически немощная, его шесть сестер и трехлетний мальчик. Не моя вина. Не моя вина и в том, что он, на мой вкус, был непривлекателен. Не станешь же заводить роман с человеком только из-за того, что тебе его жалко, потому что много его родни умерло; а в особенности ты не станешь этого делать, если с самого начала, с первого мгновения, как ты его увидела, даже еще не начав разговора, ты почувствовала, что тебя от него тошнит. Поначалу я сочла себя виноватой из-за этой тошноты, но потом перестала чувствовать себя виноватой, когда он стал грозить убийством, когда я отказала ему в первый раз. Потом я еще сильнее укрепилась в том, чтобы не чувствовать себя виноватой, после того как отказала ему во второй раз, когда он говорил о «нашем родстве» из-за «нашего неприемничества», а еще упоминал «наши отношения», тогда как у нас никаких отношений не было, и тогда я поняла, что он два эти мои отказа принимает за согласие, словно они и в самом деле были нашими двумя первыми встречами. Что касается всех его сталкерских речей и его уверенности в наших отношениях и в будущности нашего союза, то я и представить не могла, что сыплющие угрозами, сбитые с толку, зацикленные, психически тронутые типы в нашем мире могут мгновенно перестать сыпать угрозами, перестать быть сбитыми с толку, зацикленными, психически тронутыми и, словно завтра не наступит, открутить назад педали в подхалимаж и безвестность. Именно это и случилось с Маккакего, когда до него дошло известие об интересе, который проявляет ко мне молочник, человек, который даже по понятиям Маккакего был куда как более угрожающим, а сталкингом владел, как Маккакего и не снилось.

И вот по окончании влюбленно-враждебной активности Маккакего я стояла рядом с этим молочником и легко впадала в ужас, и голова мертвого кота, которую я держала в руках, мне ничуть не помогала. За все время нашего разговора я ни разу не упомянула голову и не посмотрела на нее. Он, казалось, тоже на нее не смотрел. Но я знала, он в курсе того, что это такое. Он, вероятно, видел, как я ее подобрала, как вернулась, как шла вперед, видел всю эту мою нерешительность. И еще я была уверена, что он засек, как я заворачивала ее в платки, как подняла, возможно, даже прочел мои намерения отнести ее на обычное место. Но я ничего про нее не говорила, и он не говорил, словно это было вполне нормально стоять летним вечером без четверти десять там, где никто никогда не стоял рядом с девушкой, держащей голову кота, и говорить ей об убийстве бойфренда, с которым она, возможно, имеет отношения. Чему ж тут удивляться, что его появление и слова произвели на меня такое сильное впечатление, что я на какой-то крохотный промежуток времени забыла об этой голове. Но только на одно мгновение, потому что она тут же напомнила о себе. Когда молочник открыл рот, чтобы снова сказать что-то такое, что наверняка должно было обескуражить меня, мои пальцы, которые перед этим плотно сжимали платки, теперь начали нервно перебирать ткань. Один из пальцев нащупал длинный клык, и я в смятении насадила его на этот длинный клык, торчавший из ткани. И в этот момент что-то снова шевельнулось у меня в позвоночнике. Точно такое же движение почувствовала я немногим ранее в классе. После этого в ногах появилась дрожь, те потоки в сухожилиях, те невральные страхи и проникновения вокруг моих ягодиц и копчика. Потом свободные ассоциации моего разума вернули меня к личинкам — к этим комочкам вокруг носа, ушей, глаз, и тут он снова заговорил. На сей раз он оставил тему убийства наверного бойфренда, которая, впрочем, во всех его предположениях подавалась им не как убийство. Этот человек, который был гораздо старше, гораздо увереннеи меня, не растерявший свою энергию, несмотря на казавшееся апатичным безразличие, этот человек снова предлагал подвозить меня в своих машинах.

И опять, как во время нашей второй встречи в парках-и-прудах, он сказал, что его не радует, что он озабочен, что эта ходьба здесь — в центре города, где угодно, за пределами района — никогда не принесет мне пользы, что для меня это небезопасно. Он добавил, что надеется, я не забуду, что для него не составит никакого труда обеспечить меня транспортом — его собственным или, если он занят, транспортом кого-нибудь другого. Он поговорит с другими, сказал он, чтобы они помогали мне, когда у него не будет свободного времени. И тут он опять заговорил о моей работе. Не о чем беспокоиться, сказал он. Он будет безопасно доставлять меня на работу, а потом, в конце дня, меня будут забирать оттуда. Я буду избавлена от необходимости мотаться на автобусе, на этом общественном транспорте, который становится удобной мишенью при всяких беспорядках и перестрелках, а кроме того, я буду избавлена от всяких досадных мелочей, которые встречаются в общественном транспорте. И опять это предложение было сделано в его дружеской, обходительной манере, он словно оказывал мне услугу, помогал мне, избавляя от необходимости ходить, от необходимости бегать, избавляя от наверного бойфренда. Тут не было никакого явного смысла, черты, за которую он переходил, так что, возможно, я ошибалась, и никакой черты он не переходил. Но, пока он говорил и, невзирая на мое замешательство, я понимала, что никогда не должна — категорически — садиться в его машины. Казалось, что все сводилось именно к этому последнему порогу, словно пойти на это, пересечь грань, сесть в одну из его машин будет знаком «конца» чего-то и «начала» чего-то другого. А я тем временем продолжала стоять там, на этой территории понятий — воображаемых и неясно выраженных, а еще на этой территории, на которой люди не должны торопиться, а должны ясно высказать свое отношение в виде категорического отказа. Но вот я стояла тут. И вот он стоял тут, и к этому времени я была настолько на взводе, что достигла состояния таких взвинченных эмоций, от которых на психике легко появляются трещины, — состояния, в котором я вдруг могла сказать «Нет!», или «Пошел в жопу!», или закричать, или уронить голову, или даже (кто знает?) бросить эту голову в него. Но случилось нечто иное — появились другие люди.

Они не совсем чтобы появились, потому что, как выяснилось, они там уже ждали. Это меня удивило, потому что репутация этого места — с его черной магией, историями про ведьм, историями про колдовство, слухами про призраков, слухами про принесение человеческих жертв, пугающими историями о перевернутых распятиях; независимо от того, считалось или нет (по крайней мере в ходе этих последних волнений), что за всем этим стоят силы безопасности «той страны» с их специальными операциями и обманом общественности, — была такова, что большинство людей спешили поскорее пройти десятиминутный пятачок, если им требовалось добраться из пункта «А» в пункт «Б», а во всех остальных случаях предпочитали пятачок обходить. Тот факт, что я сама оказалась здесь, разговаривала с опасным человеком, держа голову кота, ставшего жертвой нацистской бомбардировки, был уже сам по себе доказательством того, что десятиминутный пятачок не для нормальных людей. Но вот они были здесь, и их было четверо. Мне показалось также, что они вышли из какого-то укромного места или полуукромного, по меньшей мере. Первый появился из ниши перед дверью в магазин, который был сейчас закрыт, потому что уже наступил вечер, а не потому, что он был каким-то жутковатым и вообще никогда не должен был открываться. Он вышел из тени, кинул в нашу сторону мимолетный взгляд, но тут же отвернулся. После этого он стоял, не обращая на нас внимания, хотя опять же с какой стати ему было там стоять? Двое других появились из пришедших в упадок территорий каждой из двух заброшенных церквей, и они тоже посмотрели на нас и тут же отвели глаза, и теперь все трое стояли молча, в ожидании чего-то. Они к тому же находились на равном удалении друг от друга, а мы с молочником стояли в другом конце от них. Поначалу я испуганно подумала, что эти люди в штатском устроили засаду, чтобы застрелить молочника, и тогда с большой вероятностью они пристрелят и меня, как пособницу этого молочника. Но потом я почувствовала, что мало того что между этими тремя происходит какой-то умственный обмен, существует и еще какая-то связь, идущая от них к нам. Их словно связывало что-то общее — этих троих и молочника. Да, они были вместе — эти трое и молочник. И в этот момент появился четвертый, он подошел прямо ко мне, и я даже подпрыгнула, потому что не видела и не слышала его. Он прошел мимо в нескольких дюймах от меня, не посмотрев и никак не прореагировав на меня или молочника. И в этот момент я подпрыгнула еще раз, потому что, отвернувшись от четвертого и посмотрев на молочника, я поняла, что и он исчез.

Он оставил меня, и я не понимала, почему это меня так потрясло, ведь ничто в присутствии этого человека до этого момента никоим образом не давало поводов для спокойствия. Получалось так, что его «вдруг» и «из-под земли» каждый раз заставали меня врасплох. Я автоматически оглянулась, посмотрела в сторону центра города, в ту сторону, куда направился четвертый, думала, может, увижу рядом с ним молочника. Он не мог уйти никуда больше, потому что я видела, как он двинулся в сторону тех, других. И в этот момент те тоже двинулись ко мне, и хотя они шли вроде бы каждый по отдельности, я по-прежнему чувствовала координацию и подчинение общему плану. Они были вместе. Все четверо. И все пятеро — в этом я была уверена — вскоре должны были сойтись в одной точке.

«Ты чокнутая».

И опять после исчезновения молочника я разговаривала сама с собой. Он и остальные изображали, что они каждый сам по себе и идут в направлении центра города. Я теперь осталась одна и двинулась в противоположную сторону, прочь от десятиминутного пятачка, а из головы у меня не выходили закамуфлированные угрозы, которые будут реализованы, если я не прекращу бегать, закамуфлированные угрозы, если я не прекращу ходить, а в особенности закамуфлированные угрозы убийством автомобильной бомбой. Ко всему этому в руках я держала кошачью голову. Поскольку время приближалось к десяти, а от дневного света оставались какие-то крохи, я никоим образом не могла отнести ее в обычное место. В темноте все выглядело иначе, но даже если бы остатков света хватило для того, чтобы я добралась до него, прошла мимо древних камней по древним травам, если бы его хватило и для того, чтобы я нашла, как собиралась вначале, место для упокоения головы, я чувствовала, что теперь, хотя он уже и встретил меня, донес до меня свои последние требования и пожелания, молочник все же мог возникнуть еще раз из-за какой-нибудь гробницы Дракулы, чтобы реализовать следующую часть своего плана. Я уже знала, что у него есть какой-то план в отношении меня, какая-то реализуемая повестка. Поэтому идти на кладбище я не могла. И все же я хотела отнести куда-нибудь эту голову. Мне требовалась густая листва. Какой-нибудь зеленый клочок, и такой, конечно, можно было найти в парках-и-прудах. Но парки-и-пруды, как и десятиминутный пятачок, в темноте были практически запретной зоной. Зачем вообще уносить голову из одного темного места в другое темное место? И даже если бы я взяла себя в руки и пошла в парки-и-пруды захоронить голову в каких-нибудь кустах или спрятать в каком-нибудь подлеске, те шпионы в кустах или подлеске — в особенности ввиду их убежденности в моей связи с молочником немедленно откопают ее, чтобы посмотреть, что это такое. Так что не в той зелени. Но была и другая зелень. Вокруг двух остававшихся заброшенными церквей была зелень, но опять же обстановка там стояла гнетущая. И потом, эта зелень находилась на все том же десятиминутном пятачке. Были сады, принадлежащие другим людям, у нас-то сада не было, так как насчет того, чтобы найти садик, какой погуще, на пути домой, проскользнуть туда и оставить голову там? В этот момент такое развитие плана начало требовать слишком уж личного участия и траты нервов, подразумевая, что я хочу отказаться от своего замысла, что на самом деле никак не отвечало действительности. Замысел же, еще до появления молочника, состоял в том, чтобы понемногу стравить пар. С того самого мгновения, как я в городе простилась с преподавательницей и моими соучениками и пошла из центра к моему району, я чувствовала, как эти ограничительные, коварные «никакого смысла, что проку, какой смысл?» накатывают на меня, накапливаются внутри, и вот в этом состоянии смятения и обескураженности, а еще и самоуничижения собственными словами вроде: «ты психованная девка, ты минута за минутой сама себя калечишь своим психозом», когда я думала отделаться от головы, просто положить ее где угодно, на бетонную поверхность рядом с прежней и оставить, я поняла, что уже вышла с территории десятиминутного пятачка и добралась до обычного места. И вот я оказалась у древних ржавых кладбищенских ворот, и тогда я услышала звук машины у себя за спиной. Мгновенно у меня начался очередной приступ дрожи. «Только не это. Опять он. Иди дальше. Не оглядывайся, не вступай в разговор».

Я прошла в ворота в тот момент, когда подъехала машина. Я услышала голос: «Эй! Постой, ты куда? У тебя все в порядке?» Я остановилась, потому что это был не молочник. Кто-то другой. Это был настоящий молочник, потому что существовал и настоящий молочник, который жил в нашем районе и выполнял заказы по доставке молока, у которого был настоящий грузовичок для развоза молока и который и вправду доставлял молоко жителям. Еще он был человеком, который никого не любил, одним из наших официальных районных запредельщиков. Он жил за углом от нас, и все считали его запредельщиком, потому что как-то раз он вернулся из «заморской» страны, где умирал его брат, и понял, что в его доме что-то не так. Он жил один и вышел из задних дверей своего дома, чтобы взять лопату угля, и увидел — кто-то там у него чего-то копал в его отсутствие. И он тоже начал копать, чтобы узнать, что же там копали. Спустя немного времени он, очень грязный, вышел из своих дверей с двумя охапками винтовок. Винтовки были завернуты в пластик, он вынес их на середину улицы и бросил на дорогу. Бросил и прокричал: «Закопайте их у себя на заднем дворе!», после чего вернулся в дом и вышел с новыми охапками. Это продолжалось, потому что после винтовок пошли пистолеты, разобранное оружие и всякие свертки в материи и пленке. Выбросив все, он остался рядом с этой грудой и в ярости продолжал кричать, пока не увидел стайку детей, которые до этого — до того момента, пока он не изменил их ландшафт, — играли на том самом месте, где теперь лежало оружие. Сначала дети отпрыгнули в сторону и оттуда наблюдали за развитием событий. Когда этот человек, который никого не любил, увидел их, он перестал кричать. Потом он снова принялся кричать — теперь уже на них. «Уходите отсюда! — закричал он. — Я сказал, уходите!», и он был так взбешен, что дети, теперь превратившиеся в мишени, и в самом деле ушли. Но несколько ребят остались на месте и начали плакать. Человек, который никого не любил, принялся тогда кричать соседям, которые вышли из своих домов узнать, что происходит. Он сказал, чтобы они забрали своих детей, а еще сказал, что хочет знать, не видел ли кто-нибудь из его добрых соседей во время его отсутствия, что неприемники «той страны» приходили в его дом? И вот этот человек, который никого не любил, этот настоящий молочник, стал воевать со всеми. Он даже с детьми стал воевать. Но здесь нужно провести различие: он стал известен как запредельщик, потому что выбросил оружие, тогда как все знали: если ты нашел оружие у себя в доме, после того как они пришли и спрятали его там, ты должен был принять это как должное и смириться; а он стал известен как человек, который никого не любит, потому что однажды без всяких угрызений совести, даже без извинений, напугал детей до слез.

Поэтому неприемники не питали к нему любви, после того как он выкопал их арсенал, и нелюбовь их к нему стала еще сильнее, когда он возвысил голос против местных правил и установлений; нелюбовь к нему еще усилилась, когда он стал возражать против их отвратительных судилищ, против их жестокого правосудия, которое они осуществляли всякий раз, когда мы, жители, не подчинялись их правилам и установлениям; и каждый раз он поднимал шум по поводу очередного исчезновения подозреваемых в доносительстве, обвиняя в этом неприемников, — вот за все это его и не любили. И еще про него было известно, что он никогда не требовал возврата кредита от местных жителей, если он их кредитовал. И это было во времена, когда он помогал людям, что он делал довольно часто, несмотря на его репутацию человека, который никого не любит, из которой вроде бы должно было вытекать, что ничего такого он не делает. Эта неспособность сообщества признать его добрые деяния по той причине, что его репутация человека, который никого не любит, настолько утвердилась в сознании района, и потребовался бы какой-то огромный взрыв сознательных усилий, чтобы сдвинуть этот конкретный слух в сторону правды. Поскольку здесь не просматривалось ни малейшего желания урегулировать хоть на кроху ложные представления, такого сознательного умственного усилия со стороны общества с целью получить истинное представление о настоящем молочнике в ближайшем будущем не предвиделось. Но он помогал людям. Он помог маме ядерного мальчика, которая к тому же была матерью этого лженеприемника Какего Маккакего. Вечером того дня, когда ядерный мальчик покончил с собой, настоящий молочник отправился ее искать, и остальные тоже отправились ее искать. Она пропала, когда ей стало известно об очередной смерти в семье. Пошли слухи, что она, как и ее сын, покончила с собой, но настоящий молочник нашел ее, она бродила по улицам в другом районе, растрепанная, обезумевшая от горя, никого не узнавала, даже забыв, кто она такая. Хотя он и привез ее домой, хотя он нашел других благочестивых женщин в нашем районе и сказал им, чтобы помогли ей, а эти женщины были еще и районными лекарками, ярлык так никуда и не делся: настоящий молочник в общественном мнении оставался самым отвратительным из людей, каких только можно представить. Сама я не думала, что он отвратительный, или очень злобный, или даже слишком уж крутой запредельщик в сравнении с другими запредельщиками в нашем районе. У нас была таблеточная девица, потом ее яркая сестра, потом несчастный ядерный мальчик, пока он был жив, потом деспотические женщины-проповедницы с проблемами. Все они казались куда как больше за гранью, чем когда-либо был этот человек. Я, возможно, смотрела на вещи под таким углом, потому что настоящий молочник и моя мама дружили еще со школьных дней, и он поэтому регулярно заходил к нам в дом проведать ее, узнать новости. Он ей помогал к тому же, давал бесплатно молоко, витаминизированные молочные продукты, выпечку и всякие консервы. А еще он помогал с разными работами по дому. Чинил водопровод, малярил, плотничал, даже настоял на том, чтобы перенести электропроводку от мелких сестер. И вот, невзирая на все его мизантропические повадки, невзирая на его репутацию человека, склонного к таким повадкам, его непременного сочувствия людям у него было не отнять. И вот этот человек, настоящий молочник, запредельщик, который никого не любил, в тот вечер оказался на кладбище и помог мне.

Поначалу у меня опять случились эти дрожи. Хотя они и прекратились мгновенно, когда я поняла, что это не тот, а другой молочник. Он сидел за рулем своего грузовичка, и это был настоящий грузовичок для развоза молока, к тому же единственный грузовичок, в котором я его видела. Я повернулась к нему, услышала треск ручного тормоза. Он открыл дверь, выпрыгнул из машины и пошел ко мне. Через секунду он стоял рядом, и хотя говорил со мной уже не в первый раз, но теперь он сказал мне кое-что побольше, чем несколько вежливых общепринятых слов. Обычно он говорил «привет», «до свидания» или «передай матери, что я спрашивал про ее здоровье». Вот уж точно: если не считать мамы, настоящий молочник и я вращались в разных кругах, но я не то чтобы вращалась в ее круге, если не считать того, что жила в одном с ней доме, но, поскольку они дружили, я время от времени неизбежно сталкивалась с ним. Это случалось на улице, перед нашим домом или в нашей гостиной, где мама, приготовив специальный ячменный хлеб или какое-нибудь другое из ее фирменных лакомств, попивала с ним чай. Иногда я видела ее в его грузовичке — он высаживал ее, привезя из церкви, после игры в бинго, после поездки по ее делам, и она выпрыгивала из его грузовичка со смехом, как шестнадцатилетняя девчонка. И вот в таких ситуациях мы с ним и сталкивались обычно, здоровались, обменивались кивками или словом «привет», а теперь он во второй раз спрашивал у меня, все ли со мной в порядке. Он спросил, не случилось ли чего, не может ли он чем-нибудь помочь. Я кивнула, хотя и понятия не имела, на какой вопрос киваю. По правде говоря, я даже не могла сформулировать, что чувствую, и не понимала, как пристойно ответить хоть на какой-то вопрос. Мне казалось, я только что встретила четырех неприемников — потому что, вероятно, эти прятавшиеся мужчины были неприемниками, — отправлявшихся на какое-то дело, которое, скорее всего, займет первые места в завтрашних новостях. Я только что столкнулась с молочником, вероятно, не Уолтером Митти, а, напротив, с одним из неприемников, как про него говорили. А теперь передо мной стоял настоящий молочник, друг моей матери и один из общепризнанных эксцентричных запредельщиков. Мы находились на обочине рядом с его грузовиком, который стоял рядом с кладбищем, и я обратила внимание, что он смотрит на сверток из носовых платков между нами. Потом он перестал смотреть на сверток и перевел взгляд на мое лицо.

Я сказала, потому что у меня вырвалось: «Я должна пойти куда-нибудь и оставить или похоронить это, это кошачья голова». — «Хорошо», — сказал он, словно я ему сказала «это яблоко», и это мне в нем понравилось. Я не стала объяснять, как у меня оказалась эта голова, как она связана со Второй мировой войной или с десятиминутным пятачком. Он сказал: «Я возьму ее у тебя. Ты мне ее отдашь?» И я протянула ему голову, сделав это легко, без колебаний, просто отдала и все. А потом я сказала: «Только не выбрасывайте ее. Вы ведь ее взяли не для того, чтобы выбросить? Не ждите, пока я уйду, чтобы выбросить ее в какую-нибудь урну или просто где-нибудь на землю. Если вы не хотите это делать, позаботиться о ней, как полагается, я хочу сказать, то я сама это сделаю, только, пожалуйста, не притворяйтесь». Я разразилась такой многословной тирадой, но это были слова правды, потому что я не придумывала для себя никаких извинений, не спрашивала разрешений, не искала одобрения. Потом уже я удивлялась собственной прямоте, таким своим словам, адресованным мужчине, человеку гораздо старше меня, а еще человеку с жесточайшей репутацией человеконенавистника. Но я знала, что мои эмоции раскалились до предела из-за того, что произошло между мной и молочником, и из-за того, что я слишком долго держала эту голову. В его манерах было что-то такое, что словно облегчало разговор с ним. И он в этой своей манере ответил: «Я не собираюсь притворяться, и я ее не выкину», — сказал он. — «Я хочу, чтобы она лежала в каком-нибудь зеленом месте, — сказала я. — Я хочу, чтобы она лежала в каком-нибудь правильном месте». — «Я понимаю, — сказал он. — Я тебе вот что скажу. У меня есть зеленое место. У меня во дворе есть зеленый пятачок, если я вырою там ямку и положу голову туда, тебя это устроит?» Я кивнула, потом сказала: «Спасибо». После этого он подошел к своему грузовичку, вытащил зеленую матерчатую сумку, внутри лежали бильярдные шары. Он переложил их в глубокий отсек между сиденьями, потом сунул в сумку кошачью голову, которая все еще оставалась в носовых платках, и застегнул молнию наверху. Он вернулся ко мне и сказал: «Можешь не волноваться. Предоставь это мне. А теперь садись в машину, уже поздно, я отвезу тебя домой». Мне показалось, и опять же мне это понравилось, что наш разговор шел в ключе «как нам это сделать?», в таком ключе говорили наверный бойфренд и преподавательница, а не в преобладающем: «какой в этом смысл, это все без пользы, делай, не делай, какая разница?», и это меня удивило. Настоящий молочник, мрачноватый, строгий, и все же вот он стоял передо мной, тратил на меня время, вселял в меня надежду, слушал меня, воспринимал меня серьезно. Он все понял, он знал, что я имею в виду, а потому не задавал опустошающих и изматывающих вопросов. Да, неожиданность, но он и был неожиданностью, и для меня стало неожиданностью то, что я смогла передать ему свою ношу, потом сесть в его машину без всякого страха, зная, что ему можно доверять, что он не обманет, все сделает, как мне нужно. Он положил кошачью голову в машину, и в этот момент раздался щелчок камеры — одной из *их* камер, звук донесся из предположительно заброшенного здания по другую сторону дороги, и я опять, как и в случае с молочником в парках-и-прудах, ничего об этом не сказала. Но настоящий молочник, сказал: «Черт бы...», но оборвал себя на полуслове. «Куда ни сунешься, всюду они, — добавил он. — Что ж, пусть делают с этим все, что хотят». И опять его реакция была для меня неожиданной, а еще она почему-то подняла мне настроение. Если он мог признавать вещи запретные, а еще признавать, что не в его силах что-то изменить в этом запретном, то, может, и любой — например, я — мог, будучи бессильным, занять такую же позицию признания, приятия и отстраненности.

Мы ехали в машине, сумка с носовыми платками с головой лежала на бильярдных шарах в этом вместительном пространстве между нами. Вот тогда я и узнала о последней смерти в нашем районе, случившейся в этот день. Смерть эта случилась опять же в семье Какего Маккакего, когда их малыш, самый маленький, выпал из окна спальни на верхнем этаже. Настоящий молочник сказал, что поначалу впечатление было такое, будто он сам выпрыгнул, такой, во всяком случае, пошел слух, будто малыш выпрыгнул и разбился до смерти, но будто эта смерть не была преднамеренной. Он просто решил, что он Супермен, сказали соседи. Или Бэтмсн. Или Человек-паук. Или кто-то из таких героев. Он всегда ходил с красной наволочкой, пристегнутой на спине, и кричал «Трах!», «Ба-бах!», «Бух!», «Шарах!», «Отбой!», «Я вот вас!». На самом деле, как он умер, никто толком не знает, сказал настоящий молочник. Слухи такие пошли, сказал он, потому что люди здесь обычно так выдумывают, потому что здесь никто не может просто умереть, не может умереть своей смертью, больше уже не может, не может от естественных причин, от несчастного случая, например, выпав из окна, в особенности после всех других насильственных смертей, случившихся в районе. Смерть не может не быть политической, сказал он. Не может не быть связанной с выходом за край, иным словом, понятной. Если же не это, то она должна быть выходящей за рамки, драматической, какой-нибудь сногсшибательной, например, вообразить себя супергероем и случайно выпасть из окна. Люди теперь этого ждут, сказал он. И вот трехлетний малютка, не понимающий законов притяжения или того, что он всего лишь маленький мальчик, оставленный без присмотра в спальне наверху, пусть его мать тоже наверху, но она не выходит из своей комнаты, потому что, убитая горем, лежит в кровати, мысли ее мечутся, и вот этот мальчик совершает трагическую ошибку, но не такую, в которой достаточно смысла, чтобы умирать в районе таким вот образом. Жизнь здесь, сказал настоящий молочник, просто должна проживаться и заканчиваться в крайностях. Как выяснилось, ребенка поздним утром нашла во дворе одна из его сестер. И на спине у него на этот раз не было наволочки. В тот день ее отстегнули, чтобы выстирать.

Я слушала настоящего молочника, который теперь говорил мне, что моей матери нет дома, что он недавно отвез ее в дом Какего Маккакего, что другие соседки — благочестивые женщины с их отварами и первой помощью и другими совершенно секретными варевами — тоже находятся в доме Какего Маккакего, все пытаются утешить несчастную мать мертвого ребенка. Настоящий молочник сам только что из морга, и он тоже, как он сказал, направляется теперь назад к дому Маккакего. Потом он стал говорить о случившейся трагедии, потом стал говорить о трагедии вообще, ее разрушениях, отсутствии перспективы, предотвращения, обо всех последствиях, происходящих от бедности и этих упрямых, укоренившихся политических проблем. Он продолжал, говоря о небрежении, об отставании, о неприязни, об упущенных возможностях, и на какое-то время, как мне показалось, забылся в своих мыслях. Когда он вернулся, он — не знаю почему, может быть, по ассоциации, — стал говорить о моих мелких сестрах, обо мне, о маме.

«Твои мелкие сестры, — сказал он, — такие умненькие девчонки, такое замечательное любопытство, такой характер, такая страсть и вовлеченность. И природное понимание того, что у них есть права, что, как ты знаешь, редкость в этом месте. Чаще всего заинтересованность и инициатива у нас подавляются, оборачиваются унынием, искривляются, перенаправляются в более темные каналы. Но они в своем малолетстве всего лишь маленькие девочки, немного дикие и несдержанные. Временами они отвратительные, — продолжал он, — и я уверен, твоей матери с ними нелегко». Он сказал, что они со временем, вероятно, станут еще более трудными, и их страсть к знаниям и интеллектуальным приключениям возрастет. Он подумал еще немного и сказал: «Я думаю, она, вероятно, еще не поняла, твоя дорогая мать, может быть, еще не заметила их уникальности, того, что можно назвать их гением. И я не понимаю, почему и учителя не обращают на это внимание. Или обращают? Они говорили об этом с твоей матерью?» Я задумалась на секунду, потом ответила: «Не знаю». Тогда он спросил, как они успевают в школе, и я опять ответила «не знаю», и так получилось, что на все его последующие вопросы о мелких сестрах я отвечала «не знаю». Но я и вправду не знала, да и как я могла знать, когда они были всего лишь мелкими сестрами? Ходили в школу. Читали книги. У них были обсуждения, форумы, изложения, симпозиумы, сравнения, противопоставления, обмен мнениями, а еще то, что они называли «факультативные занятия», и я представить себе не могла, как все это умещается в их головах. Я слышала, что их учителя составляют рапорты об их интеллекте, талантах, раннем развитии. Они присылали маме письма и отчеты. Сама я никогда не читала, что они там пишут, потому что опять же с какой стати я должна была ввязываться во все эти школьные дела мелких сестер? Мне восемнадцать, я их сестра, а не мать, не отец, не опекун, чтобы встревать во все эти дела, которые сродни разговорам о закатах и температурах, о зубных протезах, болях и болячках, о том, «что ты ел сегодня на обед?» и всех прочих радостях, в которые любят вдаваться старики. С какой стати? Но я думаю, какие-то учителя к маме приходили поговорить. И в школу ее вызывали, потому что теперь, когда я стала вспоминать, это были какие-то специальные встречи о том, как продвигать мелких сестер, или что-то в таком роде, для чего ее приглашали. Помню, разговор шел о какой-то «педагомозгономике». Или как-то в этом роде. Они и домой приходили, эти учителя, а еще люди другого «педагомозгономического» направления, и они опять говорили, и я не уверена, что мама толком понимала, о чем эти эксперты ей говорили, хотя я все же знала, что она собиралась попросить мелких сестер перевести для нее на нормальный язык письмо, которое ей потом пришло из этой академии по обучению гениальных детей, только вот она так пока и не собралась это сделать. Что же касается регулярных школьных отчетов, я думаю, мама их и не читала, и не придавала им никакого значения. Школьные отчеты и дипломы здесь мало что значат. «Не в укор твоей матери, — сказал настоящий молочник, — потому что она прекрасная женщина, до сих пор прекрасная женщина, миловидная, и я знаю, у нее были нелегкие времена, когда умирал твой отец, когда умер твой второй брат, и когда вторая сестра... ну, ты знаешь, что случилось с твоей второй сестрой. Потом твой другой брат, четвертый, который... но ты и сама знаешь, что с ним случилось. Я думаю, что могу спросить ее об этом, потому что в них есть огромный потенциал, и его нужно направить в правильное русло, и направить твердой рукой, пока не случилась еще какая-нибудь кошмарная катастрофа, новое расточительство, еще одна из этих трагедий. Нужно сделать так, чтобы их энергия и предприимчивость были направлены в нужное русло. Им требуется правильное наставничество, их должны заметить, ими должны заняться. Иначе они могут пойти по дурной дорожке». И я сказала «да», потому что старалась поддерживать разговор, но тут кое-что пришло мне в голову — что он имеет в виду под «дурной дорожкой»? Он прежде сказал про то, что потенциал и наивность могут искривляться, перенаправляться в более темные каналы, о том, что по недостатку опыта они могут быть использованы в ошибочных целях, опасных целях, и я, конечно, решила, что он имеет в виду — а что еще тут можно иметь в виду — плохие последствия, проистекающие из политических проблем. И хотя мелкие сестры не демонстрировали никакого необузданного интереса к нашим политическим проблемам — то есть не больше, чем к фонологическим местам образования согласных, или к египтологии Раннего царства, или к особенностям техники пения, или к состоянию Вселенной до ее перехода в упорядоченное состояние, или к обожествлению Геракла, или вообще к любой сноске, любой отсылке, заметке на полях и надписи на корешке их учебников и всего остального, — некоторое время назад был случай, когда я и старшие сестры подошли к двери и обнаружили, что мелкие читают «заморские» газеты. Это были политичсскис газсты, а сщс у них оказалось пссколько таблоидов оттуда же. Мы и представить себе не могли, откуда у них все это появилось, но откуда-то появилось, и в этот момент газеты были разложены всем напоказ на полу. До того дня мелкие сестры никогда не видели этих газет, не смотрели политических новостей по телевизору и, уж конечно, не смотрели никаким другим нелегальным способом. Они перед этим проходили фазу увлечения Жанной д’Арк. И в это время известили всех, что не любят страну «за морем», но не из-за обычного исторического наследия и власти истории, которая накапливалась, передавалась из поколения в поколение, обретала новые формы и уточнялась в отношении того, что происходило между той страной и этой страной, а из-за того, что они, абсолютно естественно, поддерживают французов. Однако тут было еще и предательство, а потому они временно ополчились и на французов с их дофином, который вообще не вызывал особых симпатий и был непопулярен у мелких сестер до такой степени, что если кто-то хотел сказать слово в его защиту, то он сначала проверял, не находятся ли мелкие в пределах слышимости. Так и французы впали в немилость, а потому вековая неприязнь между «заморской» страной и этой страной вряд ли заслуживала внимания. Но я и мои старшие сестры зашли к ним в тот день и обнаружили, что они заняты уже не Жанной, а этими самыми газетами. «Мелкие! — воскликнули мы. — Где вы это взяли? Что тут, черт возьми, происходит?» — «Помолчите, старшие, — сказали они. — Мы заняты. Мы пытаемся понять их точку зрения». После этого они продолжили изучать политические газеты и таблоиды, а мы, их старшие сестры, смотрели на них в недоумении. Потом мы посмотрели друг на друга — я, третья сестра и первая сестра. Они «пытаются понять их точку зрения!» Какую еще фигню они изрекут? Что касается их замечания, то оно принадлежало к тому типу, который мог мгновенно насторожить любого человека в нашем районе. Неужели «БЕРЕГИСЬ ОСВЕДОМИТЕЛЕЙ» для этой тройки ничего не значит? Мы в своей мудрости пытались донести до них это, говорили, что, солидаризуясь с запрещенной атрибутикой, они подвергаются опасности быть обвиненными в предательстве. Они не обращали на нас внимания, не утруждали себя тем, чтобы нас выслушать, забыли про нас, настолько глубоко погрузились они в газеты из «заморской» страны. Нам, их старшим сестрам, было ясно, что они с полным безразличием относятся к тому, что может подумать об этом проходящий мимо сосед, которому взбредет в голову случайно заглянуть в окно. Третья сестра подскочила к окну и задернула шторы, что вызвало негодование мелких сестер, а потому одна из них вскочила на ноги и включила свет наверху. Другая щелкнула выключателями двух маминых любимых старинных ламп, а третья принесла три их маленьких фонарика. Но откуда у них взялись эти газеты? Не видел ли кто-нибудь из нашего района, как они их добывали? И вот мы, старшие, в тот день принялись рассуждать: в возрасте шести, семи и девяти может им выйти какая-нибудь поблажка со стороны вооруженных подпольщиков, или их сочтут достаточно взрослыми и накажут по полной программе, как это делают с осведомителями, или они отделаются легким выговором, после чего неприемники прикажут им оставить эти газеты и вернуться к «Поросенку Бамберу», которого читают дети во всем мире. Не это ли имел в виду настоящий молочник, когда говорил о наивности, о пытливости, направленной не в те каналы, об извращении извечной склонности к приключениям? Спросить я не отважилась. Вместо этого, а еще и потому, что он снова погрузился в молчание, я сказала ему об участии их учителей в разговоре о каких-то элитарных учебных заведениях, и, сказав это, почувствовала облегчение оттого, что после его помощи мне с кошачьей головой я и ему могу дать что-то вроде утешения. Но он не утешился. Он опять выразил озабоченность в связи с мелкими и мамой, которая вынуждена без помощи управляться с ними, и тут-то мне и пришло в голову, что он, вероятно, не размышляет вслух, а, видимо, роняет намеки, которые я должна понять. Не винит ли он меня, старшую сестру, в том, что я не разделяю с матерью присмотр за мелкими, их воспитание? Не намекает ли он на то, что я наравне с матерью должна принимать участие, брать на себя ответственность, заниматься их наставлением и воспитанием? И тут меня охватило уныние. Если мне придется воспитывать сестер, я определенно не смогу жить с наверным бойфрендом. И опять я удивилась, что даже сейчас, хотя уже прошло некоторое время с тех пор, как он сделал мне предложение, а я отказала, я все еще проигрываю в уме этот сценарий — как бы оно было, если бы мы с наверным бойфрендом стали жить вместе. Я и не знала, что лелею надежды, которые теперь оказались под угрозой из-за возможной необходимости стать матерью-стажеркой на подхвате у моей матери. А настоящий молочник тем временем сменил тему. И заговорил о моих отношениях с молочником. Он не спросил напрямик: «У тебя что — роман с этим древним стариком?» Вместо этого он доверительно сообщил, что ему известно, что некто из военизированного подполья имеет виды на меня, что это человек могущественный и имеющий влияние в районе. Он спросил меня, если это так, то хватит ли мне сил, чтобы не дать себя в обиду и громко высказаться на сей счет? Я стала отвечать, почувствовав, как все напряглось во мне, тогда как до этой минуты мне в обществе настоящего молочника дышалось все легче и легче, или по крайней мере моя тревога начала спадать. Дрожь прекратилась. Неестественные движения прекратились. Но теперь все это вернулось, как вернулось мое смущение, и я тут же заметила, что и он смущен. Он стал извиняться за то, что вторгся на мою личную территорию. И тогда он заговорил о женщинах с проблемами в нашем районе, сказал, что они и в самом деле, кажется, много знают об истории полов и сексуальной политике. «К сожалению, — сказал он, — сам я мало что понимаю в делах, обсуждаемых этими энергичными и предприимчивыми женщинами. Но уж если у них такой большой опыт и это в рамках их компетенции, почему бы тебе не обратиться к ним за советом?»

Обратиться за советом? Он что — чокнутый, в дополнение к своей слепоте, глухоте и немоте? Он не знает, что говорят в районе об этих женщинах? Да я бы совершила социальное самоубийство, если бы просто встретилась взглядом с одной из них на улице. Так что спасибо, не надо. Советы такого рода мне ни к чему, как сейчас, так и в будущем. Эти женщины, учредившие набирающую силу феминистскую группу в нашем районе — и именно потому, что они ее учреждали, — были категорически помещены в категорию самых-самых запредельщиц. Само слово «феминистка» было из разряда запредельщицких. Слово «женщина» было пограничным и тоже грозило попасть в разряд запредельщицких. Если ты соединяла эти слова или безуспешно пыталась смягчить одно другим, каким-нибудь общим словом, словом в камуфляже типа «проблема», и тут ты получала по полной. Об этих женщинах говорили ужасные вещи в нашем районе, и не только у них за спиной, но и прямо в глаза.

Началось все с объявления, выставленного в окне хозяйкой дома, которую все считали традиционной и нормальной, пока она не выставила это объявление. У нее были дети и муж, и никто в ее семье не умер насильственной смертью, что могло бы объяснить, как говорилось, ее последующее немыслимое поведение, но она выставила это объявление, и оно ничуть не походило на обычное, какие выставляли в окнах некоторых домов в нашем районе в это время. Обычные объявления гласили: «ДЕРЖИТЕСЬ ПОДАЛЬШЕ ОТ ЭТОЙ СОБСТВЕННОСТИ ПОД УГРОЗОЙ СМЕРТИ — ЭТО ПРЕДУПРЕЖДЕНИЕ ЕДИНСТВЕННОЕ» и подпись: «РАЙОННЫЕ НЕПРИЕМНИКИ» — остережение всем нам, непредсказуемым жителям, включая и детей, кому могло взбрести в голову войти на территорию какой-нибудь обидчивой персоны, чтобы поиграть там, устроить подростковую выпивку, посмотреть и посовать нос туда-сюда, даже справить нужду — чтобы нам и в голову не пришла мысль о тяжелобольном несчастном алкоголике, который скрывается за этим объявлением и которому принадлежит этот дом. Наши неприемники ясно давали понять: если мы будем настаивать на нашем несправедливом, неосмотрительном и безжалостном поведении по отношению к наиболее хрупким обитателям нашего района, то наступят последствия, и мы все пожалеем. А объявление в доме этой женщины говорило совсем о другом: «ВНИМАНИЮ ВСЕХ ЖЕНЩИН РАЙОНА: ВЕЛИКАЯ РАДОСТНАЯ НОВОСТЬ!!!», за чем следовала информация о какой-то международной женской организации, которая недавно была узаконена всем миром. Она стремилась к образованию дочерних отделений во всех странах, чтобы все города, городки, поселки, деревни, районы, хибарки, отдельные жилища участвовали в работе этой организации, чтобы все женщины — и опять, всех цветов кожи, всех вероисповеданий, всех сексуальных предпочтений, с любыми физическими недостатками, с любыми душевными болезнями и даже непривлекательностью любого возможного вида — принимали участие в ее работе, и, как ни удивительно, отделение этой международной организации возникло и в нашем городе. Его первое ежемесячное собрание было встречено скандальными отзывами в прессе, до и после собрания; все сообщения о собрании гласили прежде всего о том, что его организаторы вообще имели наглость заявить о себе в нашем городе. Критика была сокрушительная, очень, их обвиняли в «порочности, упадочности, деморализации, распространении пессимизма, оскорблении приличий», что подтверждалось возникновением вскоре после появления этого общества улицы красных фонарей. Однако неблагоприятная реакция прессы никак не помешала по крайней мере некоторым женщинам в районе прогуляться до центра города, чтобы посмотреть, что представляет собой это дочернее отделение международной организации по вопросам женщин. Женщины-участницы принадлежали не только к двум враждующим религиям, но и кучке менее известных, менее привлекающих внимание, а то и полностью игнорируемых других религий. Одна женщина из нашего района отправилась туда по собственному разумению. Она ни у кого не спрашивала разрешения, не искала одобрения, не спрашивала ничьего мнения, никого не просила пойти с ней для нравственной поддержки и защиты. Вместо этого она накинула шаль, взяла сумочку, ключ и таким образом вышла за дверь. Как выяснилось, эта женщина была домохозяйкой, которая впоследствии и выставила объявление. «И она его приклеила, — говорили соседи, — через секунду после возвращения с того собрания в центре города». Тем временем совместно с городским дочерним отделением, которое само действовало совместно с международным женским движением с центральной штаб-квартирой, эта женщина пыталась теперь организовать низовую женскую организацию в нашем районе, что пытались теперь сделать и другие женщины из других районов. И вот что она сделала. В своем объявлении, выставленном в окне, она в вызывающей современной манере пригласила всех женщин района предоставить детей района на один вечер самим себе, как обычно, освободиться от всех дел, чтобы в среду вечером прийти к ней в дом и выслушать, что будет сказано. Они будут поражены, обещала хозяйка дома, количеством тех сфер, в которых женщины играют важную роль и которые обсуждались во время собрания городского отделения; кроме того, если у них самих появится желание высказать свою точку зрения на что угодно, что можно по большому счету назвать женским вопросом, то такие высказывания будут ежемесячно передаваться на рассмотрение городской организации на следующем ее собрании, а ежеквартально передаваться на рассмотрение международной организации на ее следующем собрании. Непонятно, почему в объявлении не упоминался пограничный вопрос или вообще наши политические проблемы. Мужчины и женщины нашего района были удивлены. «О чем это она? Что она может иметь в виду, выставляя такую штуку в своем окне?» И народ принялся шептаться о ней и ее объявлении, оставляя эти темы только для того, чтобы вернуться к обычным: например, кто осведомитель, у кого последний раз была сексуальная связь на стороне, и какая страна может выиграть следующий конкурс «Мисс Вселенная», когда его будут показывать по телевизору. И потому это объявление заговорили до смерти, а потом оставили его, ибо большинство жителей района утвердились во мнении, что ничего другого из этого не выйдет, кроме того, что женщину заставят пожалеть о своем поступке или, если она будет упорствовать, то ее станут считать очередной кандидаткой в запредельщицы. В худшем случае ее уведут неприемники «той страны» как новое лицо, действующее в нашем районе подозрительно, что в той или иной степени будет правдой. Но вместо этого в первую неделю после вывешивания объявления у дверей этого дома появились две женщины, а это означало, что на первой среде собрания по вопросам женщин присутствовало трое. На следующей неделе к ним прибавились еще четыре. После этого пополнений не наблюдалось, но эти семеро собирались каждую среду вечером, а раз в две недели к ним присоединялась компетентная координаторша из городской группы. Эта координаторша произносила одобряющие речи, говорила об экспансии, вставляла исторические и современные замечания по вопросам женщин и все это для того, чтобы, говорила она, помочь женщинам во всем мире выйти из тьмы на свет. Раз в месяц эта группа являлась в город на общее собрание соединенных подгрупп со всех районов «по эту сторону моря» и «по эту сторону границы», которым удалось создаться. Естественно, к тому времени в нашем районе начали рассказывать параноидные истории.

Одна из историй про нашу подгруппу этой организации рассказывала о месте, где проходили собрания, потому что после первых трех сред муж домохозяйки воспротивился — он не хотел, чтобы они проводили свои феминистские собрания в доме, где он жил с женой, потому что при всем своем сочувствии и при всем желании быть миролюбивым ему приходилось думать о своей репутации. Это не остановило женщин, а потому они стали говорить о строительстве для их собраний первого женского дворового сарая, удобного и уютного. Но пока сарай не построен, они обратились в часовню узнать, можно ли им пользоваться одной из жестяных лачуг на пустыре. Лачуги принадлежали часовне, и та нередко позволяла разным организациям — в основном неприемников — пользоваться ими для своих дел, например, для собраний по защите района, собраний по продвижению общего дела, собраний для вынесения самосудных приговоров, но женщинам, которые хотели позаимствовать или снять одну из лачуг, часовня отказала, потому что общественное мнение об этих женщинах было противоречивым. Они уже больше не считались безобидными, невинными, предметом насмешек, детьми, играющими во взрослые собрания, потому что вот они до чего дошли теперь — искали официальное место для проведения своих собраний. Возникло новое мнение о том, почему они хотят это делать. «Если они получат лачугу, — говорили в районе, — они там смогут делать, что им придет в голову. Они там могут планировать подрывные действия. Могут вступать в однополыс связи. Могут там делать подпольные аборты». И в результате часовня, конечно, ответила отказом. Она постановила, что «в соответствии с... в нарушение... на основании...» удовлетворение просьбы женщин со стороны часовни было бы скандальным и беспринципным, как скандально и беспринципно со стороны женщин обращаться к ней с такой просьбой. А потому им не разрешили пользоваться лачугами по причине позора и отвратительности их возможных намерений, что не остановило женщин, потому что они тут же принялись приводить сарай в порядок, красить его. Поставили полки, повесили занавески, принесли масляные лампы, примус, разрисованные чашки, баночку для хранения чая, жестянку для печенья, постелили теплые ворсистые коврики, принесли цветы и подушки. На стены они повесили плакаты с типовыми женскими вопросами во всем мире, полученные из международной штаб-квартиры. Но прежде наши семь женщин попросили мужа первой женщины прийти в сарай и разогнать оттуда пауков и насекомых, и муж, взяв с них клятву, что они будут молчать об его участии, согласился сделать это под покровом ночи.

Вторая история об этих мятежницах-гомосексуалках из подпольного абортария гласила, что восьмая из них, женщина не из нашего района, но умная, знающая координаторша из городской дочерней организации, которая посещала наших женщин раз в две недели — чтобы подбодрить, воодушевить усердием, женщина, приносившая каждый раз горы брошюр по многочисленным женским вопросам, — принадлежала к религии, исповедовавшейся другой стороной и к тому же была из «заморской» страны. Обычно это не вызвало бы протестов, это было вполне приемлемо, потому что она, во-первых, была женщина, а значит, ее значение как потенциальной угрозы районному военизированному подполью было куда менее серьезным, чем если она была мужчиной. Во-вторых, ее приглашали семь местных женщин, что обычно считалось достаточным поручительством и рекомендацией. Но поскольку этих конкретных женщин и самих по себе вряд ли можно было считать нормальными, любое их приглашение не могло идти ни в какое сравнение с приглашением, исходившим от кого-либо другого. А это означало, что восьмой женщине нельзя было и дальше позволять входить в район, по крайней мере до проведения строжайшей ее проверки. В конечном счете предупреждали слухи, она ведь может оказаться на самом деле не женщиной по женским вопросам, не феминисткой, а какой-нибудь скользкой агентшей-провокаторшей, работающей на ту страну? После некоторых преувеличений и обычного слухораспространительства она, естественно, превратилась в шпионку. В глазах сообщества и, конечно, в глазах военизированных эта восьмая женщина стала врагом, присланным, чтобы поймать в ловушку доносительства наших семерых наивных и глуповатых женщин. И вот вечером в одну из сред неприемники нагрянули в сарай, чтобы увести ее. Они ворвались внутрь — в хеллоуиновских масках, балаклавах, с пистолетами, некоторые из них по своей власти и статусу стояли достаточно высоко, а потому не скрывали лиц, — но нашли там только семерых наших женщин в шалях и тапочках, они пили чай с булочками и обсуждали с простодушной серьезностью последствия кровопролития, учиненного йоменами в девятнадцатом веке во время бойни при Петерлоо, когда пострадали сотни детей и женщин. На стенах по всему сараю были развешаны сразу же обращавшие на себя внимание — и на мгновение ошеломившие неприемников — огромные, размером больше чем в натуральную величину плакаты с вдохновляющими изображениями чудо-женщин настоящего и прошлого, провозвестниц феминизма: Панкхерсты, Миллисент Фоссет, Эмили Дэвисон, Ида Белл Уэллс, Флоренс Найтингейл, Элеонора Рузвельт, Гарриет Табмен, Мариана де Пинеда, Мари Кюри, Люси Стоун, Долли Партон — женщин такой закалки, — но никакой восьмой женщины они не увидели, потому что остальные семь внимательно ловили слухи, ходившие по нашему району, предупредили их сестру об этой неминуемой опасности и попросили ее убедительными словами не приходить. Тем не менее, оправившись от мозгового шока при виде других женщин-великанш из прошлых времен, неприемники, посетившие в этот момент нашу семерку женщин, в поисках восьмой женщины обыскали крохотный сарай, на что у них ушло не более секунды. Потом они предупредили женщин с проблемами, чтобы больше не пускали ее сюда, потому что они ее убьют как шпионку, а их, женщин, строго накажут за пособничество и помощь той стране. Но, вероятно, из-за растущего самосознания, которое породило настроение уверенности и собственной правоты, что-то защелкнуло внутри у этих женщин с проблемами, и они неожиданно заявили, что не будут. Они имели в виду, что больше не будут подчиняться диктату, что, хотя восьмая женщина, вероятно, больше не придет, потому что неприемники уничтожили все, но если она надумает прийти, то они не только не откажут ей, но открыто встанут рядом с ней, а неприемники могут идти ко всем чертям. Стороны обменялись всякими словами, от неприемников последовали новые угрозы, а от женщин с проблемами — красноречивые обвинения в адрес системы их «патерналистской педагогики». Наконец, семь женщин сказали: «Только через наши трупы», копая на несколько фаталистический манер собственные могилы, что, конечно, только играло на руку неприемникам. В отличие от традиционных женщин в нашем районе, которые, случалось, инстинктивно объединялись и восставали, чтобы положить конец какой-нибудь вышедшей за грани разумного политической или местной проблеме, эти семь женщин — какими бы отважными они ни были в этот вдохновенный момент противоборства с неприемниками, — не составили и не могли составить такую же жесткую критическую массу. Поэтому они сказали: «Через наши трупы», на что неприемники ответили: «Хорошо. Пусть через ваши трупы», и если бы не традиционные женщины, включая и маму, до которых дошел слух, после чего они вовлеклись в это дело, то нашу конкретную дочернюю организацию международного женского движения пришлось бы закрыть ввиду неожиданной и насильственной смерти всех ее членов. Как и водилось, нормальные женщины района все же прослышали о том разговоре, объединились еще раз и предприняли некоторые действия. И это несмотря на то, что они решили для себя не иметь никаких дел с тем, что было по своей сути безжалостной машиной убийств, созданной неприемниками, но их вынудила к тому ходившая в сообществе третья история, связанная с этими докучливыми женщинами с проблемами, которые оказывали отрицательное и раздражающее действие на самих традиционных женщин.

Женщины всегда нарушали комендантский час. Это относилось к традиционным женщинам, потому что до недавнего времени не было никаких новомодных отделений объединившихся женщин. Нарушение комендантского часа происходило потому, что терпение традиционных женщин натянулось до предела. Их терпение не выдерживало чрезмерной усталости, чрезмерных испытаний, и его, терпения, отказ был бы направлен на любую группу мужчин любой религии, по любую сторону моря, которая устанавливает правила, нормы, выходя за границы своих полномочий со своими правилами и нормами, предполагая, что все остальные — имея в виду женщин — будут мириться с нелепостями тех глупостей, которые родились в их головах как целесообразные. По существу, это была ментальность коробки с игрушками, игрушечного поезда на чердаке, игрушечных солдат на игрушечном поле боя, а в случае государства и военных, конкретная любимая игрушка, которую они часто извлскали из коробки, называлась «комендантский час», подразумевавший, что если ты его нарушишь без разрешения после восемнадцати часов, а иногда и после шестнадцати часов, то без всяких исключений, невзирая на лица, тебя пристрелят без предупреждения. Так что иметь дело с собственной конкретной ветвью военизированного подполья со всеми их нервозными правилами и педантичными ожиданиями было не сахар. Но когда при этом нужно было учитывать и требования другой стороны, с их не менее нелепыми жуками и тараканами, то не было никаких сомнений, что в таких обстоятельствах терпение традиционных женщин иссякнет. И оно иссякло, потому что жизнь продолжалась — детей нужно было кормить, подгузники — менять, работу по дому — работать, покупки — покупать, политические проблемы — с максимально возможной элегантностью обходить или улаживать другим способом. И вот терпение у них иссякло, и они, объединившись и, невзирая на все замыслы полицейских и военных, невзирая на все их излюбленные штрихи к тактическим изыскам и запланированным действиям, предшествующим выходу с винтовками и мегафонами, чтобы обеспечить безусловное соблюдение комендантского часа, эти женщины нарушили комендантский час — они сняли свои фартуки, надели пальто, шали, шарфы и — с уже запущенным сарафанным радио — сотнями и по договоренности вышли из своих домов без всяких разрешений и после восемнадцати часов или шестнадцати часов, запрудили тротуары, улицы, все клочки запретной территории комендантского часа, плотно распространились повсюду. И не только они. Они взяли с собой детей, вопящих младенцев, домашних любимцев всех дворовых пород, кроликов, хомяков и черепах. Кроме того, они катили перед собой коляски, несли вымпелы, знамена, плакаты и кричали: «КОМЕНДАНТСКИЙ ЧАС ОТМЕНЕН! ВЫХОДИТЕ ВСЕ! КОМЕНДАНТСКИЙ ЧАС ОТМЕНЕН!», приглашая всех жителей района, кто еще сидел у себя дома, выходить на улицу, чтобы все могли поучаствовать в этой акции сопротивления, и пока каждый раз, когда традиционные женщины делали это, когда они обращались к здравому смыслу, полиция и военные обнаруживали, что последний введенный ими комендантский час отменялся прямо у них на глазах. Стрелять во всех женщин района, детей, в коляски, аквариумных рыбок и во все прочее, рубить их саблями, как бы у кого ни чесались руки, выглядело бы нехорошо, выглядело бы плохо, сексистски, неуравновешенно не только на взгляд критически настроенных своих медиа, но и в глазах международных медиа. И тогда комендантский час отменялся, военные и власти снова заглядывали в свои коробки с игрушками — может быть, там найдется что-то еще, а традиционные женщины — после некоторого обязательного размахивания знаменами, пикетирования, силовых протестов и интервью — спешили домой, за считаные секунды освобождали улицы, чтобы поскорее вернуться к себе и приготовить вечерний чай.

Такой была обычная процедура отмены комендантского часа. Что же касается последней отмены, то там события разворачивались немного по иному сценарию. И это случилось потому, что наши семь женщин с проблемами на этот раз решили принять участие. Как и обычно, по прошествии долгих дней в условиях комендантского часа нормальные женщины решили, что с них хватит. Они вышли из домов на сей раз под другими лозунгами: «ВОЗВРАЩАЙТЕСЬ ПО ДОМАМ. ЭТО НЕ ИГРА. ЭТО ПОСЛЕДНЕЕ ПРЕДУПРЕЖДЕНИЕ. СОБЛЮДАЙТЕ ШЕСТНАДЦАТИЧАСОВОЙ КОМЕНДАНТСКИЙ ЧАС. ЕСЛИ ВЫ НЕ ПОКИНЕТЕ УЛИЦЫ ЧЕРЕЗ...» На этот раз, однако, наши женщины с проблемами были среди нормальных женщин, и последние поначалу ничего такого не думали. В конечном счете в противостоянии той стране никто не лишний. Но, к раздражению традиционных женщин, когда они в очередной раз победили комендантский час и уже собирались мчаться домой, чтобы приготовить картошку, женщины с проблемами узурпировали цель акции по отмене КЧ, хотя потом они и утверждали, что в том вряд ли их можно винить. Они сказали, что это вина медиа, и медиа и в самом деле обнаружили женщин с проблемами по их плакатам среди традиционных женщин, у которых были свои плакаты. И хотя женщин с проблемами было всего семь, по сравнению с несколькими сотнями традиционных женщин все камеры мира тут же уставились на первых. Традиционные женщины вовсе не искали славы или известности, они вовсе не хотели появляться на телевизионных экранах и во всех мировых газетах. Они просто не хотели, чтобы их связывали с протестом против чего-то еще, кроме комендантского часа и, уж конечно, не с протестом, о котором бесконечно говорили эти женщины. Нормальные женщины предполагали, на самом деле боялись, что женщины с проблемами, раз начав, воспользуются возможностью и на широкий, энциклопедический манер затянут свою песню о несправедливостях и беззакониях в отношении женщин, и не только сегодня, а на протяжении веков с использованием терминологии, такой, как «терминология», «данные социологических опросов», «включает системное, трансисторическое, институциализированное, узаконенное неприятие» и все в таком роде, в чем эти женщины в последнее время, казалось, погрязли по уши. И о несправедливостях будет, думали традиционные женщины, о тех больших, знаменитых, международных — сожжение ведьм, бинтование ног, обычай сати, убийства чести[1], женское обрезание, изнасилование, детские браки, наказание побитием камнями, убийство новорожденных девочек, гинекологические практики, материнская смертность при родах, домашнее рабство, отношение как к рабыням, как к племенному скоту, как к собственности, исчезновение девочек, продажа девочек и все эти распространенные во всем мире культурные, племенные и религиозные социализации и скандализации, которые считаются неприемлемыми для женщин — ни участвовать в них, ни думать о них, ни говорить женщина не должна. Так нет же. Не это, хотя и это было бы очень плохо в ходе отмены местного комендантского часа. Вместо этого женщины с пробле-

[1] Сати (*санскр.*) — похоронная ритуальная традиция в индуизме, в соответствии с которой вдова подлежит сожжению вместе с покойным супругом на специальном погребальном костре. Убийство чести — убийство члена семьи, чаще всего женского пола, за совершение поступка, который «обесчещивает» семью.

мами принялись говорить о домашних, личных, обычных вещах, например, как пройти по улице и не получить удар от мужчины, любого мужчины, просто когда ты идешь, ни за что, просто потому, что у него плохое настроение и ему захотелось тебя ударить, или потому, что какой-то «заморский» солдат устроил ему трепку, и, следовательно, теперь твоя очередь получить трепку, а потому он бьет тебя. Или не допустить того, чтобы тебе вдруг на улице щупали задницу. Или не услышать громкий комментарий проходящего мимо мужчины относительно твоей внешности. Или не быть облапанной на улице под предлогом дружеской игры в снежки. Или не стать жертвой приставаний летом, потому что на тебе из-за жары открытая одежда, а если на тебе мало одежды, то летом на улице ты становишься жертвой всеобщих сексуальных приставаний. Потом были менструации, которые считались оскорбительными для личности. И беременность, с этим ничего не поделаешь, но это тоже считалось оскорблением для личности. Потом они перешли к повседневному физическому насилию, которое словно считалось нормальным насилием, еще говорили, как на тебе рвут блузочку во время избиения, или рвут твой бюстгальтер во время избиения, или ты вдруг чувствуешь, что в избиении главное не столько избиение, сколько сексуальное насилие, даже если, сказали они, ты должна делать вид, что бюстгальтер и грудь попали под раздачу случайно, а не являлись скрытой целью физического насилия, которое на самом деле все время было насилием сексуальным. «Такие вещи, — сказали традиционные женщины, — говорить о них, — сказали они, — на таком языкс терминологии, чтобы только стать предметом насмешек, потому что все над ними смеялись — камеры, репортеры, даже учредители комендантского часа — и неудивительно: все время им надо выставлять это грязное белье на всеобщее обозрение». Но больше всего традиционным женщинам нс понравилось, что всс в мирс будут смотрсть и думать, будто они, благоразумные традиционные женщины, тоже женщины с проблемами. И потому, вследствие этого похищения женщинами с проблемами комендантского часа, наступило охлаждение в отношениях, и таким было положение дел, когда женщины с проблемами сказали неприемникам: «Только через наши трупы». Традиционные женщины, хотя и раздраженные, как можно быть раздраженной идиотами, которые хотят помочь тебе помыть посуду, но по неловкости перебивают все тарелки, все же почувствовали, что не могут позволить неприемникам совершить привычное для них смертоубийство.

Поэтому они и отправились к ним. К неприемникам. «Не валяйте дурака, — сказали они. — Вы их не сможете убить. Они простáчки. Интеллектуальные простáчки. Ученый мир! Вот все, на что они годятся». Они добавили, что покончить с женщинами с проблемами, какими бы докучливыми они ни были, будет равнозначно несправедливости, будет неосмотрительным и безжалостным по отношению к наиболее чувствительным жителям нашего района. Что, сделав это, неприемники совершат один из таких знаковых поступков, который повлечет за собой прискорбные последствия для их репутации в исторических книгах, которые напишут потом. Вместо этого, сказали традиционалистки неприемникам, они могли бы предоставить женщин с проблемами самим себе, чтобы те сами занялись этим, чтобы отправились в центр города и поговорили наедине с восьмой женщиной. Это было сказано максимально дипломатично, неприемники словно не директиву получали, а им оказывали услугу, или и того лучше, обращались к ним с неотложной просьбой о помощи, и хотя неприемники, в свою очередь, знали разницу между директивой и просьбой о помощи, тот факт, что их выживание в качестве военизированного подполья в спаянной антиимперской среде зависит от поддержки местных жителей, означал, что они тоже готовы к вежливой конфронтации. Они словно размышляли вслух, говорили, что простáчки эти женщины или нет, и невзирая на лица, они не допустят, чтобы движение или его члены оказались под угрозой, как невозможно будет сделать поблажку для семи, если восьмая осмелится появиться в районе еще раз. В конечном счете и после некоторого бодания — и независимо от того, что семерка тем временем продолжала страстно утверждать, что они готовы принять пулю, защищая свою восьмую сестру, на каковые утверждения неприемники не обращали внимания, а традиционные женщины увещевали женщин с проблемами, просили их вести себя потише и прекратить эти разговоры — традиционные и неприемники, казалось, уже готовы к заключению сделки. После этого трое из традиционных отправились в центр города к восьмой женщине из нашей подгруппы, чтобы объяснить ей ситуацию. «Мы не знаем, чем вы промыли мозги нашим женщинам, — сказали они. — Мы не знаем, Мата Хари вы или нет. Нам все равно, что случится с вами. Но мы не хотим, чтобы нам, обычным женщинам, приходилось бросать наши обычные дела и обязанности, чтобы не допустить захвата наших бестолковых женщин вооруженными подпольщиками. Так что мы серьезно. Не лезьте в наш район». Восьмая женщина согласилась, и на этом была поставлена точка: ни одна сторонняя женщина с проблемами и прогрессивными взглядами на мир больше не будет приходить в наш тоталитарный анклав, и эти три истории — поведение в сарае, подозрения в том, что она агент той страны, и история о нашей семерке женщин, которые выводят из себя не только традиционных женщин, но и наших неприемников, — были той причиной, по которой я сама держалась подальше от этих женщин. Общение с ними было делом рискованным, к тому же они оспаривали статус-кво, тогда как я старалась оставаться незамеченной этим статус-кво. Кроме того, за ними пристально наблюдали — не проявят ли они каких признаков ухудшения. Даже если я в какой-то мере и соглашалась с некоторыми поднятыми ими вопросами, я никоим образом не собиралась связывать себя с ними. Поэтому я помалкивала в грузовичке настоящего молочника, вежливо слушала, пока слова у него не кончились.

У него это получилось легко, слова кончились, может быть, из-за его собственного удивления перед тем, за что выступали эти женщины. Остальная часть нашей поездки прошла в молчании, хотя мы теперь уже и были далеко и от обычного места, и от десятиминутного пятачка. Мы добрались до всех моих ориентиров и миновали их — полицейские казармы, дом-пекарню, дом святых женщин, парки-и-пруды, перекресток, а затем улицу с маленьким домиком третьей сестры и третьего зятя. А потом мы доехали до дверей нашего дома и остановились. «Иди теперь в дом, — сказал настоящий молочник. — Сейчас непривычно темно, густая темнота, но ты не беспокойся. Я сделаю то, о чем мы говорили. — Он указал на кошачью голову, потом проговорил: — Скажи матери, если я не застану ее, когда заеду в дом той несчастной женщины, то загляну к ней завтра». Я кивнула и уже собиралась спросить еще раз, правда ли, без обмана ли, что он похоронит голову, а не только сделает вид, что похоронит, но потом я поняла, что мне не надо об этом спрашивать. «Спасибо», — пробормотала я и почувствовала вдруг, что устала, ужасно устала, словно спьяну устала. Я чувствовала такое изможденние, что едва сумела выдавить из себя это «спасибо» на прощание. Хотела еще раз поблагодарить его, по-настоящему, в смысле, спасибо за кота, за то, что довезли меня до дома, за то, что вы друг мамы, за то, что всегда готовы помочь. Но я этого не сделала. Я вместо этого выскочила из его грузовичка, пока он ждал с включенным двигателем. Небо теперь наверху было чернее черного, и я вытащила ключ и легко, без дрожи — в первый раз чуть не за тысячу лет — вставила его в скважину.

Четвертая

Третья встреча с молочником не была концом молочника. Имели место и дальнейшие встречи, как настоящие, так и сплетенные. На настоящих и сходных с той, что была в десятиминутном пятачке, молочник не делал вида, что эти встречи случайные. Не было никакого напускного удивления, никаких «смотри-ка — и ты здесь». Вместо этого было: «Ага, вот где ты» — и еще знакомые выражения, и все это как бы между прочим, словно у нас была предварительная договоренность о встрече. Эти встречи происходили повсюду. Я заходила в местный магазин и видела его там. Я шла в город и сталкивалась там с ним. Я выходила с работы, и он меня ждал. Я забегала в библиотеку, он сидел там. И даже когда я выходила откуда-нибудь, а его не было, мне все же казалось, что он где-то рядом. А иногда я узнавала кого-нибудь из районных детишек-«сыщиков» и думала, что он посылает их следить за мной. А может, конечно, я это выдумывала. Скорее всего, парнишка выполнял обычное задание — следил за перемещениями сил той страны или военизированного подполья, а может быть, у него был выходной от слежки. Моя растущая подозрительность по отношению ко всем и ко всему говорила о том, насколько молочник достал меня. Он проник в мое сознание, и теперь я понимала, что те три первые встречи ни в коей мере не были случайными, как я пыталась уговорить себя вначале. А теперь он появлялся, останавливал меня, стоял у меня на дороге, шел рядом со мной — и все это так, будто у нас заранее договоренная встреча. Я воспринимала это как несправедливость. Когда я забывалась, я жаждала нормальных встреч с парнями, мечтала о том, как было бы хорошо встретиться с наверным бойфрендом, как было бы здорово, если бы он меня, как обычно, встречал в конце рабочего дня, как встречаются в конце рабочего дня правильные пары. Правильный бойфренд за канчивал работу, а потом шел к муниципалитету и ждал свою правильную подругу. И она тоже, закончив работу, шла таким же обычным, законным манером к муниципалитету, чтобы встретить его. Многие пары так делали. Я это видела, когда шла с работы домой, и знала: это часть того, что делает пару правильной. Они встречались на привычный, удобный, устоявшийся лад и делали привычные, удобные, устоявшиеся дела. Могли пойти в ресторан быстрого питания, поужинать там, а за едой болтать, обмениваться новостями, рассказывать, как прошел день. И хотя эта будничность казалась простым делом, я знала, что вообще-то это самое главное, демонстрация того, что у правильной пары нет никаких «наверный» и «наверная». У нас все было по-другому. Мое расписание и расписание наверного бойфренда исключали такие отношения. Но на самом деле такого рода отношения исключались нашим неопределенным статусом. Но теперь с нарастанием частоты этих нежелательных встреч и его способностью читать мои мысли, как это было с греками и римлянами, этот молочник снова узнавал мои тайные желания и мечты. Но он был не тот человек. И я не давала согласия на это его отношение ко мне, как к чему-то само собой разумеющемуся. Но он все равно продолжал появляться, и я ничего не могла с этим поделать; иногда я видела его, или мне казалось, что видела, когда мы с наверным бойфрендом заходили в какой-нибудь бар или ресторан в центре. Эти бары, клубы были сомнительными местами, рискованными местами, и число их из-за политических проблем было невелико. Теоретически в них мог прийти любой, то есть они были смешанными местами, предназначенными для приверженцев любой религии. В городе было и несколько других религий, кроме двух воюющих религий, но в сравнении с воюющими те, другие, какими бы они ни были, в счет не шли. А еще в этих заведениях в центре города обосновались работавшие под прикрытием люди, бывшие на содержании той страны с их шпионским вездесущим тайным оборудованием и фотосессиями, а это означало, что сюда, в эти бары и клубы, можно было прийти, чтобы выпить одну порцию, ну, две, но напиваться в таких местах не рекомендовалось. Вот почему большинство местных, тех, что были обычными людьми, как я и наверный бойфренд, не связанные ни с какой политикой, могли зайти для затравки, выпить одну-две порции, подивиться глупости туристов, а потом перейти в более безопасное заведение в категорически запретных зонах. В нашем случае это всегда была запретная зона его района, а не моего, потому что в моем существовала опасность того, что появится мама с ее оценочными вопросами и планами замужества. Но в последнее время в барах и клубах города вместе с бойфрендом я ловила себя на том, что с опаской оглядываюсь по сторонам, не пришел ли сюда и молочник. Я думала, он, вероятно, следит за нами, шпионит, может быть, втайне щелкает камерой, а в особенности я беспокоилась из-за того, что он ясно высказал свое отношение к моим свиданиям с наверным бойфрендом. И все же я приходила сюда, встречалась с наверным бойфрендом, что, однако, не означало, что я забыла об угрозе автомобильной бомбы.

У нас по этому поводу была целая схватка, у наверного бойфренда и меня, потому что молочник поддерживал давление, продолжая заострять на этом внимание, делать завуалированные угрозы, отсчитывать время, капая на мозги, а именно: прекрати встречаться с молодым парнем, а то... И опять он делал это, упоминая наверного бойфренда, потом машины, потом старшую сестру, чей муж — муж ее сердца, за которого она не вышла замуж, а не тот сплетник-эротоман, за которого она от горя, утраты, отчаяния вышла, — был убит тогда бомбой защитника той страны. «Автомобильная бомба была, верно?» — снова говорил он. Значит, речь шла о наверном бойфренде. Потом машины. Потом сестра. Потом мертвый любовник. Потом автомо бильные бомбы. Потом снова наверный бойфренд, пока к концу его слова не погружали меня в такое же состояние, в каком я пребывала, слушая бесконечную болтовню Какего Маккакего. В конечном счете он опять говорил о наверном бойфренде, *и* автомобильных бомбах, *и* убитом любовнике сестры, но в одном предложении, так что не понять, зачем он разбрасывает свои громкие намеки, было невозможно. И я поняла. Я уловила скрытый смысл, почувствовала подоплеку, после чего у нас с наверным бойфрендом и случилась ссора. В тот момент и с учетом направления моих мыслей мне казалось, что в этой ссоре виноват целиком и полностью наверный бойфренд. И дело больше было — на этот раз — не в моем молчании, потому что я говорила. Но, к сожалению, это произошло из-за свободного статуса наших отношений, из-за того, что он жил в другой части города, а потому до него не доходили слухи о новом любовном интересе этого молочника, из-за того, что мысли у меня мешались, и я лишалась сил, огорошенная тактикой этого молочника, и из-за того, что мне было восемнадцать и меня никто не научил здраво доводить до других свои мысли, потребности, эмоции; мои объяснения были несвязными, и ничто из того, что я пыталась сообщить, казалось, не доходило по назначению. И все же мне казалось немыслимым, чтобы этот молочник на самом деле мог убить наверного бойфренда. Хотя я и знала, что люди, отдающие себя идеологическому делу, не всегда действуют ради своего дела. Играли роль личные наклонности, единичные сбои, субъективные интерпретации. Психи. И не в том было дело, что я не считала молочника способным взорвать автомобильную бомбу, потому что была вполне увсрена — он мог взорвать автомобильную бомбу. Дело было в том, что мне было трудно поверить, что человек такого положения настолько сильно зациклился на мне. С того момента как он начал подступать ко мне, готовить меня, смущать, подталкивать меня к краю, где я, потерпев поражение, уступлю и добровольно в качестве его женщины сяду в его машину, я больше не была уверена, что было вероятно, что преувеличено, что могло быть реальностью, что заблуждением, что паранойей. Не приходило мне в голову и то, что насаждение беспомощности и растущего умственного расстройства тоже могло быть частью его искусственного мира. Но они случались. Подрывы автомобильных бомб случались. Доказательством того была старшая сестра. Она не пошла на похороны убитого любовника, поскольку считалось, что больше в него не влюблена, она сидела в доме, в доме нашей матери, с серым лицом, огромными глазами, прижав руку ко рту — никак не могла поверить в случившееся. Она смотрела на часы, просто смотрела на них, не хотела, чтобы мы к ней приближались; она и не плакала, но говорила худшим из своих голосов: «Уйди. Уйди. Уйди. Уйди», если кто-то из нас подходил к ней, даже мама. И потому я боялась за наверного бойфренда, но вот он стоял передо мной и не воспринимал это всерьез. Я спросила, приходится ли ему водить машину, а он посмотрел на меня и сказал: «Я автомеханик, а если бы и не был им, наверная герлфренда, речь идет не о том, приходится ли мне водить машину, а о том, что я хочу водить машину». — «А как насчет... — начала я, — этих штук?» — «Штук? — сказал наверный бойфренд. — Каких штук?» — «Ну, ты знаешь... — сказала я. — Таких штук, которые пристегиваются... пристегиваются...» — «Пристегиваются к чему?» — «...К низу». — «Ты это о чем, наверная герлфренда?» Он все ждал. «А как насчет... — начала я опять, — ...бомб?»

Наверный бойфренд, поняв наконец или решив, что понял, сказал — да, такое случается, конечно, такое случается, но я должна знать, что случается редко, что автомобильные бомбы, если взять соотношение взрывов с численностью населения, то можно считать, что вообще ничего не происходит. «Большинство людей здесь не взрываются в машинах, — сказал он. — Большинство людей не взрываются. К тому же, наверная герлфренда, невозможно перестать жить своей жизнью из-за того, что кто-то когда-то может тебя подорвать». Он проговорил это беззаботно, что доказывало: до него так еще и не дошли подробности. И я тоже не знала, когда до него дойдет, потому что, если оставить в стороне посягательства на меня молочника, были еще и посягательства на меня со стороны сообщества. Скандал с этим молочником распространился до такой степени, что теперь буйствовал и неистовствовал и быстро становился бестселлером, и по этой причине, по причине всех этих осложненных нарушений я обнаруживала, что меня все больше и больше прикрепляют к какому-то бестолковому, мозгокрутному месту. И тогда наверный бойфренд сказал, а кто вообще собирается его убить. Он ведь не работал в районе защитников. Он даже не работал в смешанном районе. «Послушай, дорогая, — сказал он. — Тебе это пришло в голову только из-за того, что случилось с бывшим бойфрендом твоей бедняжки сестры. Это не значит, что подобное случится с бойфрендами всех остальных девушек... а уж тем более, — пошутил он, — с *наверными* бойфрендами». И опять это было сказано беззаботным тоном, словно такая штука, такой результат был очень далек от его мировосприятия. Он тогда попытался прикоснуться ко мне, но я отстранилась, сразу же отступила от него. До появления молочника прикосновения наверного бойфренда, его пальцы, его руки были лучшими, самыми-самыми, абсолютно чудесными. Но теперь, после молочника, любое приближение ко мне любой части наверного бойфренда вызывало у меня отвращение, и хотя я не хотела испытывать отвращение и изо всех сил старалась не чувствовать, что испытываю отвращение, я поймала себя на том, что виню его в этом чувстве и в том, что не могу уговорить себя не испытывать этого чувства. Вместо этого я оттолкнула его руку, оттолкнула его пальцы, оттолкнула его, напряглась, почувствовала спазм в желудке. Я знала, что это еще и из-за молочника, но я не могла сообразить, как это может быть из-за молочника. За тот малый промежуток времени с того момента, когда он положил на меня глаз и принялся разрушать меня, все же он и смотрел-то на меня только в тот первый раз в машине, ни разу не сказал ничего бесстыдного, или насмешливого, или такого, чтобы наверняка меня спровоцировать. И самое главное, он ко мне и пальцем не прикоснулся. Ни одним пальцем. Ни разу.

Что же касается сообщества и моей связи с молочником в представлении этого сообщества, то я глубоко в этом увязла, и это был кейс, независимо от того, была я кейсом или не была. Говорили, что я регулярно с ним встречаюсь, что у нас свидания, интимные «такие-растакие» в разных «таких-растаких» местах. В особенности часто мы посещали два наших любимых места свидания, а именно парки-и-пруды и десятиминутный пятачок, хотя, говорилось еще, что мы с удовольствием проводим время вдвоем — и, предположительно, со всеми людьми, которые шпионят за нами, — в высоких травах за древними могильными камнями в старой части обычного места. И я всегда уверенно, высокомерно сажусь в его шикарные машины, потому что меня, да-да, многие люди видели. «Увозит ее на свидания, — говорили они, — на встречи, на любовные соединения, и они ездят в эти места». — «А если не в этих местах, — говорилось также, — то они незаконно встречаются в городе, в тех опасных барах и клубах». — «Вы же знаете, он уже женат», — шептали одни. «И он уже покрывает ее», — шептали им в ответ. «Ну, он — это он, — говорили они. — А что касается ее, то и у нее, кажется, этакие наверные отношения вместо принципиальных, высоконравственных отношений правильных пар?», — что в переводе означало, что вскоре он заберет меня из семейного дома в какую-нибудь опиумную курильню для утех после работы с пяти до семи, а курильня, конечно, расположена на улице красных фонарей. «Помяните наши слова», — сказали люди, и опять же все это имело смысл в контексте нашего затейливо запутанного, чрезмерно замкнутого, гиперсклонного к сплетням, пуританского и одновременно бесстыдного, тоталитарного района. Но вне контекста, вдали от этого зуда, этих шепотков, передачи записочек, где нездоровый интерес к сексуальным материям был раздут до такой степени, что сексуальная грязь стала наилучшайшим предметом для всеобщих сплетен, если вам хотелось отдохнуть от сплетен политических, было трудно оценить, как все эти местные приходят к столь подробной информации обо мне и о нем, к которой они приходят. Их креативное воображение доходило до моих ушей, как одна клевета, которая тянет за собой другую. Были и другие варианты, когда предпринималась попытка использовать более прямую линию коммуникации, когда они преследовали меня, громили своими вопросами, в этом случае, глядя мне прямо в глаза.

Я подозрительно относилась к вопросам задолго до возникновения слухов обо мне и молочнике. Когда мне задавали вопрос, я думала: кто этот человек? Что стоит за его вопросом? Почему они ходят по домам, думая, что обманут меня, обходя всех? Почему на свой, предположительно неявный, манер вставляют они намеки и колкие комментарии, тогда как я знаю, что они пытаются этим простым тестированием моих мыслей, мнений и склонностей выудить из меня желаемую им реакцию и бесчестно поймать меня на слове? Я заметила — наверняка к концу начальной школы я уже заметила, — что, если человеку что-то надо, даже если он умело скрывает, что ему что-то надо, это нередко можно заметить. И не только какой-то внутренний вербальный настрой может выдать его. Его истинная природа раскрывает себя нечистой, возбужденной атмосферой, которую он создает вокруг себя. Это энергетическое поле сопровождает их, когда они идут ко мне, и таким образом выдает их, моя собственная кожа покрывается пупырышками, волосы сзади на шее встают дыбом. И именно контраст между этим — всеми этими мощными невидимыми показателями — и внешне безобидной, обходительной манерой, которую, по мнению моих соседей, они являли мне, главным образом, и говорил мне, что они по каким-то своим причинам не отталкиваются от правды. Я, конечно, не могла знать, почему тот или иной человек притворяется. Возможно, некоторые вовсе не хотели высмеять меня, разбудить во мне сильные эмоции, чтобы я проговорилась и выложила им все. Может быть, дело было в каких-то их личных интересах, о которых они вполне по-человечески, чувствуя свою уязвимость, предпочитали помалкивать, но по которым им требовалось пояснение или информация от кого-то другого. Но со слухами и сплетниками — и, уж конечно, с нашими слухами и нашими суперсплетниками — все сводилось к подглядываниям, к ухищрениям, к попытке услышать что-то такое, что можно было бы использовать как рычаг воздействия, мнений, к убеждению, что общественное мнение здесь полагается на воображение и не только в том, что касается дел за границей, но и на домашнем фронте.

И потому они начинали с оскорблений и вопросов, но вопросы были не прямолинейные, как, например, «по какой причине?» или «а что скажешь на этот счет?». Вместо этого говорили: «такой-то сказал», и «говорят», и «мы слышали, как друг дочери брата кузена нашего дяди, который больше здесь не живет, сказал». Некоторые, правда, употребляли слово «слухи», например: «ходят слухи», однако предпочитали не персонифицировать эти слухи, словно это не они сами распускали и распространяли эти слухи. Задав свои внешне невинные вопросы, нередко и с подвешенными утверждениями, они открывали рты в надежде вынудить меня дать какой-нибудь сочный ответ, который можно будет легко интерпретировать. Но, прежде чем они успевали произнести простое: «тот-то сказал», я подмечала их скрытность, не выдавая, что подметила их скрытность. Но я знала единственный способ, как противостоять им: начать притворяться самой. Я делала это таким образом, чтобы моя реакция была как можно более быстрой и не вызывающей подозрений. Это означало изображать неведение относительно их намерений и постоянно отвечать на каждый их зондирующий вопрос: «я не знаю». Я запускала это «я не знаю» в качестве сильнейшего игрока в моем защитном вербальном репертуаре и была готова бесконечно давать этот ответ, потому что еще одна вещь, которую я усвоила к концу начальной школы, состояла в том, что лучше всего не открывать рот в интересах правды, кроме как перед несколькими персонами, которым ты доверяешь. Число этих нескольких, «которым ты доверяешь», таяло по мере учебы в начальной школе, и, когда я училась в средней школе, к этому времени — в возрасте от одиннадцати до шестнадцати — их число еще больше уменьшилось, а к восемнадцати годам — ко времени меня и молочника, а также слухов обо мне и молочнике — это число сократилось до одного человека, которому я доверяла во всем мире. Я подозревала, что если это сокращение и прижигание, если все это недоверие и мое систематическое отдаление от общества продолжатся и дальше, то к двадцати годам я, скорее всего, достигну того состояния, когда вообще ни перед кем и нигде не буду открывать рта.

Поэтому «я не знаю» стало моей четырехсложной защитой в ответ на их вопросы. С помощью этой фразы я успешно отказывалась проявляться, противилась выпытыванию из меня информации, откровений. Я, напротив, минимализировала, сдерживала, взрывала свой процесс мышления, сводила избыток общения к требованиям элементарных приличий, это означало, что они не получали содержания, интересного общественности, ни символического содержания, никакого тебе вещественного наполнения, ни кровопускания, ни мимолетной страсти, ни поворота сюжета, ни печального оттенка, ни рассерженного оттенка, ни панического оттенка, ни места — вообще ничего. Кроме меня, сведенной почти до нуля. Кроме меня, выпотрошенной. Кроме меня, чистой как стеклышко. Это означало, что к концу их хождения вокруг да около, их многочисленных многозначительных и зондирующих двусмысленностей они не получали от меня ничего, и я чувствовала, что такое мое неплодотворное для них поведение оправданно, потому что мне к этому времени было ясно, что некоторые люди в жизни не заслуживают правды. Они были недостаточно хороши для правды. Недостаточно уважаемы, чтобы ее получить. А потому ложь и замалчивание были тем что надо. Абсолютно тем что надо. Так я думала. Потом последовали осложнения. Я осознавала, что, потчуя их моим «я не знаю», я не отваживалась показывать им, что не понимаю их скрытых намеков, их подмигивания, их попыток ошельмовать меня, хотя они со всей очевидностью так и думали. Я знала также, что должна произносить мои четыре слога самым примирительным тоном, в то же время скрывая критическое, но непризнанное сохранение дистанции между нами. Наорать на них каким-либо образом — в это время и в этом месте — было бы все равно что отдать себя на растерзание толпе или какому-нибудь злобному животному, а я не чувствовала в себе силы вступать в такое противоборство и иметь дело с его последствиями. Так что это был щекотливый и длительный процесс сокрытия того, что я вижу их насквозь, а мои «я не знаю» на самом деле означают: «Вон! По домам! Убирайтесь! Убирайтесь!», а это означало, что мне приходилось полагаться на обманный маневр. Он был одним из номеров моего репертуара невербальной защиты, и я им пользовалась, с помощью этого маневра сразу заявляла, что готова отвечать за все. Но так сразу это не получалось. Поначалу он входил в свои права и доказывал свою бесценную помощь мне. Потом, независимо от ожиданий и без всякого предупреждения, он начинал брать бразды правления в свои руки, сминал мою первичную инициативу в виде «я не знаю» и внедрял альтернативные стратегии, которые, как я с опозданием поняла, против моих сплетниц-соседок были что слону дробина, а били главным образом по мне. Я атаковала себя самое, и это было мое лицо, хотя я предполагала выставить его как временное, запасное, и я взаправду и откровенно думала, что оно не может быть не чем иным, как временным. Я предполагала, что как выглядит мое лицо, какое выражение я ему придаю, как я демонстрирую его, зависит от меня, я это могу контролировать, что мое истинное «я» спрятано глубоко в «зале совещаний». Я думала, что мое настоящее лицо находится там, отвечает за все, спрятанное от них, но дающее указания из подполья. А еще я думала, что нашла подчиненное лицо, которое мне помогает, а не лицо какого-то там буйного, который переворачивает столы и командует мной. Но именно так и случилось, и в первую очередь это случилось с моим лицом.

Меня зациклило. Я думала, что с моим зазубренным повторением «я не знаю» в сочетании с окончательным выражением лица — ничего в нем, ничего за ним, абсолютно вывернутое наизнанку ничего — я сражу сплетниц наповал, потрясу их, обману их ожидания, и в конечном счете они, разочарованные, усталые, приостановят свои расследования, все сдадутся и отправятся по домам. Я надеялась, что моя абсолютно нулевая бесполезность в информационном плане заставит их усомниться в их выдумках и убеждениях, даже начать подозревать, что ни у одного неприемника той страны — а в особенности у этого мачо из мачо, воина из воинов, нашей высокой знаменитости, героя сообщества — не могло появиться похотливого интереса к такой бесцветной, бездарной персоне, как я. Я даже не рассчитывала на то, что они сочтут меня глупой или остановятся, сочтя меня глупой, а что они пойдут дальше и придут к выводу, что я, вероятно, выпала из неких преобладающих, основополагающих социальных норм, а потому не понимаю их языка. То есть я не могла понять, о чем меня спрашивают, потому что, вероятно, совершенно не владела способностью к эмоциональным и психологическим коммуникациям. Я должна была поразить их, как учебник, некая разновидность логарифмической таблицы, как нормальная, но в то же время и не совсем нормальная. Я надеялась, что они придут к такому выводу, что мое притворство и использование определенного лица дадут результат, и я буду на свободе и в безопасности хотя бы от них, а не от молочника. Однако и молочник, и слух обо мне и молочнике оказались уроком, который приходилось заучивать на ходу. Плана на этот случай у меня не было. Составлять план не было времени, и вообще моя голова не очень приспособлена для планов, ка́лек, организационных мероприятий в предвидении возможных изменений сценария. Я вместо этого полагалась на инстинкт, на импровизированное отступление, на повышенную чувствительность к моей реакции, а не на холодную, заранее расписанную военную четкость, с которой моя реакция была встречена. Я с опозданием поняла, что ситуация тут такая же, как с осведомителями. Поначалу они играют на руку своим полицейским кукловодам, а потом в результате последующей и ожидаемой позиции «я не осведомитель, так что не думайте обо мне как об осведомителе, потому что я не осведомитель» они начинают играть на руку неприемникам — и я к тому же начинала терять свою силу логики, способность видеть очевидные связи и сохранять хотя бы элементарное представление о том, как выживать в этом месте. Теперь я, конечно, понимаю: что бы я ни делала или что бы я ни сделала, эти слухи не прекратились бы, не смолкли, не исчезли бы, по крайней мере, пока не исчез бы сам этот человек, заполучив меня и покончив со мной. Но тогда я говорила им три моих слова, демонстрировала собственное обезличивание и преуспела в их озадачивании. В результате они стали неразборчивы в методах, невоздержанны в нетерпении, открыв более чем когда-либо свою истинную натуру в своих попытках заставить меня быть вразумительной. Им и в голову не приходило, что моя проницательность и умение обманывать, возможно, превышают их проницательность и умение обманывать. Люди могут быть на удивление небрежны, если уж они приняли то или иное решение. Когда касалось таких дел, я не показывала свою эмоциональную или интеллектуальную заряженность, но это не означало, что я не заряжена. Конечно, я считала себя разумной. Конечно, я понимала, что злюсь. Конечно, я знала, что испугана, и у меня не было сомнений в том, что мое тело — для меня — переполнено до краев естественной реакцией. Поначалу я чувствовала эту реакцию, подтверждавшую, что я жива, что я здесь, внутри моего тела, переживаю эту внутреннюю турбулентность. Но дело было в том — прежде чем я поняла, что происходит, — что мой внешне упрощенный подход к жизни со временем становился все менее притворством и все больше реальностью. Сначала я ощутила эмоциональную немоту. Потом моя голова, которая поначалу успокоилась было мыслями: «Отлично. Молодец. Я успешно их обдуриваю: они не знают, кто я, или что я думаю, или что я чувствую», начала сомневаться даже в моем существовании. «Минуточку, — сказала голова. — А где наша реакция? У нас была частным образом выраженная реакция, а теперь ее нет. Где она?» Так мои чувства перестали выражаться. Потом перестали существовать. И теперь эта немотность из ниоткуда зашла в своем развитии так далеко, что не только другие люди нашего района находили меня неприемлемой, но и я сама стала находить себя неприемлемой. Мой внутренний мир, казалось, исчез.

И физически это становилось утомительно, все это недоверие и тяни-толкай, снайперский огонь и контрснайперский ответный огонь, отступления и финты, при этом и я, и мое сообщество словно пытались прорваться к некой конечной договоренности. Как и в случае с молочником, когда я, вернувшись с работы, проверяла под кроватью, за дверью, в шкафу и везде, нет ли его внутри, или под, или за; я проверяла и шторы, плотно ли они зашторены, не прячется ли он за ними по эту сторону стекла, по ту сторону стекла, я понимала, дела дошли до такой точки, что я скоро буду проверять, не прячется ли в этих тесных местечках все сообщество. Чрезвычайное количество энергии, которое я тратила на этих людей, — в том смысле, что принимала меры, чтобы не сталкиваться с ними, — означало, конечно, что я привлекала их, но я тогда не понимала, как действует энергия одержимости. Но все это сказывалось на мне, вся эта темнота, взаимные игры, которые привносили с собой сопутствующее обстоятельство, состоявшее в том, что даже если вся цель моего притворства заключалась в том, чтобы оставаться самой собой, не входя ни в какие отношения с ними, то вот вам, пожалуйста, я делала с ними общее дело. Я слишком поздно поняла, что была активным игроком, элементом, который вносит свой вклад, главным компонентом, определяющим мое собственное падение.

Что же касается сплетников и их реакции на мою реакцию, то я знала, что сбиваю их с толку, как и собиралась сбивать их с толку, хотя сбивать с толку себя я ни в коей мере не собиралась. Однако как выяснилось, их это сбивание с толку мало волновало, они сетовали, что я веду себя неподобающе, что я противлюсь обычному обхождению, что я противлюсь общественному благу, что я чуть ли не неподобающе пуста, чуть ли не безжизненна, почти стерильна, почти контринтуитивна, чего не было и быть не могло, сказали они, нормальным для личности, топчущей эту землю, и никогда не будет. Что же касается их «чуть ли не» — *чуть ли не* неподобающе пуста, *чуть ли не* безжизненна и так далее — то такой, конечно, и была моя цель. Хотя я и сказала, что для меня было крайне важно подавать себя, как *чуть ли не* пустую, *чуть ли не* бессодержательную. Это объяснялось тем, что точность и четкие методы могут давать идеальный результат и давать некоторое пошловатое удовлетворение на бумаге, но в реальной жизни они совершенно бесполезны, никого не обманут ни на секунду. Такая дотошливость в планировании с налетом предварительной обдуманности, и явной предварительной обдуманности в данном сообществе — в особенности если вы пытаетесь обвести это сообщество вокруг пальца — была вещью нехорошей. Если только вы не имели дела с крайне глупым человеком, а я таким не была, то лучше было все испачкать, смять, оставить чайные пятна, оставить небольшой, но частичный отпечаток подошвы в грязи не совсем чтобы в центре скатерти, а чуть в стороне, что наводило бы на мысль о том, что к скатерти отпечаток не имеет отношения. Так что эта часть работала. Но они сказали, что я не щедрая в моем выражении лица, подчеркивая этим «выражением» в единственном числе, что оно у меня только одно. *Чуть ли не* тупое к тому же, добавляли они. Оно было *чуть ли не* пресное, *чуть ли не* одинокое, *чуть ли не* распрограммированное, и опять же надежду в меня вселяло то, что они не говорили «непроницаемое». Непроницаемость здесь, как и явная предварительная обдуманность, как и поверхностное мышление, не работала. Поначалу они говорили, что не могут понять, уж не изображаю ли я «мариеантуанеттность»[1] своей зацикленностью, своим прсдставлением, будто я выше их. Потом они решили, нет, это некоторая эксцентричность, согласующаяся с моим ха-

---

[1] Имеется в виду Мария-Антуанетта (1755–1793), французская королева, жена Людовика XVI, казненная на гильотине.

рактером, скорее всего, проистекающая от чтения древних книг на ходу. Они сказали, тот факт, что я не одно и не другое, свидетельствует, что их ресурсы иссякли, но это, однако, не помешало им продолжать соваться ко мне. Немного неестественная, немного жутковатая, решили они, добавив, что прежде они ничего такого не замечали, но я в моей открытой закрытости напоминаю десятиминутный пятачок. Там словно и нет ничего, но вдруг что-то есть, хотя в то же время, когда там ничего не было, там словно что-то было. Они сказали, что я сам дух противоречия, что все-то мне нужно поперек, что я замкнутая, хотя они и смягчили это словами «хотя, возможно, это только одна ее сторона». Но поскольку они не думали, что какая-то другая сторона существует, то это вернуло их к началу — к тому, что у меня только одна сторона.

Пока общество увлеченно расходовало на меня массу времени, и пока я расходовала массу времени на общество, — их вмешательство тревожило меня, мое лицо тревожило их, а моя немотность изводила до крайности их и меня — мне, слава богу, не нужно было прибегать к «я не знаю», или демонстрировать мое чуть ли почти не пустое лицо, или слишком часто поворачиваться к ним моей закрытой стороной. Это объяснялось тем, что слухи обо мне и молочнике по большей части циркулировали за моей спиной. Но была ли ситуация уж настолько плохой? Была ли она бесповоротно таким случаем, что не нашлось бы ни одного человека, к кому я могла бы обратиться в те дни, с кем могла бы выговориться, кто мог бы меня выслушать и предложить утешение и покровительство? Неужели я и в самом деле была такой упрямой и несговорчивой, напоминающей десятиминутный пятачок, что утверждали все мои обвинители? Оглядываясь назад и исключая дружбу с моей одной из немногих оставшихся подружек, кому я доверяла со школьных времен, я думаю, да, была. Мое недоверие было категорическим до такой степени, что я не могла понять, что, возможно, и были какие-то личности, которые могли меня поддержать и утешить, — приятели, с которыми я могла бы подружиться, группа поддержки, частью которой я могла бы стать, — но я потеряла такую возможность, потому что у меня не было в них веры, как не было веры ни в себя, ни в свои права. Однако в то время, поскольку в мои намерения входило не распускать нервы, держаться в месте, где каждый на свой манер тоже пытался не распускать нервы и держаться, я никак не могла прозреть, постигнуть какое-либо понятие о помощи или утешении. Но некоторые личности продолжали приходить ко мне, и кому-то из них можно было доверять, не исключено, что у них на уме были добрые намерения. Но я продолжала таиться, хотя, вероятно, и не всегда из-за моих обычных страха и упрямства. Еще оставалось мое отсутствие уверенности в том, что мне было о чем рассказать.

Так все оно и было. Трудно определить это сталкерство, это хищничество, потому что в это блюдо входило много составных частей. Чуток отсюда, чуток оттуда, может, да, может, нет, не исключено, не знаю. Постоянные намеки, символика, имитации, метафоры. Возможно, он имел в виду то, что я имела в виду, но точно так же он мог вообще ничего не иметь в виду. Если каждое происшествие рассматривать само по себе или описывать его отдельно, в особенности когда оно еще в развитии, то могло показаться, что оно, будучи раз рассказанным, вообще ничего собой не представляет. Если бы я сказала: «Он предложил меня подвезти, когда я шла разделительной дорогой, читая "Айвенго"», то мне бы ответили: «Почему ты шла опасной разделительной дорогой, читая "Айвенго"?» Если бы я сказала: «Я бегала в парках-и-прудах, и оказалось, что он тоже бежит в парках-и-прудах», то мне бы возразили: «Зачем ты бегала в таком опасном, сомнительном месте, и вообще, зачем ты бегала?» Если бы я сказала: «Он припарковал свой маленький белый фургон напротив входа в колледж, когда у меня шли занятия по французскому и мы смотрели на небо во время захода солнца», то я бы услышала: «Ты оставила безопасность нашего изолированного района и отправилась в город в смешанный район изучать иностранные языки и постигать жизнь как некую метафору?» Если бы я сказала: «Он выражал мне сочувствие в связи с убийством бойфренда сестры, намекая на убийство наверного бойфренда и постоянно упоминая автомобильную бомбу», — мне бы сказали: «Почему ты до сих пор не замужем, и вообще, почему это ты гуляешь с наверным бойфрендом?» Если не говорить о сплетнях — и даже если бы не было никаких сплетен, — то я с самого начала верила, что меня по-настоящему никто не выслушает, никто мне не поверит. Если бы я обратилась к власти, чтобы мое заявление о том, что он меня преследует, что он мне угрожает, что он готовится к встречам со мной, официально зарегистрировали, а потом заявляла бы этой власти претензии, спрашивала, что они делают по моему заявлению, то что бы ответили наши неприемники? Ну, не знаю, что бы они ответили, потому что и он сам был неприемником, так зачем мне вообще к ним обращаться? И в практическом смысле — как бы я пошла к ним? Хотя я жила в районе, в котором власть принадлежала военизированному подполью, которое несло здесь полицейскую службу, я не знала, как к ним подойти. Мне пришлось бы узнавать надлежащую процедуру обращения в сообществе, которое, в свою очередь, тоже выслеживало меня и на которое мне тоже следовало подать жалобу. Что же касается настоящей полиции, марионеточной полиции, то поход к ним и рассматривать не стоило, потому что, во-первых, они были врагами, и, во-вторых, из всего, что требовало вашего немедленного убийства, уличение вас, проживающего в районе, управляемом неприемниками, запретном районе, в том, что вы обратились в полицию, считавшуюся в высшей степени предвзятой, с жалобой на неприемника из вашего же района, безусловно, поставило бы ваше имя первым в расстрельном списке. Полиция, конечно, считала наш район отвязавшимся. И врагами для них были мы, мы были террористами, гражданскими террористами, пособниками террористов или просто личностями, подозреваемыми в том, что они пока еще не раскрытые террористы. Так обстояли дела, так они понимались обеими сторонами, единственное для чего ты мог вызвать полицию в наш район, так это для того, чтобы перестрелять приехавших, а они, естественно, знали это и никогда не приезжали.

В этой ситуации я бы всяко была виновата, из-за моего неверия в собственную убежденность и в то, о чем мне говорили собственные чувства. Он и вправду что-то предпринимал? Происходило ли что-нибудь? Если я сама этого не знала, то как я могла объяснить, убедить в этом кого-то другого? А потому я чувствовала, что это сомнение — в себе, в ситуации — будет подхвачено и приведет к разговорам о том, что доверять мне не стоит. Даже если бы меня и выслушали, то люди здесь были непривычны к словам «преследование» и «сталкинг», в их значении *сексуальное* преследование и *сексуальный* сталкинг. Это было все равно что сказать «знакомство с колес», как во всяких американских фильмах, слишком уж иностранное, здесь у нас такого и в помине не было. Если бы кто-то попробовал этим заняться, вряд ли кто в нашем сообществе отнесся бы к этому серьезно. Это было бы все равно что перейти улицу в неположенном месте, может быть, даже менее серьезно, чем перейти улицу в неположенном месте, поскольку это было связано с женщиной, а к тому же происходило в эпоху, настолько нашпигованную политическими проблемами, что даже совсем крохотная чокнутая личность — самая успешная первоклассная отравительница в нашем районе — могла свободно еженедельно отравлять людей, но при этом не продвинуться в иерархии вверх ни на одну ступеньку. Так что голливудское явление сексуальных домогательств не продержалось бы у нас и было бы оттеснено на задний план, как все у нас оттеснялось на задний план основной темой разговора.

Но другие продолжали приходить. Приходила старшая сестра, принося с собой многократно повторяющиеся «если ты продолжишь связь с этим человеком» или «ты оказываешь себе плохую услугу», но она видела только мою холодную решимость ни слова не говорить в свою защиту или не пытаться каким-либо образом ублажить ее. К тому времени мы накопили столько враждебности, что не могли и не хотели слышать друг друга. Потом на заднем плане все время маячил ее муж, этот горизонтальный волк с какими-то странными ноздрями, ушами, которые становились все больше и больше, заостреннее и заостреннее, с его волосатой большеберцовостью, задними ногами, передними ногами, с рылом и торчащими клыками, с когтями, с длинными, черными, и весь он страдал двигательным беспокойством, со своим языком, подстрекающим ее, он изводил себя до смерти, натравливая ее на меня, чтобы она не прекращала своих посещений, выведывала у меня мои секреты. Но всем было ясно, что первая сестра слишком погружена в собственные заботы, мысли об убитом любовнике, так что она сама едва держала себя в руках. К тому же до меня дошли слухи о том, что у первого зятя появилась новая сексуальная игрушка, и его новый роман быстро достигает того уровня, когда он сам со страшной скоростью обрастает сплетнями, и неприятности стучатся в его дверь. Была еще и мама, продолжавшая свой нудеж о том, что мне нужно выйти замуж, что я навлекаю на семью позор, становясь одной из групи при военизированном подполье, становлюсь объектом действия темных и неуправляемых сил, подаю дурной пример мелким сестрам, она привлекала на свою сторону и Бога, говоря о свете и тьме, о сатанинском, инфернальном. «Это как оказаться под гипнозом, — говорила она. — Или ты можешь себе представить, что чувствуют те люди, которые становятся жертвами вампиров в этих фильмах ужасов. Они ведь не видят ужаса, дочка. Ужас видят только люди со стороны. А те, жертвы, они в рабстве, в трансе, они видят только привлекательность». Отношения на работе тоже стали не такими, как были. Я стала невнимательной, сонной на моем рабочем месте, потому что просыпалась по ночам на своей кровати и никак не могла снова уснуть, отчасти потому, что испытывала позыв встать и еще раз обыскать комнату, чтобы убедиться, что ни он, ни сообщество не просочились в мою комнату, после того как я проверяла ее в прошлый раз, перед тем как лечь спать. Еще меня пробуждали кошмары, снилось, будто я превратилась в тщедушного, раздражительного Мажордома из Общего пролога «Кентерберийских рассказов»[1]. Дом тоже меня изводил. Постукивания, шумы, движения, сквозняки, перемещение предметов. Он издавал хлопки, отвечал на них, вызывал общую неразбериху — и все это, чтобы выбранить меня, предупредить меня, привлечь внимание к угрозам, о существовании которых вокруг меня я и без того знала. И это всегда случалось посреди ночи в моей спальне. Меня пробуждал удар по прикроватному столику. Предметы начинали дребезжать — например, картина на стене, или я слышала удар молотком по полу совсем рядом со мной. Или вдруг начинала дрожать дверь в мою спальню. Однажды призраки дома стащили с меня мое пуховое одеяло и дернули меня за ноги с такой силой, что я чуть не перевернулась и не свалилась с кровати. Мама из своей комнаты прокричала: «Да Бога ради, дочки, я пытаюсь почитать перед сном. Что у вас там за грохот?», а мелкие

[1] Имеется в виду персонаж из «Кентерберийских рассказов» Чосера, представляя которого читателям в Общем прологе рассказчик говорит: *The Reeve was a slender choleric man* — «Мажордом был тщедушный, раздражительный человек».

сестры прокричали из своей спальни: «Мама, это не мы! Мы спим. Это средняя сестра». — «Это не я, — прокричала я. — Это дом. Призраки дома. Я тоже сплю». Кроме моего предположения о том, что дом говорит мне, что я должна сделать что-то, и это что-то как-то связано с молочником, я не знала, что по его, дома, мысли я должна сделать. Однако он решил меня будить, чтобы я не спала, а мои ночные недосыпы приводили к моей чрезмерной сонливости и тупости на моем рабочем месте днем. Дошло до того, что мой босс два раза вызывал меня к себе в кабинет на ковер. К этому времени и уроки французского потеряли искорку, или я потеряла интерес к этой искорке. Занятия стали менее волнующими, более «Какой в этом смысл? Никакого смысла!», и я устала, мне стало трудно заставлять себя раз в неделю тащиться в город на занятия. Потом у меня начали болеть ноги, а потому я понемногу начала отказываться от пробежек с третьим зятем. Поначалу пробежки стали нерегулярными, потом все чаще и чаще следовали отмены, потому что боли продолжались, и меня одолевало ухудшение координации. Дошло до того, что я больше не могла расслабляться и чувствовать себя в потоке, не могла дышать толком, тогда как раньше сам процесс бега прокачивал через меня воздух, не давал отвлечься, наполнял энергией. Что-то, что я принимала как само собой разумеющееся, изменилось, а потому я перестала бегать. Я даже ходить перестала. Мое душевное равновесие нарушилось. Что-то во мне перекосилось, во мне обосновалась, подмяла под себя какая-то однобокость. В то время я пыталась себя убедить, что это я *сама* бросила бегать, что это я *сама* почти перестала ходить, что меня никто не вынуждал. Потом я отказалась от одного из моих дополнительных дней с наверным бойфрендом, такие дни случались время от времени прежде, но теперь я убеждала себя, что меня никто не заставлял, что я сама приняла это решение, что четверг не так уж и важен. Это был день моей наименьшей верности моим наверным отношениям, когда я напоминала себе, что в конечном счете и отношения-то эти только наверные. Но несмотря ни на что, несмотря на отказ от четверга, молочник не ослаблял давления и угроз автомобильной бомбой. Он начал сплетать и новую опасность, угрозу, что наверный бойфренд может быть убит либо неприемниками его района, либо кем угодно из его района за его предательство и доносительство. «Глупо, конечно», — сказал он и добавил, что люди здесь умирают и по глупости. После этого молочник заявил о себе как о спасителе и противоядии. Он намекнул, что он один может прогнать все опасности, грозящие наверному бойфренду. Потом были эти «подвезти», предложения подвезти, он их постоянно делал, они постоянно поступали. Не только от него. Теперь уже и другие в районе, его люди, его дружки, эти рабы убеждения, что они должны поступать так, как он им приказывает, они останавливали свои машины и предлагали подвезти меня в город, из города, ни слова не говоря о том, что их послал молочник. Но по тому немыслимому количеству предложений подвезти было ясно, что их подсылал молочник. Они умоляли меня, говорили, что я окажу им огромную услугу, если соглашусь к ним подсесть.

А тем временем напряжение между мной и наверным бойфрендом нарастало. Кроме моего: «ты перестанешь ездить на машине?» и его: «нет, конечно, то, о чем ты просишь — несуразица, ты говоришь несуразицы», мы устраивали ссоры и по другим поводам. Если он не взорвется на бомбе, то его похитят неприемники как осведомителя за то, что у него эта штука с флагом. Если не это, то тогда те, кто не был неприемником в его районе, но все равно был фанатиком общего дела в районе, придут к нему толпой и прикончат из-за той же вымышленной штуки с флагом. Что же касается слухов о турбонагнетателе, о том, как это непатриотично со стороны наверного бойфренда держать такую вещь у себя дома, независимо от того, с флагом она или нет, то из-за этих слухов теперь, по словам наверного бойфренда, власти той страны фотографируют его скрытным профессиональным способом. Я слышала, что он говорил об этом шефу, слышала его слова о том, что, по его мнению, с учетом этого фотографирования, он теперь привлекает к себе внимание людей не из его района. «Похоже, — пошутил он, — что из-за этих флагов, эмблем, предательства и турбонагнетателей у меня есть перспектива превратиться в осведомителя той страны». Противореча сам себе, он сказал, что для него не было ничего неожиданного, если бы оказалось, что его снимает не марионеточное государство, а местные военизированные неприемники. «Может, приглядывают за мной, — пошутил он еще раз, — не превратился ли я уже в осведомителя». Потом были все эти фотографы-любители, документалисты-дилетанты, доморощенные хроникеры нашего смутного времени. Он сказал, что эти ребята, ищущие свой шанс, возможность снискать славу и заработать состояние в будущем, появлялись повсюду, выпрыгивали из ниоткуда с камерами и магнитофонами, чтобы запечатлеть и сохранить, говорили они, историческое, политическое и социальное свидетельство для потомства. «Никогда не знаешь, — говорили они, — что может оказаться самым ценным атрибутом наших печальных времен в будущем». Я знала, конечно, хотя наверный бойфренд и не знал, что за ним могут охотиться не только власти, видящие в нем потенциального осведомителя, не только те тайные предприниматели, что видят в нем человека, который в один прекрасный день может стать знаменитостью за то, что его убили как осведомителя, но еще и власти, которые могут снимать его и по второму поводу: как пособника пособницы человека, занимающсго первое место в их списке. Что же касается последствий набирающего силу слуха о турбонагнетателе с флагом, то соседи и знакомые наверного бойфренда продолжали понемногу отходить от него в стороны. Как бы ни восторгались они турбонагнетателем и как бы на коротком промежутке времени ни вкладывались в страсть к турбонагнетателю эмоционально, были и другие вещи, которые имели на них гораздо большее эмоциональное воздействие: «солдатский прихвостень», «любитель символики», «прихвостень “заморской” страны», «уличное правосудие». Жизнь коротка, иногда невероятно коротка, зачем навлекать на себя обвинения в пособничестве, в сговоре, в поведении, неподобающем жителю района? Вот почему считалось, что лучше всего дистанцироваться даже от малейших подозрений в связях с наверным бойфрендом, хотя его закадычные друзья, конечно, остались. Как и тот другой друг, тот, что считался другом с работы наверного бойфренда, который жил «по другую сторону дороги», иначе говоря, коллега наверного бойфренда, принадлежащий к другой религии. Говорилось, что этот человек — Айвор — выразил желание засвидетельствовать, что наверный бойфренд не получил штуку с флагом, потому что штука с флагом досталась самому Айвору, и Айвор предлагал помочь коллеге — прислать поляроидный снимок его самого в его районе, управляемом сторонниками той страны, с этой деталью с флагом в руке, чтобы наверный бойфренд мог защитить себя от обвинений в предательстве в своем районе и самосуда неприемников. Айвор сказал, что, хотя неприемники могут идти в жопу как враги всего того, что он защищает, он будет рад, было сказано, предложить фотографическое свидетельство в оправдание его коллеги, чтобы помочь ему выбраться из нынешней затруднительной ситуации. Когда я услышала об этом слухе, подтвсрждающем существование Айвора, и поняла, какую совершила глупость, на ходу выдумав его для защиты наверного бойфренда от молочника, я впала в ужас от того, как легко вольная мысль, даже и не выраженная, едва прорезавшись из земли, может быть успешно разнесена по всему свету. И вот, пожалуйста, — она уже была на свободе, жила собственной жизнью, и я могла только надеяться, что, хотя Айвор сейчас был на слуху и, к сожалению, этот слух все набирал силу, в конечном счете он превратится в прах и будет забыт, исчезнет, уйдет в тень, словно его и не было. Но все же Айвору — и не важно, каким бы доброжелательным он ни казался, как бы ни предлагал прислать сто поляроидов и двести письменных свидетельств в поддержку наверного бойфренда — в районе наверного бойфренда не поверили бы, поскольку тот не был одним из них. Даже если бы он существовал — даже если не обращать внимания на малую вероятность того, что он готов потакать недобрым чувствам к флагу, который для него в его сообществе был драгоценным символом — как законопослушный свидетель, он зарекомендовал себя совсем не с лучшей стороны. Отмечалось, что фактически Айвор не прислал никакой фотографии, никакого негатива фотографии, ни одного слова письменного свидетельства. Вместо этого, невзирая на все свои обещания, он не сделал ничего, и это подтверждало всеобщее мнение относительно того, что предательский наверный бойфренд все же держит у себя в доме штуковину с флагом.

И вот, как я говорю, возникали трудности. И все это сулило нам серьезные неприятности, нам, мне и наверному бойфренду, — как слухи обо мне и молочнике в моем районе влияли на меня, так слухи о нем и флаге в его районе влияли на него. Совместно эти слухи и их воздействие отрицательно сказывались на наших наверных отношениях. Мы, находясь в состоянии стресса, начали ссориться, общались меньше, чем обычно, хотя раньше склонны были делиться друг с другом больше. Мне было ясно, что, так же как и я не рассказываю ему о молочнике и историях, которые сочиняются обо мне и молочнике в моем сообществе, наверный бойфренд выстроил свой собственный защитный фронт умолчания, происходящий из его упрямства по отношению ко мне и по отношению ко всем, в надежде, что это сможет защитить его.

Потом перебранки и ссоры начались по-серьезному, напряжение между нами возрастало с каждым днем. Кроме моего «тебе обязательно ездить на своей машине?» или моей растущей веры в то, что события могут развиваться таким образом, что мне придется подчиниться молочнику и бросить наверного бойфренда, я не могла найти никакого другого решения этой проблемы. А наверный бойфренд тем временем в своем районе все больше напрягался и, как это ни удивительно, не столько из-за флага или страха быть наказанным за смертный грех осведомительства в связи со слухами про флаг. Он больше напрягался из-за того, что неприемники заходили к нему и просили денег. Это было связано с турбонагнетателем, потому что нагнетатель так долго был предметом сплетен, что, согласно последнему слуху, наверный бойфренд сохранил у себя флаг, а турбонагнетатель продал за изрядную сумму. И поэтому они, местные неприемники, пришли к нему и попросили долю, хотя, конечно, когда я говорю «попросили», что они, мол, подумали, а не могут ли они получить от него небольшую долю, я имею в виду, что они потребовали. Если вы когда-нибудь жили в районе под неприемниками, то вам нередко приходилось слышать: «Нам необходимо реквизировать у тебя то-то и то-то во благо общего дела и защиты района». Это могло включать все — твой дом, твою машину, их намерением было получать процент с любой скидки, которую ты мог иметь на чем угодно: выигрыш в бинго, премия на Рождество, практически даже экономия, полученная за счет уценки булочек с изюмом в пекарне или дисконта на леденцы в угловом магазинчике. Вся доля или проценты, которые с тебя причитались, конечно, шли «на благо общего дела и защиту района». И потому местные ребята, районные неприемники, желающие получить долю, приходящие за долей, посещающие в любой час частные дома, чтобы получить долю, пришли к нему в то время, и поэтому наверный бойфренд опасался, что они придут, опасался, что попросят процент с того, что, как они считали, он продал и что он никогда бы в жизни не продал, потому что *он* был тем, кем был, а *это* было турбонагнетателем от «Бентли-Блоуера», но если бы он надумал продавать этот турбонагнетатель, сказали они, и они это сказали — их было четверо в хеллоуинских масках, трое в балаклавах, все с пистолетами в семь вечера на его крыльце — или если он уже его продал, сказали они, то чтобы он не забыл о них и о нуждах по усилению обороны района и поддержки общего дела. Они добавили также, что если случится так, что где-то в этом его кавардачном доме обнаружится настоящая деталь от гоночной тачки «Бентли-Блоуер», то им опять же придется ее реквизировать, и тут они замолчали и уставились из-под своих масок на наверного бойфренда, и вот тогда он понял, сказал он, что это всего лишь вопрос времени, когда они передумают и решат, зачем брать какую-то жалкую долю, когда можно взять все? После этого они ушли, сказал он, хотя перед этим, пока они разговаривали, появился какой-то парень, не неприемник. Без пистолета и маски, в костюме, с галстуком — чужой в районе. Оказалось, что днем ранее он запрашивал разрешение у неприемников на вход в их район. И вот он появился и сразу же принес извинение за вторжение, стоя там среди местных парней в масках и с пистолетами и с наверным бойфрендом на его пороге, он представился как пресс-секретарь из городского совета по искусствам и добавил, что хотел бы разместить мемориальную доску на наружной стене дома наверного бойфренда. Он показал доску, на которой затейливыми золотыми буковками было написано, что в этом доме с тысяча девятьсот какого-то по тысяча девятьсот какой-то жила международная пара, откуда они уехали, чтобы стать ярчайшими, международно-знаменитыми звездами танца в мире. «От этого в районе станет нормальнее, — пояснил он, — когда будет висеть эта доска, показывая, что не все вокруг сплошная безнадега и война в нашем кусочке мира, что мы — это не только стрельба и бомбы, но мы еще и искусства, знаменитости, красота». Он не стал уточнять, кто, по его мысли, будет приходить в эту конкретную крепость военизированного подполья, чтобы поглазеть на доску и поговорить об искусствах и знаменитостях, а не стал он этого делать потому, что никто бы не пришел. На самом деле единственные, кто увидит эту доску, будут многочисленные патрули в бронированных машинах марионеточной полиции и «заморские» военные, которые вламывались сюда периодически в поисках неприемников, но вряд ли их умственное состояние позволило бы им оценить доску или впитать в себя этот вид культуры. Или же ее увидят местные, которым эта доска ни к чему, потому что они и без того знали, что здесь прежде жила международная пара. Наверный бойфренд сказал, что он не хочет никакой доски, а неприемники сказали человеку от искусства, что даже если он извинился за вторжение, это вовсе не значит, что вторжение прекратилось. Они добавили, что кто-то, называющий себя человеком искусства, — а это в конечном счете означало государственного чиновника, есть у него разрешение на вход или нет, — вполне может оказаться шпионом той страны. После чего человек сказал: «Вполне справедливо, нам необязательно ее вешать». После этого он, ничуть не утратив жизнерадостности, и с доской все там же — под мышкой — и после попытки всучить свою визитку наверному бойфренду, который отказался ее взять, ушел, но они вернутся, сказал наверный бойфренд, мысли которого быстро пришли к убеждению, что неприемники полны решимости заполучить великолепный турбонагнетатель от «Бентли-Блоуера», вещь, которую он честно и справедливо выиграл и любил. И это еще больше натянуло струну наших отношений, потому что я не могла не удивляться тому, что он утратил элементарную мудрость — то, что неприемники приходили к нему за турбонагнетателем или за долей турбонагнетателя, должно было беспокоить его в последнюю очередь. С учетом всех обвинений в предательстве, накапливавшихся против него, совершенно ясно, что они уже должны были заявиться в его дом — в своих масках, с пистолетами, возможно, даже с набором саперных и могильных лопат — не для того, чтобы захватить турбонагнетатель, а чтобы захватить его. Ведь многие были убиты и за менее очевидные свидетельства предательства, чем распущенные флаги, по поводу которых существовало твердое убеждение: им здесь не место, даже если вы их не распускали. И тогда я сказала: «Отдай им его, наверный бойфренд, потому что ты так или иначе должен знать, потому что ты не должен не знать, что если он им нужен, то ты его никак не сможешь сохранить». Это вызвало его раздражение. Но я ясно видела, пусть и не видел он: речь идет о его жизни и смерти. Он словно забыл о своей жизни и все из-за своего упрямства и оттого, что одурел от любви к машинам и не мог разумно расставить приоритеты и согласиться с тем, что иногда ты должен уступить, опустить, может быть, потерять лицо, но признать, что какие-то вещи рядом с другими не стоят того, чтобы за них цепляться. Но он не видел это под таким углом, что и стало для нас одним из поводов для очередного препирательства, потому, что мы один раз уже поссорились из-за турбонагнетателя, который был у него в гостиной. У него вошло в привычку перемещать вещи по дому, делал он это на самый вороватый манер, как сумасшедший, и мне казалось, что с промежутком от пятнадцати минут до получаса. Он надеялся, что при таком обилии запасных частей, таких кучах на кучах неприемники запутаются, устанут, почувствуют свою беспомощность, как малые дети, после чего бросят поиски, откажутся от них, и опять это удивило меня. Мне это казалось подтверждением того, насколько его мысли витают в облаках, насколько ему отказывает здравый смысл — он не хотел понимать, что не будут они сами искать его нагнетатель, а направят на него пистолет и потребуют, чтобы он немедленно принес его из тайника. Я и это ему сказала, но мои слова вызвали у него лишь еще большее раздражение, так что его турбонагнетатель находился в непрерывном движении — извлеченный из-под половых досок в конце коридора, которые он недавно разобрал, чтобы сделать под ними тайник, хотя вечером перед этим до самого нашего завтрака утром нагнетатель находился за ложной стенкой, которую он соорудил за несколько дней до этого. Пока — и только до того времени, как он закончит двухпанельный ложный тайник, который он предусмотрел в одной из верхних комнат и над которым сейчас работал, — он поместил его внутрь какой-то полой автомобильной детали, которая, по его мысли, вполне укладывалась в норму его маниакального накопления деталей, но я уже видела, что он примеряется, ищет, где бы ему спрятать нагнетатель, когда будет готов тайник за двумя ложными панелями наверху. А пока турбонагнетатель находился здесь — внутри этой гигантской, похожей на ведро, фиговины вместе с другими всякими-разными деталями с ванным полотенцем, кухонным полотенцем и его собственным бельем искусно наброшенным, словно невзначай, сверху. Все это стояло между нами на низком столике, и его новое накапливающееся напряжение тоже было между нами. Вот тогда-то я и обвинила его еще раз в том, что он ездит на машинах. Не успела я начать, как он оборвал меня, чтобы обвинить в первый раз в том, что я его стыжусь, потому что не позволяю ему подъезжать за мной к моей двери, а всегда хочу встречать его подальше от дома, на пустынном перекрестке. Я ответила ему обвинением в том, что он любит готовить, что покупает составляющие вместе с шефом, что по-настоящему любит это занятие. Тогда он усилил свое доказательство того, что я его стыжусь, упомянув последние случаи, когда я шарахалась от него, и добавил к этому, что я по четвергам больше не остаюсь у него, и вообще стала как чужая, по нашим вторникам и по нашим ночам с пятницы на субботу, и по всем нашим субботним дням, перетекающим в воскресенья, что, конечно, так и было из-за растущего отвращения, которое я переносила на него, хотя на самом деле оно адресовалось молочнику. Поначалу меня заело, а это дало ему время выставить новые обвинения — в том, что на меня, как он заметил, накатывают непривлекательные состояния какой-то заторможенности, что он чувствует, как это начинает поглощать меня, завладевать мной, сказал он, что я перестаю быть живым человеком, а превращаюсь в одну из таких деревянных кукол на шарнирах, как в кукольном... и тут я оборвала его, потому что не хотела, чтобы он заканчивал моим усиливающимся заторможенным состоянием, которое стало проявляться на моем лице. Вот такие начали появляться между нами напряженности и трения, нарастающая нетерпимость возникла между нами. Были и другие стрессы, когда мы ехали куда-нибудь в его машинах. И опять я цеплялась к тому, зачем ему ездить на них, а он говорил, что отвозит меня домой, что он довезет меня до самого дома, до самых дверей. И тогда мне приходило в голову, что он превращается в молочника, понукает мной, думает, что может мной управлять, или же я думала, что он хочет сказать, что наелся мной, а потому отвозит меня домой, чтобы избавиться от меня. «Останови машину! — кричала я. — Немедленно останови машину на этой пустынной пограничной дороге!», но он не желал останавливать машину, говорил, что не хочет, чтобы я выходила, но я твердила, что пойду пешком, а он говорил, нет, не иди пешком, а это выдавало его намерения: он хочет покалечить меня, чтобы я выпала, чтобы вся переломалась, ну настоящий молочник. Так что начиналось всякое «да что с тобой такое происходит?», «у тебя заморочки», «на себя посмотри — это у тебя заморочки», «да что с тобой такое происходит?». Потом начиналось: «я тебя подвезу», «я не хочу, чтобы ты меня подвозил», «нет, я тебя подвезу», «нет, я не хочу, чтобы ты меня подвозил», и я воспринимала это как уловку, с помощью которой он больше не хотел избавиться от меня, а теперь пытался преодолеть свою амнезию, чтобы продвинуть наши наверные отношения — но не в любовные, близкие, настоящие отношения, а в отношения сталкерские, собственнические, подчиненные, причем он пытался добиться этого помыкательством, что явно не лучший способ наладить уважительные отношения, какие должны быть у настоящей пары. А он тем временем говорил, что мое упрямство, желание выйти из машины бог знает где, в опасном месте, это всего лишь уловка, злая манипуляция, чтобы сделать ему больно и эмоционально его шантажировать, чтобы затягивать наши наверные отношения на некий темный, недостойный манер. «Коварным способом», — подчеркивал он; и еще подчеркивал, что до этого дня считал, что такое поведение ниже моего достоинства, и в этот момент я чувствовала себя вынужденной называть его «почти годичный пока наверный бойфренд» вместо более задушевного «наверный бойфренд», и я чувствовала, что поступаю правильно, дистанцируясь от него, хотя он, возможно, чувствовал то же самое, потому что обращался ко мне даже еще более формально: «почти годичная пока наверная герлфренда», а это означало, что если и дальше так пойдет, то мы будем обращаться друг к другу самыми официальными и безличными словами, как были бы уместны в те времена, когда мы еще не познакомились. Так у нас и шли дела, напряжение между нами росло, по мере того как у него нервы взвинчивались все сильнее в его районе, а я выматывалась в моем районе. Я постоянно все путала, все выходило задом-наперед, я винила его в вещах, которые и обвинения-то никакого не стоили, а если и стоили, то он к ним не имел никакого отношения, и я думаю, он чувствовал то же самое — об этом говорили его поведение и слова, которые он в своем состоянии говорил мне. И все это время где-то за нашими спинами все время стоял молочник, вклинивался между нами; а еще между нами вклинивалось то, что молочник может убить наверного бойфренда. А еще за нашими спинами стояла моя сестра, моя первая, старшая, вечно скорбящая сестра, которая в день похорон бывшего любовника сидела в нашем доме в этой ужасной тишине с таким жутким выражением лица.

Из-за этих дополнительных встреч — действительных и выдуманных — и потому что я продолжала держать все внутри себя, что во мне превратилось в непрерывный процесс отбивания вопросов, старейшая подруга из начальной еще школы прислала словечко: она хотела встретиться и поговорить. Опасаясь телефонных разговоров, она прислала послание с одним из этих разведчиков, таких живых телеграмм, самых секретных в районе, чтобы договориться со мной о времени. Я сказала ему, чтобы он передал ей, что я встречу ее в зале самого популярного питейного клуба в районе этим вечером в семь часов. Я любила старейшую подругу, раньше, по крайней мере, любила или любила ее ту, которую знала. Теперешнюю ее я почти и не знала, мы с ней почти не виделись. Про нее нужно сказать, что на этот день вся ее семья была убита в ходе разборок в связи с политическими проблемами. Она последняя осталась и жила одна — хотя вскоре собиралась замуж — в доме мертвой семьи. Что касается нашей дружбы, то она была единственным человеком, с которым я могла говорить, единственной, кого я могла слушать, а если сказать в целом, то она была последней из тех немногих, кому я доверяла, кто не вампирил мои жизненные соки, единственный, кто оставался у меня в мире. Как и третий зять, она не сплетничала. В политическом плане держала глаза и уши открытыми. И обвиняла меня в том, что я намеренно никогда не делаю того же, от чего я не могла отпереться, потому что так оно и было. Я оправдывалась перед ней моей ненавистью к двадцатому веку, добавляя, что мне вполне хватает непрекращающихся слухов в районе, тоже достойных ненависти. Старейшая подруга вела себя иначе. Для нее все имело какое-то значение. Для нее все было полезно, подлежало использованию, подлежало хранению до какого-нибудь подходящего случая. Я говорила, что ее накопление информации, ее молчание, эти ее запасы на будущее — не только по фактической реальности, но и по всяким домыслам, предположительной реальности — были делом сомнительным, а еще зловещим и довольно пугающим. Она отвечала, что я в своем глазу и бревна не хочу видеть. В особенности она настаивала на этом, когда мы встретились в верхнем зале самого популярного питейного клуба района. На тот случай если я не знаю, сказала она, то я сама более чем сомнительная, зловещая и пугающая. Я думала, она имеет в виду, что я держу уши закрытыми, не собираю информацию и не распространяю местных слухов, а еще мое упрямство с пеленок — почему я так упорно отказываюсь сказать этим любопытным ублюдкам, чтобы не совали нос в чужие дела. «С какой стати? — сказала я. — Это не имеет к ним никакого отношения, и к тому же я ничего такого не совершила». — «Многие ничего не совершали, — сказала старейшая подруга. — И продолжают не совершать, и никогда ничего не совершат в своих частных гробах в обычном месте». — «Но я никогда не лезу в чужие дела, — сказала я, — занята своим, хожу по улице, просто хожу по улице и...» — «Да, — сказала подруга, — есть еще и это». Я спросила, что она имеет в виду, а она сказала, что перейдет к этому через минуту. А сначала нужно обсудить кое-что другое. Но до этого другого было еще кое-что другое, и это другое было о том, что после окончания школы мы редко видимся. А если и встречаемся, то наши встречи становятся все более грустными и все менее и менее веселыми. Не помню, когда в последний раз они были веселыми. Даже на ее свадьбе, которая состоялась через четыре месяца после нашей той встречи, тоже не хватало веселости. И в самом деле, впечатление, что все мы пришли на двойные похороны, а не на одинарную свадьбу, было настолько сильным, что я долго не могла от него отделаться и в конечном счете рано ушла с торжества домой, легла при свете дня в кровать в праздничной одежде и в депрессии. Кое-что другое перед тем другим было о том, что между нами существовало молчаливое понимание: я ее не спрашиваю об ее деле, а она за это не рассказывает мне о нем. Мы пришли к этому соглашению с того самого времени, когда она начала это свое дело. А начала она его уже года четыре назад.

И вот мы с ней поднялись в верхний зал, заказали выпивку, сели в углу подальше и, помолчав немного, что не было необычным на начальных этапах между мной и старейшей подругой, она сказала: «Зная тебя, я предполагаю, что ты, вероятно, ничего не сделала, но, судя по слухам, ты, кажется, все сделала. А теперь, старейшая подруга, не затыкай мне рот, а скажи лучше, что за фигня у тебя с этим Молочником».

Я обратила внимание, что она назвала его по-особому, словно Молочником с большой буквы. Для всех остальных он был «молочник», хотя только самые маленькие в районе верили, что он обычный молочник, хотя и эта вера долго не продолжалась. Если она называла его «Молочник», то я теперь решила, это потому, что он и есть «Молочник». Она должна была знать об этом больше, чем какой-либо непосвященный посторонний, и потому, поскольку она владела внутренней информацией и к тому же мы были старыми друзьями, для меня было облегчением выложить ей все, хотя я и не знала, насколько сильное облегчение, пока не открыла рот и оно не полилось. Я знала, что она мне поверит, потому что она меня знала, потому что я ее знала, по крайней мере, прежде знала, так что можно было не тревожиться и спрашивать себя, доверять ей или нет. И никаких усилий, чтобы ее убедить, я не предпринимала. Просто могла выложить ей все как есть. Так я и сделала. Рассказала о его неожиданных появлениях, о тихих утверждениях о том, что он знает, где я обретаюсь, о том, что он знает обо мне все, что только можно знать. Я рассказала ей о том, как он мне говорит, что я должна делать, не говоря открыто, что я должна делать. Что он быстро и незаметно исчезал, так же пугающе, как появлялся, что меня все больше и больше переполняет предчувствие, что я падаю в какую-то ловушку. Он выслеживает меня, он преследует меня, он знает мой распорядок, мои перемещения, а еще распорядок всех, с кем я встречаюсь. У него есть какой-то план, сказала я, но он не торопится проводить его в жизнь, идет своим шагом, но у него явно есть намерение в один из дней его реализовать. И еще я рассказала о том, что он не прикасается ко мне, хотя мне все время кажется, что прикасается, и все время у меня волосы торчком — ожидание, предчувствие, страх — сзади на шее. Потом я рассказала о его шикарных машинах и фургоне, хотя и знала, что старейшая подруга и без того это знает, сказала еще, что мой инстинкт меня предупредил: никогда не позволяй себя околпачить настолько, чтобы сесть в одну из его машин. После этого я рассказала о полиции того государства, о том, что они наблюдают за мной, потому что наблюдают за ним. Я сказала, что они делали снимки не только меня, но и его, а потом меня одной, а потом меня, с кем бы я ни была — со случайными людьми, с людьми, с которыми я договорилась встретиться. Эти невидимые камеры, сказала я, щелкают, и люди, ни к чему не причастные, оказываются под наблюдением, независимо от того, что ничего не происходит, не происходило и не будет происходить. Потом я рассказала о появлении жополизок, прихвостниц, поскольку уже они стали появляться и делать вид, что я им нравлюсь, тогда как я им ни разу не нравилась. К своему удивлению, я даже упомянула моего похотливого первого зятя. Ближе к концу я рассказала про маму с ее безгрешностями и ее святыми, которые теперь молятся за меня, и изворотливыми сплетницами, которые, если чего услышат, то переделают, а если не услышат, то выдумают. Закончила я возможным взрывом автомобильной бомбы в будущем, которая может прикончить бойфренда, с которым я находилась в наверных отношениях. Ну вот. Я ей все сказала. Я замолчала, сделала большой глоток и откинулась на спинку обитой бархатом мягкой скамьи, и мне стало легче. Я рассказала все правильному человеку. Определенно, старейшая подруга была правильным человеком. Тот факт, что это получилось органически — даже приемлемо нехронологически, — казался мне доказательством этого.

Меня выслушали, а когда тебя выслушивают, ты чувствуешь себя хорошо, чувствуешь уважительное отношение, когда тебя понимают, когда не прерывают, когда не останавливают слишком самоуверенные, не чувствующие тебя люди. Старейшая подруга долго ничего не говорила, и я не возражала, что она ничего не говорит. Напротив, я радовалась этому. Мне это казалось свидетельством того, что она переваривает информацию, позволяет информации говорить с ней без спешки, чтобы в подходящий момент она могла подтвердить услышанное правильным и справедливым суждением. И вот она молчала, сидела без движения, смотрела перед собой, и тогда мне в первый раз пришло в голову, что такое устремление взгляда в среднее далеко, а у нее я это часто примечала при наших встречах, свойственно и Молочнику. Кроме первого раза в его машине, когда он высунулся и посмотрел на меня, но никогда после этого он больше не смотрел на меня. Что это такое было — некая «поза демонстрации профиля», которую они осваивают в их военизированных школах-пансионах? Пока я все это обдумывала, старейшая подруга наконец заговорила. Не поворачивая ко мне голову, она сказала: «Я понимаю, почему ты никому не хотела говорить. Это резонно, да и как иначе теперь, когда ты считаешься в районе запредельщицей».

Я этого не ожидала и сразу же подумала, что не так ее услышала. «Что ты сказала?» — спросила я, и она повторила то, что сказала, сообщив новость, — и это была новость, — что вместе с районной отравительницей, сестрой отравительницы, мальчишкой, который покончил с собой из-за Америки и России, женщин с проблемами, настоящего молочника, известного также как человек, который никого не любит, я тоже стала одной из этих невоздержанных, общественно заклейменных запредельщиков. Я села прямо, выпрямилась мгновенно и, кажется, рот у меня открылся. Хоть на мгновение, на какие-то секунды, даже Молочника выдуло у меня из головы. «Этого не может быть», — сказала я, но старейшая подруга вздохнула и тут все же повернулась ко мне. «Ты сама накликала это на себя, старейшая подруга. Я тебе постоянно это сообщала. Я сто лет, с начальной школы, предупреждала тебя: откажись от этой привычки, за которую ты так цеплялась, а теперь, подозреваю, стала ее рабой — это чтение на ходу у всех на глазах». — «Но...» — сказала я. «Неестественно», — сказала она. «Но...» — сказала я. «Такое поведение деморализует других», — сказала она. «Но... — сказала я. — Но... — сказала я. — Я думала, ты опасаешься за меня из-за машин, из-за того, что меня может сбить машина». — «Не из-за машин, — сказала она. — Это более стигматично, чем машины. Но теперь уже слишком поздно. Общество уже поставило тебе диагноз».

Никому, а в особенности если тебе нет двадцати, не нравится узнавать, что тебя считают каким-то фриком без шариков. «Я! В той же лодке, что и наша отравительница, таблеточная девица!» Это потрясало меня и было совершенно несправедливо. И казалось, что опять всем, кроме наверного бойфренда и — хотя мне было против шерсти признавать это — Молочника, мое безобидное чтение на ходу было хуже бельма на глазу. Последние месяцы, с самого появления Молочника, я получала образование, в смысле узнавала, насколько я оказываю влияние на людей, даже не зная того, что люди видят меня. «Это ненормально, порочно, упрямо непреклонно, — продолжала старейшая подруга. — Это, подруга, — сказала она, — не тот случай, когда кто-то просматривает газету на ходу, чтобы пробежать глазами заголовки или что-то в таком роде. Это то, что делаешь ты — читаешь книги, *целые книги*, делаешь пометки, проверяешь примечания, подчеркиваешь пассажи, словно ты сидишь за столом или что-то в таком роде в маленьком своем кабинете, за закрытыми шторами, с включенной лампой, когда рядом стоит чашка чая, когда пишутся наброски — твои рассуждения, твои мысли. Это тревожит. Это отклонение. Это оптическое заблуждение. Непатриотично. Никакого самосохранения. Привлекает внимание к себе, и почему — враги у дверей, сообщество в осаде, все мы должны объединиться — разве кто-нибудь захочет здесь привлекать к себе внимание?» — «Подожди секунду, — сказала я. — Ты хочешь сказать, что ему сходит с рук, когда он гуляет с “Семтексом”[1], а мне читать “ Джейн Эйр” на глазах у всех не разрешается?» — «Я не говорила “на глазах у всех”. Ты только не читай на ходу. Им это не нравится», — добавила она, имея в виду сообщество, после чего снова уставилась перед собой и сказала, что не готова вдаваться в двусмысленности, в неопределенности, в старинное словоблудие типа «заморскостей». Но если я готова посмотреть на это в контексте нынешних реалий, то в ряду нормальностей опережение «Семтексом» моего чтения на ходу не-

[1] «Семтекс» — фирменное название одного из видов пластичной взрывчатки.

сомненно — «никто, кроме тебя, не считает твое чтение нормальным» — оно вполне укладывается в логику того, что здесь происходит. «В “Семтексе” нет ничего необычного, — сказала она. — Его появление здесь вполне ожидаемо. Его, так сказать, нельзя охватить умом, осознать, даже если большинство местных не таскают его, никогда его не видели, не знают, на что он похож, и не хотят иметь к нему никакого отношения. Он здесь свой в гораздо большей степени, чем твое опасное чтение на ходу. “Семтекс” говорит о бдительности, а в твоем поведении нет ничего от бдительности. Так что, если смотреть на жизнь под углом контекстуальной среды, то да, — завершила она, — *взрывчатка в его руках вполне приемлема, а книга в твоих — нет*».

Я чувствовала, что ее слова, лежащие в одном из тех средневековых философских измерений «относительная истина против абсолютной», несут на себе некоторый отпечаток истинности. И все же мне не нравилось, что из этого вытекает, будто я подхватила неизлечимую болезнь запредельщины. «Если даже читающих на ходу у нас совсем нет, — сказала я, — это еще не значит, что я неправа. Что если во всем сообществе во всей расовой мысли, которая вышла из берегов, есть всего один нормальный человек, старейшая подруга, то этот человек массовым сознанием будет восприниматься как сумасшедший, *но будет ли он сумасшедшим на самом деле*?» — «Да, — сказала подруга, — если его противники будут настаивать на своей версии жизни, хотя она и не выдерживает никакой критики в сравнении с противостоящим ей миром. Но это не про тебя, — продолжила она, — потому что тут есть и еще кое-что». Я подумала — а почему бы мне было и не подумать? — что за этим снова последует Молочник, но подруга сказала, что не хочет быть резкой, что не хочет ставить меня в неловкое положение, смущать. «Но что ты делаешь, старейшая подруга, — сказала она, — что у тебя в голове, когда ты расхаживаешь по городу с кошачьими головами?»

Тут выяснилось, что я таскаю с собой мертвых животных. Наверное, для каких-то церемониальных целей, связанных с моими занятиями черной магией? Старейшая подруга сказала, что сообщество теряется в догадках. Может быть, чтобы провести ритуал с расчлененными фамильярами[1] в противовес тому, что делают благочестивые женщины с их колокольчиками, птицами, предсказаниями и гаданиями? А может, я беременна? Не забеременела ли я от Молочника? *Да, наверняка*! — говорили они. — *Она забеременела от Молочника, а из-за гормонов...* — «Не кошачьи головы! — воскликнула я. — *Кошачья голова*! Всего одна голова! Всего один раз!» Подруга прикусила губу. «Значит, ты считаешь, — сказала она, — что чтение на ходу с включенной настольной лампой, когда кругом беспорядки и стрельба, а у тебя в кармане одно мертвое животное, а не сто, не может повредить мозги сообществу? Вопрос, подруга, вот в чем: *зачем ты таскаешь с собой кошачью голову*?» Я набрала в легкие побольше воздуха, потому что, как это объяснить? Как начать, что кошачья голова у меня была только раз, на одну минуту, и смотрите — даже тогда за мной велось наблюдение. Я не знала, как продолжать, и поняла, что даже здесь, со старейшей подругой, моей когда-то согласномысленницей, из меня будут высосаны все жизненные силы. Вот я сидела здесь, и мне приходилось доказывать, что я вменяемая, убеждать человека, которому я всегда могла доверить все, который был задостоверен в моем сердце, хотя со временем — вот уже четыре года прошли — я уже видела, что движение больше не двустороннее, что сегодня — я не знала почему, может быть, из-за того молчаливого соглашения между нами? ради моего блага, может быть? — почти ничто из прежней доверительности не возвращается. Я думала, что могу сказать ей,

[1] Фамильяр — волшебный дух, согласно средневековым западноевропейским поверьям, служивший ведьмам, колдунам и другим практикующим магию.

что голова — это, вероятно, следствие взрыва той бомбы в десятиминутном пятачке; что это сделал «Семтекс» или сделал бы «Семтекс», если бы этого не сделала старая бомба, что кто бы это ни сделал, — тот, кто оставил бомбу, или тот, кто сбросил ее с бомбардировщика, что я лишь хотела отнести голову кота на кладбище, подальше от этого дерзкого взорванного бетона, чтобы она лежала в зелени. Я этого не сказала, потому что это невозможно было сделать, не выставив себя сумасшедшей. А кроме того, естественная, неотрепетированная откровенность, которая прежде существовала между мной и старейшей подругой с начальной школы, казалось, исчерпала себя. И мне больше не хотелось ничего объяснять, потому что я в этот момент не могла видеть себя ее глазами, глазами всех других, кто смотрел на меня. И к тому же, я не знала, почему я взяла эту голову. И мне вдруг совершенно неожиданно стало горько. Не то чтобы это я разрывала узы, связывавшие меня со старейшей подругой, не то чтобы отдалялась от нее, это уже успела сделать старейшая подруга. Часть доверия была потеряна, даже если симпатия сохранялась, но симпатия была из разряда все тех же возможностей, что и с наверным бойфрендом. И тогда, бросив *это*, уходя от *этого* — потому что *это* были люди, *это* были отношения, всегда то, что ожидалось, — бросив и историю с котом, я сказала: «Мы можем теперь вернуться к главному вопросу?»

Старейшая подруга удивленно посмотрела на меня — ох, как редко она смотрела на меня с удивлением. «Это и есть главный вопрос», — сказала она, чем удивила меня. «Я думала, главный вопрос — Молочник», — сказала я. «Нет, — сказала она. — С какой стати ему быть главным? Он был вопросом перед вопросом. Это чтение на ходу и стоящее за ним твое непробиваемое упрямство, а еще вытекающие из этого опасности и есть причины, почему мы с тобой встречаемся сегодня. Но знаешь, — и здесь она сделала паузу, потому что ее осенило одно из ее пронзительных, блестящих, умозрительных прозрений, — может быть, оно и к лучшему, — продолжила она, — я имею в виду в целебном плане — и даже пусть на один из таких ладов “луч света в конце тоннеля, урок через страдание” — что на тебя состоялось это покушение Молочника. То, что ты не желала открывать глаза, но теперь с появлением Молочника была вынуждена открыть глаза, было одним из тех испытаний реальностью, которые давала тебе жизнь — расширить твой опыт, подтолкнуть тебя, поднять на следующую ступеньку в твоем пути. И насколько я понимаю, подруга... единственное, что с тобой случилось в жизни на сегодняшний момент, это появление в ней Молочника в том качестве, в каком он теперь присутствует на твоей сцене». Услышав это, я подумала, что она просто корчит из себя всезнайку, и сказала ей об этом, она же ответила, что нет, мы не должны переходить на личности, хотя то, что она делала, разве не было переходом на личности? Она сказала, что мы должны сосредоточиться на главном вопросе. Этот вопрос звучал так: почему я оскорбляю сообщество, читая на ходу; как получается, что некоторые люди представляют собой ну просто темный ящик, но тем не менее это не мешает другим людям этот ящик осветить; почему никто не должен расхаживать по политической сцене с выключенной головой; почему меня так сильно выводят из себя вопросы, интересующие общество, обычный интерес, даже безобидная попытка получить информацию, и хотя я возразила и сказала, что я вовсе не против вопросов, но нет — она отрицательно покачала головой — я не против только литературных вопросов, да и только вопросов по девятнадцатому или более ранним векам. Проблема еще в том, сказала она, что я отказываюсь оставить мою лицевую и телесную немотность, хотя всем известно, что немотность как защита здесь не действует. Потом был упомянут факт про девицу, которая ходит... «Девица, которая ходит?» — «Да. Ты — девица, которая ходит. Иногда – ко торая читает, иногда ты запредельная, твердолобая, упрямая девица, которая ходит, ничего не видя, ничего не слыша, погруженная в себя». Потом она сказала, что собирается дать мне наставления, словно до этого момента она не давала мне наставлений. «Ты вовсе не должна выкладывать всем свою автобиографию, — сказала она, — но ты читаешь на ходу, и вид у тебя почти отсутствующий, и ты ничего о себе не говоришь, а это уж слишком мало, поэтому они тебя не отпустят и не перейдут к следующей. Речь идет о том, чтобы вызвать всеобщие аплодисменты, подруга, — сказала она, — если ты не прекратишь быть высокомерной, а они видят, что ты высокомерна, и что ты думаешь, тебе это сойдет с рук, потому что ты спишь с...» — «Я не сплю с!» — «...Потому что все думают, что ты спишь с Молочником, а еще потому, что этот человек не из легковесов в движении сопротивления, а потому они, конечно, — пока он маячит у тебя за спиной — не предпримут никаких прямых действий. Но ты должна знать, — закончила она, — даже ты должна оценить тот факт, что, насколько это касается их, ты попала в трудную зону». Она имела в виду зону типа «осведомительской», хотя я и не считалась осведомителем. Дело было в том, что я оказалась на такой промежуточной территории, где тебя в твоей роли осведомителя не принимают, тобой не восторгаются, тебя не уважает ни эта сторона, ни та сторона, вообще никто, даже ты сама себя не уважаешь. В моем случае я, похоже, попала в трудную зону не только потому, что не желала рассказывать другим о своей жизни, и не из-за моей немотности, и не из-за моей подозрительности к вопросам. Против меня выдвигалось и еще одно обвинение: меня не считали чистой девушкой, какой считали бы, если бы у него не было других. А у него были и другие. Одна — его жена. Так что я была выскочкой, француженкой, чертом из табакерки, бесстыдницей. Кроме того, если ты осведомитель, когда в тебе больше нет нужды, когда тебя обошли другие, когда ты сделал то, что от тебя требовалось, когда тебя разоблачили, прежде чем ты сделал то, что от тебя требовалось, другие, иногда остро переживающие последствия собственной самоуверенности, склонны были требовать потраченное на тебя назад. Вот в чем была особенность трудной зоны. Она основывалась на сведенных воедино данных, все остальное, даже если оно и входило в противоречие с основным массивом, для удобства сводилось к некоему обобщающему понятию. Но подруга ошибалась. Я вовсе не свалилась в трудную зону. Меня туда затолкали.

«Хорошо. Я перестану», — сказала я, имея в виду чтение на ходу. Я перескочила на чтение на ходу, чтобы не трогать упрямство. Если уж с чем-то приходится проститься, то пусть уж лучше с этим. «Вот и молодец, — похвалила подруга. — Ворочай шариками, прекрати упрямиться, подумай о своем характере, спустись с облаков на землю и продемонстрируй хоть немного дружеского расположения. Откажись от чего-нибудь маловажного, чтобы удовлетворить их, а не подталкивай их своим молчанием к худшему. Если ты к тому же откажешься от своего немыслимого чтения на ходу, то это тоже улучшит ситуацию». Я кивнула, но сказала, что чтение на ходу не станет «к тому же». Оно подразумевается мною как «вместо». Мне необходимо было мое молчание, моя непримиримость, чтобы защитить меня от лапания и доставания вопросами. В противоположность подруге я придерживалась мнения, что попытка примирения с помощью информации, попытка перетащить их таким образом на свою сторону не принесет мне выгоды — они не отстанут от меня, напротив, примутся приставать с еще большим напором. К тому же я не хотела ничего им говорить. По-прежнему не хотела. То была моя единственная точка силы в этом мире, который только и делал, что обессиливал тебя. «Тогда я тебе советую быть поосторожнее», — сказала подруга то, что мне говорили все остальные. Люди всегда говорили, ты, мол, смотри — будь поосторожнее. Вот только как быть поосторожнее, когда от тебя ничего не зависит, когда проблемы растут как снежный ком, как при этом человек — маленький человек здесь, на земле, — может быть поосторожнее? И я сказала о книгах и ходьбе как о компромиссе, что в сравнении со всем остальным казалось нетрудным делом. Я даже не испытывала сожаления, что теперь не буду получать от этого прежней радости. Это ощущение облегчения, которое дает тебе книга, когда ты выходишь из дома, достаешь из кармана книгу, погружаешься в абзац, следующий после того, на котором ты остановилась, изменилось с началом сталкинга, с началом слухов, даже с тех пор, как полиция взяла меня под подозрение, и меня стали останавливать, чтобы в целях безопасности забрать из моих рук «Мартина Чезлвита». К тому же за моим чтением велось наблюдение, сообщалось о том, какие книги я читаю, как минимум один человек фотографировал меня за чтением и без чтения. Как читатель может сосредоточиться на радостях чтения перед лицом всего этого?

Что же касается полиции, то подруга сказала мне не беспокоиться из-за камер, щелкания, собирания информации, поскольку на меня еще до Молочника наверняка так или иначе было собрано досье. «Все сообщество под подозрением, — сказала она. — На каждого собрано досье. Все дома, все перемещения, все связи постоянно проверяются, за всеми постоянно ведется присмотр. Похоже, только ты об этом не знаешь. Со всем этим мониторингом, — продолжила она, — их инфильтрацией, их перехватами, подслушиванием на постах, учетом планов комнат, размещения мебели, расположения декора, цвета обоев, составлением списков лиц, за которыми необходимо вести наблюдение, геопрофилированием, тарами-барами-растабарами, чертом в ступе, гаданием на чайных листьях и, не самое последнее, — сказала она, — со всеми их вертолетами, летающими над отчужденным, циничным, экзистенциально горьким ландшафтом, неудивительно, что у них есть досье на каждого. Если на кого-то, живущего в районе под управлением неприемников, нет досье, то можно не сомневаться, что с этой личностью что-то не так. Они даже тени фотографируют, — сказала она. — Людей можно различать и устанавливать сходство по силуэтам и теням». — «На грани фантастики», — сказала я, впечатленная. Подруга сказала, что даже до Молочника наверняка было досье с моим именем, потому что у меня хватало и других связей. Я хотела было спросить, какие связи она имеет в виду, но она опередила меня. «Бог мой. Я поверить не могу. Твоя голова! Твоя память! Все эти умственные разделения и осколки памяти. *Я имею в виду меня! Твоя связь со мной! Твои братья! Твой второй брат! Твой четвертый брат!* — и теперь она принялась качать головой. — Вещи, которые ты замечаешь, которых не замечаешь, подруга. Те нестыковки, которые имеются между твоим мозгом и всем, что вокруг. Это умственная осечка — это ненормально. Это анормально — узнавание, неузнавание, запоминание, незапоминание, отказ признать очевидное. Но ты поощряешь их, эти мозговые тики, это разупорядочивание памяти — и еще последние политические дела — все это — прекрасные примеры того, о чем я говорю». В этот момент она сделала паузу и повернулась ко мне лицом к лицу, и я почувствовала себя уязвленно, но еще и запаниковала, словно она в любую секунду могла зашвырнуть меня в какое-то измерение, в котором я вовсе не желала находиться. «Неудивительно, — сказала она, — что они тебя щелкают и стопорят больше, чем других». — «Не больше, — возразила я. — Они меня щелкают и стопорят, хотя прежде этого не делали, а теперь из-за Молоч...» — «Нет, — сказала она, — они тебя стопорят потому, что ты привлекла к себе внимание твоим запредельщицким чтением на ходу...» — «Нет, — сказала я. — Если бы дела обстояли так, то почему они меня не стопорили до Молочн...» — «Но они тебя и *стопорили*! Не могли *не*. *Они всех стопорят*!» И тут ее голос перестал быть менторским, зазвучал уничижительно. «Я думаю, — сказала она, — что вот в эту самую минуту мы входим в очередной приступ твоих *jamais vu*». — «Что ты имеешь в виду — очередной приступ моих *jamais vu*? Ты хочешь сказать, у меня случаются *jamais vu,* и случаются часто?» И тут выяснилось, что на тот же лад, на который я блокирую в моей памяти как незнакомые все мои периодические попытки установить надлежащие отношения между мной и наверным бойфрендом, а каждый раз я думаю, что это первая моя попытка продвинуть наши интимные отношения, то таким же образом, по словам подруги, я впадала в иллюзию, говоря, что полиция меня никогда прежде не стопорила, тогда как очевидно, что стопорила, утверждала она, чуть ли не каждый день. Поначалу это были рутинные, поверхностные остановки, обычная вещь, которую проходят все, кто направляется в район неприемников или выходит из него. Но теперь — но не из-за Молочника, а из-за эскалации моего поведения в сторону запредельщины, меня стопорят не поверхностно, а гораздо чаще, чем просто поверхностно. Она закончила этот разговор о наблюдении и моих исчезновениях в другие измерения, сказав, что, как и в случае с камерой, мне не стоит диспропорционально волноваться в связи с тем, какое примечание они сделают в моем досье в связи с моим поведением. Поскольку я теперь стала запредельщицей с репутацией девицы, которая читает на ходу, как если бы она сидела, склонной, как говорят в сообществе, читать от задней корки до передней корки, начиная с последней страницы, и одна за другой дочитывать до первой, чтобы предвосхитить сюжетные сюрпризы, потому что я не люблю сюрпризов; поскольку я пользуюсь закладками, говорили они, или обманно загибаю не ту страницу, на которой остановилась, чтобы провести общественность по каким-то своим мозгокрутным, параноидальным причинам; поскольку, как сообщалось, у меня было бухгалтерское помешательство, и я считала машины, фонарные столбы, отсчитывала ориентиры, одновременно делая вид, что даю указания кому-то невидимому — и все это читая на ходу; поскольку я не любила фотографий человеческих лиц в книгах, на конвертах для грампластинок, в рамках на стенах, так как я воображала, что они следят за мной; и наконец, поскольку я таскала мертвых животных у себя в карманах, то что в свете этого значила «любовная связь с крупным игроком военизированного подполья, — заметила она, — и кому на это будет не наплевать, принимая во внимание остальные мои безумства?»

За этим последовала более светлая часть вечера, смягчающий пункт в конце новостей. Мы взяли нашу выпивку, пригубили, откинулись на спинки, и подруга так, между делом, сказала, что слухи обо мне начал распускать мой первый зять. «Но ты с ним не заморачивайся, — сказала она. — Он сейчас сам попал в переделку, и вскоре ему предстоит проверка». Проверка первому зятю вполне логично прилетела через его новую пассию. Последняя отправила его к монахиням — на всю катушку святых сообщества — с мастурбатскими вопросами, замаскированными под безобидный культурный интерес к искусствам. «Он принес эту скульптуру, — сказала подруга, — ну, ты знаешь, ту статую, монахиня такая, Тереза Авильская, у которой случались свои приватные случаи левитации?» Я знала скульптуру, о которой она говорила[1]. В двенадцать лет я в школьном

[1] Тереза Авильская (1515–1582) — испанская монахиня-кармелитка, католическая святая, автор мистических сочинений, реформатор кармелитского ордена, создатель орденской ветви «босоногих кармелиток». Вера в ее святость была настолько велика, что ходили слухи, будто люди видели — и не раз, — как она левитирует во время мессы. Речь идет о скульптуре Джованни Лоренцо Бернини (1598–1680) «Экстаз святой Терезы» — алтарной группе в капелле Корнаро в римской церкви Санта-Мария-делла-Виттория, созданной в 1645–1652 гг.

классе рисования листала какую-то книгу и, увидев репродукцию этой скульптуры, подпрыгнула с громким воплем, когда поняла, *что* перед моими глазами. Это было так неожиданно. Вдруг. Я и не предчувствовала, что у меня в тот день откроются глаза. Эти вздыбленные одежды, монашеские одежды на ее теле, и она внутри их, задыхается в них, а они снаружи ее, живые, может, вывернутые наизнанку, проглатывают ее. Эти складки, эти скрутки, эти витки, эти объемы, живые, струящиеся слои — конечно, все это меня напугало. Само изображение вызывало у меня отвращение и одновременно притягивало. Я подумала тогда, когда отделалась от отвращения и мимолетно взглянула во второй раз, потом в третий, в четвертый, в пятый — и только в пятый раз я увидела этого ангела с какой-то палкой — я подумала, что было бы лучше, не так пугающе, если бы на ее теле не было одежды. Но если бы ее не было, и она оставалась бы в этом скрюченном состоянии — голые руки, голые ноги, голые части тела повсюду... и с этим лицом, с тем выражением, которое на нем было — беспомощности, самозабвения, сладострастия... или противоположности сладострастию... и ее нагота, и молитва... но это не было похоже на молитву, если только... о, господи... *неужели так молятся*? Поразмыслив, мое двенадцатилетнее «я» решило, что, может, так оно и лучше, что одежда, какой бы пугающей и прожорливой она ни казалась, все время оставалась на ней.

«Скажите, сестры, — начал первый зять, потому что он пришел в монастырь с намерением показать собственную иллюстрацию той статуи, которую некоторое время уже носил при себе. — Вот эта эмоциональная картинка с религиозной скульптуры. Что вы скажете об этом экстазе, медитативном, мистическом, сластолюбивом — я чуть не слышу сладострастные стоны, — и в то же время оно крайне навязчивое, поразительно оргазмичное изображение ситуации? Правда ли, — и тут вид у него стал задумчивый, серьезный, он произнес следующие слова артистично и без всякого сексуального извращения, — что эта женщина, которая состояла в таком идеальном союзе с Богом, эта монахиня — такая же, как вы, — возможно, похотливо возбуждалась и самоудовлетворялась посредством метафоры левитации? Что же касается этого пронзительного серафима, и пронзительного, и с учетом вашего собственного опыта...»

Больше ему ничего не дали сказать.

Его, конечно, выпроводили, сказала подруга, потому что монахини вовсе не дуры и не невежественны ни в искусстве, ни даже в его подмигивании, дело было в его репутации маниакально сексуально озабоченного. Они прежде молились за него. Он даже чуть не достиг первого места в списке имен наших жителей, за которых надлежало срочно помолиться в их лонг-листе. Но после этого они его вычеркнули. Это вышло за всякие рамки цивилизованности, за рамки кроткой обращенной к нему просьбы уйти, за рамки проявления к нему обходительности, поскольку он являлся верующей душой на жизненном пути, как и они были верующими душами на жизненном пути. Нет. Они вышвырнули его — вернее, его вышвырнула сестра Мария Пий, крупная монахиня, — после того как остальные надавали ему пощечин. После этого старшая монахиня посетила наших благочестивых женщин, которые были посредницами между святыми женщинами и неприемниками той страны в нашем районе. Когда благочестивые женщины узнали эти бесстыдные новости, они отправились к неприемникам. И тогда было решено, сказала подруга, что поведение первого зятя следует на первый случай подвергнуть проверке.

«Этот человек неисправим», — сказала подруга. «Это правда, — сказала я. — Я сама так думала. Только теперь мне так не кажется. Что с ним будет? Что они с ним сделают?» И я спросила об этом не из-за опасений за него. Я думала о первой сестре, его жене, моей сестре, хотя когда об этом узнала третья сестра, то она сказала, что будет категорически рада, если его накажут, но рада ничуть не на сострадательный манер — «да сжалится Господь над его душой». Потому что он так далеко зашел в своих диких истязаниях, в своей жажде ощущений любой ценой, в полном отсутствии скромных мыслей, его наркотической ненасытности, в которой все и всё — пока оно женского рода — подлежит опробованию, подлежит присвоению, что он просто не сможет остановиться. Всё, включая и нас, его своячениц, начиная с двенадцати лет, или других женщин района, или монахинь, как теперь выяснилось. Все это было его сексуальной ареной; человек просто не знал, как занять себя на какой-либо другой арене. Вот почему моя третья сестра и я попытались поговорить с девочками. Но мелкие сестры сказали, что им ни к чему наши остережения, касающиеся чего-то лихорадочного, одержимого и прожорбрюханского в первом зяте. Всем, кто не лишен зрения, очевидно, сказали они, что у него нездоровый маниакальный невроз. «Только какое отношение имеет это к нам? — добавили они. — Почему вы приходите к нам, говорите это нам, предупреждаете нас о нашем первом зяте?» — «На тот случай, если он предпримет что-то», — сказала третья сестра. «Что предпримет?» — сказали они. «Даже если он заговорит с вами о каком-нибудь с виду невинном предмете, например о Французской революции...» — «О какой стороне Французской революции?» — «О любой, — сказала третья сестра. — Или, — продолжила она, — если он попытается устроить дискуссию по этой маргинальной научной теории, которая так нравится вам троим, теории о гидротермальном мультитурбулентном...» — «Ты неправильно ее называешь, третья сестра», — начали мелкие сестры, но я их оборвала: «Третья сестра хочет сказать, что если он попытается подольститься к вам с разговором о причинах, по которым Демосфен не одобрял Алкивиада, или если он вдруг появится и попытается разъяснить положение, почему на самом деле Фрэнсис Бэкон был Уильямом Шекспиром, что означает...» — «Мы знаем, что такое разъяснение положения!» — «Средняя сестра только говорит, — сказала третья сестра, — что если он начнет излагать итоговое исследование о различиях между обычной подписью Гая Фокса[1], до того как его подвергли пыткам, и подписью Гая Фокса, после того как его подвергли пыткам, что означает...» — «Мы знаем, что такое итоговое исследование!» — «Слушайте, мелкие сестры, — сказала я, — если он попытается ввести вас в соблазн под каким угодно поводом — наука, искусство, литература, лингвистика, социальная антропология, математика, политика, химия, прямая кишка, необычные эвфемизмы, двойная бухгалтерия, три составляющие души, алфавит иврита, русский нигилизм, азиатский скот, китайский фарфор двенадцатого века, японская единица...» — «Мы не понимаем, — воскликнули мелкие сестры. — Что плохого в этих предметах — почему о них нельзя говорить?» — «Плохое в них то, что не дайте себя провести, — сказала третья сестра. — Ни одна эта тема не будет иметь никакого отношения к тому, что у него на уме». — «А что у него на уме? Какие он на самом деле преследует цели? О чем вы обе говорите?» Мы — третья сестра и я — понимали, что не только не успокоили и не защитили детей, мы их встревожили и испугали. Тогда третья сестра сказала: «Это будет что-нибудь оскорбительное, сексуально-насильственное, грубое, отвратительное, всегда словесное, но если подумать, то не берите в голову. Вы трое еще слишком малы, чтобы что-то понимать в таких делах».

«Его будут судить, — сказала подруга, и она имела в виду в одном из судов, потому что так уж они назывались. — Это его первое предупреждение», — добавила она. «А должно бы быть не первое, — сказала я. — Он начал с меня, ког-

---

[1] Гай Фокс (1570–1606) — английский дворянин-католик, самый знаменитый участник «Порохового заговора» против английского и шотландского короля Якова I в 1605 г., был казнен.

да мне было двенадцать». — «Его могут избить, — сказала она, — и это минуя предупреждения, потому что он подкатывался к святым женщинам». — «Женщинам с проблемами, — сказала я, — это не понравится». Услышав это, старейшая подруга нахмурилась, и я сначала подумала, что это она из-за того взгляда на женскую иерархию, что женщины все для Бога, а видения в струящихся одеждах должны иметь приоритет над другими женщинами, потому что кто тогда должен быть следующим — жены? матери? девственницы? Но нахмуренность была вызвана не тем, что женщины с проблемами настаивали на справедливости, то есть на отказе от патриархата, а тем, что я сослалась на ее дело, тогда как между нами существовало то молчаливое соглашение, что я никогда не буду этого делать. Но на деле это она сама начала со своего дела. Отправка курьера, этого мальчишки с посланием, чтобы договориться о нашей встрече, была ее инициативой и ее бизнесом. «Это ты начала», — сказала я. «У меня не было выхода, — сказала она. — Из-за твоей умственной деградации и потому что я подумала, что после всех резкостей относительно твоих дефектов тебе неплохо бы взбодриться — отсюда и твой зять. Но ты права. Давай оставим это и перейдем теперь к неполитическим вопросам».

После этого наш разговор в питейном клубе закончился, а у меня после этой встречи состоялись еще три со старейшей подругой из начальной школы. Одна — на ее свадьбе за городом через четыре месяца, на которой я единственная — если не считать священника — была без противосолнечных очков. Потом я встретила ее через год после свадьбы, на этот раз на похоронах ее мужа. А три месяца спустя я была на ее похоронах — ее подхоронили к мужу. Это было на участке неприемников неподалеку от десятиминутного пятачка, известного также как «негородское кладбище», «безвременное кладбище», «многолюдное кладбище» или просто — обычное место.

Пятая

Девица, которая на самом деле была женщиной, которая отравляла напитки, отравила меня, а я об этом не знала, даже когда проснулась с жуткими болями в животе, через два часа после того, как легла. Поначалу я решила, что это новый приступ той дрожи, того пощипывания, жуткого ощущения, появившегося с приходом в мою жизнь Молочника. Но нет. Таблеточница подсунула что-то в мое питье. Это случилось в клубе, когда мы со старейшей подругой заканчивали нашу дискуссию, которая, как я думала, будет о Молочнике, а она оказалась о моем статусе запредельщицы. Подруга ушла в туалет, и, как только я осталась одна за столом, откуда ни возьмись появилась эта девица, которая на самом деле была женщиной. Она немедленно обвинила меня в преступлениях против человечества и еще в эгоизме; а еще она меня отравила, и ей удалось сделать все это, прежде чем я успела ей сказать, чтобы она шла в жопу. «Тебе должно быть стыдно», — сказала она, вовсе не имея в виду мою любовную связь с Молочником, о которой, как я подумала, она и ведет речь, потому что все — хотя это их ничуточки не касалось — только об этом и вели речь. Нет, она имела в виду мой сговор с Молочником с целью ее убийства в какой-то другой жизни. С ее слов получалось, что я была виновна не только в ее смерти, но и в смерти двадцати трех других женщин — «некоторые из них собирали травы, — сказала она, — занимались своей невинной белой медициной, а другие вообще ничего не делали», — и я совершила эти преступления в то время, когда мы — всего нас было двадцать шесть — находились в той другой жизни. Она имела в виду прошлую инкарнацию в какой-то промежуток семнадцатого века, и она назвала даты и время и сказала, что он был доктором, но одним из этих докторов-шарлатанов. Здесь на ее лице появилось выражение отвращения, оттого что я связалась с таким мошенником, стала его котом-фамильяром. Она сказала, что мне бессмысленно отрицать то, что я знала о его самозванчестве. Я его сама подстрекала, занималась для него черной магией, разрезала мертвых животных, была пособницей совершенных им в нашей живописной деревне убийств тех двадцати трех женщин, а еще и ее. «Мы все умерли, сестра, — сказала она, — из-за тебя». А потому, сказала она, я заслужила точно того, что меня ждет. И в этот момент мне удалось вырваться из ее гипнотического бреда и сказать: «Бога ради, уйди уже ты в жопу». Когда вернулась старейшая подруга и спросила, что тут было, я отрицательно покачала головой и ответила: «Да ну, эта таблеточница». Старейшая подруга предупредила меня, чтобы я была настороже с таблеточницей, потому что, как сказала она, «эта несчастная девица, которая на самом деле женщина, пускается во все тяжкие».

Так оно и случилось. Нашей самой известной запредельщицей была эта девица, которая на самом деле была женщиной, маленькой, худенькой, жилистой девицей под тридцать, и она подсыпала яд в питье людям. Долгое время никто не мог получить от нее какого-либо объяснения на этот счет. Те предположения, что существовали, напредполагались с помощью богатой фантазии сообщества ввиду того, что выудить какую-либо информацию из нее оказалось невозможно, при этом большинство решило, что она делает то, что делает, из-за какого-то феминистского недовольства. По поводу недовольства они ничего пока не придумали, но если принять во внимание, что люди видели, как женщины с проблемами из нашего района, говорили они — называя еще одну группу запредельщиц, — разговаривали с таблеточной девицей, может быть, наставляли ее, промывали ей мозги, чтобы она вступила в движение, то это означало, что явные проблемы, например те, что были у этих воинствующих феминисток, могли быть единственной причиной, по которой она предпринимала бесконечные попытки убить всех нас. В то время женщины с проблемами отвергали всякие обвинения, говорили, что это непонимание их целей, а еще, что сообщество не представило ни малейших свидетельств в подтверждение. Они добавили, что таблеточная девица травила людей задолго до того, как они решили поговорить с ней, и вообще поговорить с ней они решили только для того, чтобы понять и вмешаться. Поэтому, сказали они, невозможно с бухты-барахты, подходя безответственно, пытаться выискать, какой цели пыталась достичь эта крохотная личность своими отравлениями. И тогда интерпретации продолжились, как продолжились импровизации и споры вокруг этих интерпретаций. Продолжились и отравления, и продолжались они, главным образом, по пятницам во время танцев в самом популярном питейном клубе района, вот там-то и в это время и нужно было держать глаза пошире.

В особенности внимательной стоило быть, когда ты на танцевальной площадке с твоим бойфрендом или компанией, а напитки без пригляду стоят на столе, и она может делать с ними что угодно. Якобы перед ее появлением неизменно появлялись две группки. Приходили неприемники той страны в своем черном одеянии, балаклавах, с пистолетами, приходили проверить, нет ли здесь нежелательных элементов и выпивох, не достигших совершеннолетия. Нежелательных и малолетних выпивох всегда хватало, но ни разу никого не выволакивали на улицу и не заставляли уходить. Это было такое притворство. Все знали, что это притворство, демонстрация силы, одна из тех презентаций дресс-кода, через которую приходится проходить раз в неделю. Они входили решительной походкой, оглядывались, демонстрировали свое вооружение, заканчивали инспекцию и уходили, а секунды спустя появлялась другая группа, и происходило еще одно притворство. Это были иностранные солдаты, «заморская» армия оккупантов. Они тоже были в своем облачении — хаки, шлемы, пистолеты, они приходили в поисках неприемников, тех самых, с которыми они разминулись считаные секунды назад. Лишь время от времени нас посещала мысль о размерах той кровавой бани, которую могли устроить эти две группы, появись они там одновременно. Но за все эти годы в пятничный вечер ни одного такого столкновения не произошло. Мы говорили, что в это трудно поверить, поэтому оставалось предположить, что между ними имелась какая-то подсознательная синхронизация, происходили какие-то взаимосвязанные случайные совпадения на уровне подсознания. «Сегодня пятница — вероятно, говорило одно подсознание другому — так почему бы нам не упростить дело? Что, если ты пойдешь первым, а потом мы? На следующей неделе мы пойдем первыми, а когда уйдем — заходи?» Вероятно, так оно и происходило, потому что иначе не объяснить, как им удавалось разминуться на доли секунды не раз, не два, но легко двести раз. И вот две эти армии входили, делали свое дело, внимательно всех разглядывали, устраивали показуху, демонстрировали свою крутость, а все остальные, то есть мы — молодежь на танцевальной площадке, молодежь за столиками, молодежь у бара, целующиеся и тискающиеся по углам — игнорировали их. Но как только появлялась таблеточная девица, да, тут происходило кое-что другое.

Она пришла!

Быстро!

Все по местам! Осторожнее! Смотрите в оба глаза! Таблеточная! Таблеточная пришла!

Это шептали все посетители заведения. В этот момент начиналась пьяная паника, и назначенный от каждой группы, за каждым столом, «смотрящий или смотрящая» на эту неделю неслись к своему столику с танцевальной площадки, из туалета, от бара, из объятий в темных уголках. Они охраняли наши стаканы, но и все остальные из нас тоже напрягались, мы печенкой чувствовали ее присутствие. Мы подталкивали друг друга локтями, поворачивались вокруг своей оси, следя за ее перемещениями, все наше внимание сосредотачивалось на ней, а она, как некий призрак, некий жутчайший кошмар, неспешно, бочком прохаживалась по заведению. Вы могли бы подумать, что с учетом нашей гипербдительности мы, большинство, занимали наилучшие позиции, чтобы воспрепятствовать таблеточнице и защитить себя от того, что угрожает нашему здоровью. Но когда доходило до дела, этот одинокий воин неизменно одерживал победы. Никто не знал, как она это делает, но она владела способами подсунуть свое вещество, даже если ее жертва сидела за столом. Ответственный за стол — и это подтверждали все — добросовестно бросался к месту своей ответственности, придвигал к себе стаканы, держал их рядом с собой, исключая всякие вероятности. Вежливости тоже не придерживались — тут преобладала потребность прогнать ее. «Пошла в жопу!» — кричали они, утверждая потом, что в таких ядовитых ситуациях всегда лучше быть откровенным. «Пошла в жопу!» — орали на нее. «В жопу пошла!» — забывал «смотрящий» обо всяких правилах приличия. «В жопу!» — они не брезговали ужасающей грубостью. Но к этому времени, если «смотрящему» приходилось столько раз посылать в жопу самую успешную за все времена, лучшую отравительницу райо на, а она никуда от него не уходила, велики были шансы, что он и как минимум еще один из их компании сложатся пополам от боли, будут колотиться, цепляться, дрожать, корчиться, наевшись всевозможными промывающими лекарствами, будут кричать, умолять в изнеможении, чтобы смерть поскорее забрала их, чтобы только это закончилось, чтобы не затянулось до того времени, когда эта долгая ночь зарозовеет рассветом.

Все ее ненавидсли, но, несмотря на всю эту нелюбовь, таблеточная девица была вполне себе вписана в достижения сообщества. Даже если ее достижение было невесть каким достижением, параноидным достижением, отравительским достижением, потому что люди могли впасть в ярость, у них могло возникнуть желание убить ее. Но никому не приходило в голову, что нужно запретить ей появляться в самом популярном питейном клубе района. Как никому не приходило в голову, что ее нужно положить в клинику, посадить в тюрьму, что ее семье следует запретить ей выходить из дома или по крайней мере всем членам семьи по очереди сопровождать ее каждый раз, когда она выходит из дома, чтобы все мы каждый вечер пятницы не подвергались опасности отравления. Какую бы угрозу она собой ни представляла в те другие времена, во время другого сознания, когда доминировал другой подход к жизни и смерти, к традициям, ее терпели, как приходилось терпеть непогоду, природные катаклизмы или враждующие армии, заходящие в питейный клуб по пятницам вечером. Казалось, что мы, сообщество, не можем пойти дальше, чем объявить ее запредельщицей. Потом ее траектория изменилась, и она стала травить людей и в другие дни, не только в пятницу, при этом она еще и обрела голос — объясняла, почему это делает.

Недавно она отравила собственную сестру, сказала подруга, хотя пока семья утаивает случившееся и помалкивает об этом. Она обвинила сестру в том, что та представляет собой некую неприемлемую сторону ее самой. «Это как-то сложно, — сказала я. — Ты имеешь в виду...» — «Ты права, — сказала старейшая подруга, — некую отколовшуюся захватническую сторону ее самой». Казалось, что в районе мало места для всех этих ее противоречивых сторон, а потому из чувства самосохранения, поскольку одна сторона была отравительницей, то другая сторона, которая не была отравительницей — ее сестра, должна была исчезнуть. Старейшая подруга потом согласилась со мной, что да — с тех пор как таблеточная девица стала пускаться в свои объяснения, способность сообщества объяснить ее мотивы и в самом деле сузилась, и что если я перестану читать на ходу, уткнувшись в книгу, и переселюсь в реальный мир, то я, может быть, замечу, как сообщество изо всех сил старается держаться на плаву. Все здесь что-нибудь пропагандировали. Здесь происходила постоянная и безошибочно узнаваемая «пропаганда какой-нибудь одной фигни», и эта «пропаганда фигни по одной зараз» происходила практически все время. Зыбучие пески какой-нибудь приемлемой зауми легко впитывались расовым сознанием сообщества, но когда дело касалось запредельщиков типа таблеточной девицы (а теперь и меня, хотя я все еще пыталась отбрыкаться), то они были сами для себя закон. Говорили, что запредельщики часто нарушают конвенцию и пропагандируют что-нибудь не рассудительно, по одному зараз, а без одобрения и объявления пропагандируют вещи по две, по три зараз, а то и вообще перепрыгивают через несколько ступенек к какой-нибудь новой, даже еще более неестественной выдумке. Вот это и делала таблеточная девица, которая считала, что ее сестра — противоположная сторона ее самой.

Подруга объяснила, что отравленная младшая сестра, та, которая яркая, была отравлена до степени госпитализации, а по правде говоря, до степени, когда никакой госпитализации не требуется. Она была отравлена до такой степени, что большая часть ее тела оказалась в земле. Она, конечно, не обратилась в больницу, потому что, как и с вызовом сюда полиции, — каковой вызов означал, что ты не вызывала никакой полиции — обращение к медицинским властям могло также восприниматься как неосмотрительное. Одна властная ветвь, говорили в сообществе, всегда влекла за собой другую властную ветвь, и если ты получил огнестрельное ранение, или тебя отравили, или ударили ножом, или повредили каким-либо другим способом, о которых у тебя нет настроения говорить, больница передавала информацию в полицию, независимо от твоего желания, а те немедленно приезжали из своих казарм. А дальше, предупреждало сообщество, происходило вот что: полиция, выяснив, с какой ты стороны дороги, скомпрометирует тебя, предложит тебе выбор. А выбор будет такой: либо тебя подставят, распустят слух в твоем районе, о том, что ты их осведомитель, либо ты на самом деле станешь осведомителем и будешь осведомлять их о действиях неприемников той страны в твоем районе. Так или иначе, рано или поздно посредством неприемников, твое тело окажется среди последних, найденных у въезда в район, с обязательной банкнотой в десять фунтов в руке и пулями в голове. Так что нет. По правилам сообщества ты никак не желал беспокоить больницы. Да и зачем тебе, когда к твоим услугам были операционные в безопасных домах, палаты для раненых в малых гостиных, домашние аптеки и более чем достаточно садовых травозаготовительных складов?

Что касается сестры таблеточной девицы на три четверти в могиле, то она сделала все, что смогла, ее семья и соседи тоже сделали все, что могли. Спустя все многочисленные жесткие промывки все пытались сказать, что с ней все в порядке. Когда она начала идти на поправку, выяснилось, что здоровье и зрение этой молодой женщины резко ухудшились по сравнению с тем, какими они были прежде, а потому в очередной раз было задействовано правосудие сообщества, осуществляемое через неприемников. Семья, раздираемая противоречиями, поскольку была кровно связана и с жертвой, и с преступницей, стала умолять неприемников воздержаться от наказания и дать таблеточной девице еще один шанс искупить вину. Неприемники сказали, что в последний раз дают ей такую возможность, но если таблеточная девица не остановится, то они сами ее остановят. Поэтому теперь, в свете ее последнего пренебрежения их предупреждением, время пришло, сказали неприемники, они должны выполнить свое обещание. Старейшая подруга сказала тогда, что неприемники не стали действовать сразу, а вместо этого медлили, поскольку семья умоляла их об этом. И тогда они вызвали семью и предупредили: «О'кей, — сказали они. — Последний шанс, но больше никаких поблажек».

После этого мы допили то, что у нас еще оставалось, покинули заведение, и я отправилась домой, легла в кровать и заснула, и спала, пока меня не разбудило что-то невидимое, просочившееся в комнату, проникнувшее под мое одеяло, забравшееся ко мне в открытый рот и скользнувшее внутрь через горло. Я резко проснулась с криком: «Оно во мне! Оно пробралось внутрь! Они пробрались в меня, пока я спала!» Но прежде чем я успела толком проснуться и сообразить, о чем я кричу, мною овладело ощущение пожара внутри меня. Во рту у меня тоже жгло, и я поначалу подумала, что у меня выпала пломба из зуба. Потом я подумала, нет, это не зуб! Это скорее похоже на Молочника, на то, как влияют на меня его домогательства. Потом начались спазмы, они выдавливали из меня воздух, выталкивали его из меня, мои мышцы ошалели, я вся закаменела. Потом я выпала из кровати, по-прежнему закаменевшая, мои внутренности превратились в камень. Я выползла из спальни на локтях и коленях, открыла дверь ударом головы, потому что я не могла поднять голову, потому что мое тело окаменело. Я не понимала, что означает удар головой, что такое дверь, не понимала, куда я ползу, знала только, что должна выбраться из спальни, чтобы мне оказали помощь.

На верхней площадке начались новые боли, какие-то стреляющие, пересекающиеся. Из-за них я была вынуждена остановиться где-то между моей спальней и ванной, все это время я слышала какие-то странные звуки, думала, что это радио, почему-то говорящее медленно. Потом я уже узнала, что это были мои стоны и «Представляешь! Они всех разбудили!» — вскричали мои мелкие сестры. Они говорили с облегчением, эти сестры, и это было на четвертый день после отравления, когда я лежала в кровати, поправлялась, выкарабкивалась. Они показывали мне, как звучали мои стоны, демонстрировали выборочно, еще описывали мне события той ночи, добавляя, что я была белая — «но не такая жутко белая, как ты обычно». — «Больше похоже на молоко», — сказала старшая мелкая сестра. «Бутылка с молоком», — сказала средняя мелкая сестра. «Как белое молоко, которое еще и покрасили белой краской, — добавила младшая мелкая сестра, — отчего оно светится в темноте». Между мелкими сестрами начался спор по поводу свечения в темноте — действительное ли оно или выдумка. Еще они поспорили по поводу этой дополнительной белизны — когда она материализовалась. Случилось ли это *до того*, как наша мама и соседи промыли меня, или после того, как наша мама и соседи промыли меня? Потому что да, наша мама и соседи промывали меня, мама первая прибежала ко мне на площадку, она обхватила меня руками из-за того, что происходило внутри меня, и я не слышала, как она поднялась. Но я почувствовала ее сильные руки, почувствовала ее теплое дыхание, и в этот момент поняла, что никто мне не поможет лучше ее. Ухватившись за край ее ночной рубашки, я проползла по этой рубашке, уткнулась в живот этой рубашки и поняла, что я в безопасности, что теперь я не буду одна.

Спасая меня, она, конечно, одновременно устраивала мне головомойку. Параллельно быстро меня осматривая и выстреливая в меня вопросами: Не порезали ли меня? Не ударили ли меня ножом? Что я ела? Что я пила? Не дал ли мне кто-нибудь необычный чего-нибудь необычного? Не поссорилась ли я с кем-нибудь? Не бил ли меня кто-нибудь по голове прежде? Стоят ли доверия все мои доверенные друзья? Чем меня отравили? И с этими вопросами последовало ее первое оценочное суждение. «Чего же ты хочешь, детка, — сказала она, — если ты уводишь мужей у других?

Конечно, эти женщины попытаются тебя убить. Несмотря на все твои знания о мире, как получилось, что ты не знаешь этого?» Я не поняла, что имеет в виду мама под моими знаниями мира. Мое знание мира состояло из гребаного ада, гребаного ада, гребаного ада, который не поддавался разложению на детали, деталями на самом деле были сами эти слова. Но мама не закончила свои хиты про жену и мужа. За этим последовали новые «чего же ты хочешь?», только на этот раз с вариациями на тему моих отношений со множеством мужей, иногда со всеми мужьями, а иногда всего с одним мужем — с Молочником. «Глупая девчонка. Ах, какая безголовость! Безголовость! — воскликнула она. — Ты девчонка, а он в два раза старше!» Здесь она замолчала, чтобы поднять меня, прижать к себе и утащить в ванную. Потом она продолжила свои обвинения и, сделав быстрый вывод, мрачно добавила: «И все равно, когда встанешь на ноги, дочка, я хочу, чтобы ты составила мне список всех этих жен». В этот момент я все еще сжималась в шар, не могла выпрямиться, не могла встать, волны боли все еще нарастали, пронзали меня то снизу, то сверху — по-прежнему на этот перекрестный лад. И вот она подняла меня этаким шаром, сказала, чтобы я обняла ее за шею, одновременно держась другой рукой изо всей силы за перила, требуя одновременно, чтобы я сказала ей про яд. «Но что они тебе дали? Ты знаешь, что они тебе дали?» — и тут я наконец выдавила из себя: «Никаких жен, ма. Никаких мужей. Никаких дел с Молочником. Никакого яда!» И тут — не слушая, потому что новая мысль пришла ей в голову — она словно в камень превратилась.

«Боже милостивый! — воскликнула она. — Так они правы? Они все правы? Он тебя фертилизировал, этот неприемник, этот умник, “первый в списке разыскиваемых”, лжемолочник?» — «Что?» — спросила я, потому что словечко было уникальное, словечко, которое она использовала, и я искренне несколько мгновений понять не могла, что она имеет в виду. «Зарядил тебя? — уточнила она. — Обрюхатил? Сделал живот? Опузырил? Обрызгал? Заставил раскаяться? Пожалеть, что это случилось? Господи боже, детка, неужели я должна это тебе говорить по буквам?» А почему бы и не по буквам? Почему бы она не могла просто сказать «сделал беременной»? Но такой уж была мама. И я не то чтобы была слишком занята, чтобы устроить себе передышку от отравления — хотя я так еще и не понимала, что это отравление, — и догадаться о смысле ее последнего замечания. Она не стала задерживаться и на трудных беременностях, потому что не могла рассказывать истории ужасов одну за другой без перерыва. За этим последовали аборты, и про них мне тоже пришлось догадываться, начиная с «глистогона, мяты болотной, яблока дьявола[1], преждевременного изъятия, неудачи на пути к существованию» и кончая рассеивавшим последние мои сомнения: «Что ж, дочка, ты не можешь разочаровать меня сильнее, чем разочаровала, так что скажи — что ты раздобыла и какая из этих абортарок помогла тебе в этой раздобыче?»

Это для меня было в новинку. Я не знала, что у нас в районе есть абортарки, что неприемники позволяют им существовать и не в состоянии приостановить их деятельность. Типично для мамы, источника знания, открыть мне, как она и всегда это делала, поразительную деталь о грязной стороне жизни и одновременно обвинить меня в том, что мне эта сторона уже известна. И опять она не демонстрировала никакой веры мне, ей даже в голову не приходило, что я могу говорить правду, что я правдива, что мне хватает здравого смысла не связывать свою жизнь с таким типом, как Молочник, и все это не стимулировало меня простимулировать ее доверием ко мне, потому что, с какой стати? Когда я попыталась в прошлый раз сделать

[1] Мята болотная и «яблоко дьявола» (мандрагора) в народной медицине считались абортивными средствами.

это, она обозвала меня вруньей, потребовала, чтобы я сказала ей правду, хотя именно это я и сделала. Правда ей не была нужна. Она хотела одного — подтверждения слухов. Так какой был прок в попытках раскрыть ей глаза, заставить понять, что эти спазмы, окаменелость, неспособность распрямиться, неспособность стоять объясняются не ядом и не какой-то там игрой ее воображения, а были усиленной версией обычного? Я болела, потому что Молочник преследовал меня, Молочник не отпускал меня ни на шаг, Молочник знал обо мне все, он не жалел своего времени, сужал круги, и все это из-за тлетворности секретности, привычки пялить глаза и судачить, существовавшей в этом месте. Поэтому наши с мамой цели разнились, наши с ней цели всегда разнились, но потом я все же предприняла попытку, потому что в этот момент, а это был момент одиночества, мне более чем когда-либо требовалась ее вера в меня, требовалось, чтобы она поняла меня правильно. «Никаких жен, ма, — сказала я. — Никаких мужей, никаких плодов, никаких абортарок, никакого яда, никакого самоубийства», — последнее я добавила, чтобы избавить ее от необходимости добавлять это самой. «Тогда что же это?» — сказала она, и в разгар боли, в разгар действия яда, я вдруг почувствовала, как божественное облегчение нисходит на меня, а все потому, что она оставила свои упреки и задумалась — а не говорю ли я правду. Полюбить ее было так просто. Иногда я видела, как легко я могу полюбить ее. Но потом это прошло, и она оставила сомнения, упреки, забыла о том, что тащит меня, что предъявляет ложные обвинения, — она обратилась к мелким сестрам. Три сестры вылезли из кроватей и в этот момент стояли за нами в ночных рубашках.

Она скомандовала им помочь ей, и мелкие сестры, конечно, с радостью принялись исполнять ее команды. Они любили драму, любую драму, если это была настоящая драма и они могли в ней поучаствовать или по меньшей мере поприсутствовать. Они бросились к нам и ухватили меня именно там, где сказала им мама, и вчетвером протащили меня по оставшейся части площадки, вниз по ступенькам в конце площадки, потом в ванную, где мелкие сестры отпустили меня. Они решили, что меня нужно отпустить, и я упала вместе с мамой на пол. Удар был резкий, болезненный, и я в первый момент вскрикнула. Потом я поняла, что пол здесь подходящий. Холодный, ровный, приятный, но все же ненадолго, потому что мое тело снова начало заявлять о себе. Я опять встала на локти и колени, готовясь к неизбежному. Мама тем временем раздавала команды мелким сестрам — взять в ее спальне ключи от ее аптечки во дворе и немедленно принести ей. Они ринулись в ее спальню все одновременно, мелкие сестры всегда так всё делали, а мама, повернувшись назад ко мне, продолжала давить мне на живот и одновременно приказывать мне думать! думать! Если не «залетела», если не «гоняла глиста», если не мята болотная, то не ела ли чего-нибудь? Не ошивался ли поблизости кто-нибудь из тех, кто не должен ошиваться, но я теперь вообще не могла отвечать ни на какие вопросы. Все еще сжатая в клубок, все еще сохраняя эту странную форму, я метнулась к ванне, к полу, к унитазу, потом снова рухнула на пол. Надвигалось что-то огромное, и мне казалось, что у моего тела мало надежды на хороший исход.

Сестры вернулись, звеня ключами, и мама вскочила на ноги с обращенным к ним криком: «Вернусь через минуту!» Она приказала им не отходить от меня, не сводить с меня глаз, не позволять мне лечь на спину и уснуть, срочно вызвать ее, если я начну синеть или со мной случится что-нибудь кроме рвоты. Она бросилась прочь, а сестры встали вокруг меня, и их рвение я ощущала сильнее тепла их тел. Этих тел я не видела, потому что мой лоб в очередном приступе облегчения был прижат к полу. Короткая передышка, я это знала, а еще я знала, что должна наслаждаться этой простой радостью, пока не подступили новые корчи. Но мелкие сестры тут же принялись визжать. Трясти меня. Толкать меня. «Прекрати! Не спи! Мама сказала, тебе нельзя спать!»

Мама вернулась с пинтой какого-то чудовищного на вид зелья с отвратительным запахом. Еще появились соседки с большими бутылками в оплетке, стеклянными колпаками, зелеными, коричневыми и желтыми консервными банками, с бальзамами, зельями, склянками, травами, порошками, рычажными весами, ступками и пестиками, громадными фармакопеями, а также дистилляциями из разряда «имей в семье», изготовленными по собственному рецепту. Они материализовались из ниоткуда, что было обычно для соседей в случаях небольничной болезни. Они, как и мама, подготовились к действиям, рукава их ночных рубах были закатаны. Сначала в ванной состоялся консилиум, женщины стояли надо мной, обменивались мнениями над моим телом. Я слышала почти все, а чего не слышала, мне потом дорассказали мелкие сестры. Они обсуждали план действий, пуристки из них говорили, что неправильно вызывать рвоту, пока они не знают, с чем имеют дело. Другие призывали посмотреть реально на вещи, говорили, что сейчас нельзя терять время на выяснение причин и перфекционизм, что в данном случае импровизированный пожарный подход абсолютно подходящее средство. «Если говорить об абсолютности, — сказала одна из соседок, — то этот случай абсолютно похож на случай той бедняжки, которую отравила сестра». — «Какой бедняжки?» — сказала мама, и голоса, как потом рассказывали мне мелкие сестры, в этот момент зазвучали тихо.

«Да всего на днях, — начала соседка, — и вы должны помалкивать об этом, соседки, потому что информация еще надлежащим образом не просочилась в сообщество, но у этой маленькой девицы, которая на самом деле женщина, случился очередной из ее сдвигов. Она отравила сестру, которая яркая». Соседки закивали, потому что большинство из них, оказалось, присутствовали на той промывке. Но мамы там не было. И мелких сестер тоже не было, и сообщение об этой новости произвело на них сильное действие. Как бы они ни любили драму, сестру таблеточной девицы они любили сильнее драмы. С этим известием об ее отравлении и независимо от возбуждения, которое они испытывали, — как же: им разрешили присутствовать на взрослом аналоге полуночного приключения в духе Энид Блайтон — в данном случае на приключении появился изъян, который почувствовали не только они. Несмотря на ее яркость, ее дружескую расположенность, ее добрую волю ко всем и так и нарывающуюся на неприятности открытость, сестру таблеточной девицы любили все. И тут в ту ночь в ванной мелкие сестры, услышав эту новость, забеспокоились, забеспокоилась и мама. Они вчетвером испытали потрясение. Да что говорить, у всех женщин был потрясенный вид. Они молчали чуть не целую вечность, осознавая тяжесть случившегося с этой лучезарной молодой женщиной, забыв в этом промежутке вечности, что другая, пусть и не столь яркая молодая женщина, лежит у их ног.

Наконец одна из них сказала: «Об этом стоит помнить, но на самом деле ситуация в данном случае другая». — В этот момент внимание всех снова вернулось ко мне на полу. — «Тот случай кажется мне гораздо более серьезным», — сказала она. И соседи, которые раньше промывали бедняжку другую, пришли к выводу, что мое состояние не такое плохое, как у нее. Однако из-за их заблуждения — что мое состояние может быть только следствием мести со стороны жены Молочника — они не поняли важности собственных слов. Мама тоже не поняла и в тот момент, как это ни невероятно, не поняла и я. И даже когда имя сестры таблеточной девицы проникло в мой мозг, пока я лежала на полу, я так и не заметила очевидный след хлебных крошек. Я, конечно, посочувствовала девушке, когда старейшая подруга сказала мне, что с ней сделала сумасшедшая сестра, но это было все равно что посочувствовать человеку, который, как тебе сообщили, пережил тяжелое испытание, даже на секунду не подумав, что ты сама накануне такого же испытания. Так что это в одно ухо влетело, а в другое вылетело, этакое вполне мимолетное сочувствие к сестре таблеточной девицы, беззаботность без всякой задней мысли, но и не сочувствие истинного понимания или прочувственного сострадания. Что же касается моего собственного взгляда на мое состояние, то я полагала, что было бы абсурдно считать, что эта боль в животе связана с отравлением, тогда как она связана с нервами, — даже если с нервами в худшем состоянии, чем они были когда-либо после встречи с Молочником — и в этот момент мама сделала невероятный шаг: предложила отправить меня в больницу, заявив, что не готова позволить умереть дочери из-за того, что принятые в обществе правила запрещают ей вызывать «Скорую». Ее слова были восприняты как взрыв бомбы. Соседки заахали. «Перестань! Ах, перестань!» — и они принялись умолять ее не делать этого.

«Ты с ума сошла, дорогая соседка! — воскликнули они. — Ты сама подумай. Ты не можешь отвезти ее в больницу. Не говоря уже о нормах, принятых в районе, запрещающих обращение в больницу, если дело какое-то сомнительное, что может потребовать привлечения полиции, нельзя закрывать глаза на тот факт, что репутация твоей дочери бежит впереди нее, а это наверняка и случится, если ты отвезешь ее туда. Если эта полицейская банда пронюхает, что у них в больнице любовница *сама знаешь кого*, то они решат, что у них в руках самая лучшая наживка, чтобы выманить на нее одного из самых законспирированных неприемников из всех». — «Почему они за это ухватятся? — продолжила другая соседка. — Твоя дочка совсем еще молоденькая, ею легко манипулировать, ее легко застращать. Они ее напугают, подвесят на крючок, впутают, поставят все с ног на голову, — *будь прокляты их сердца, собаки уличные!* — а если она не поддастся, это ее тоже не спасет, как ты прекрасно и сама знаешь: здесь один только намек на осведомительство более чем достаточен».

«А потом ты сама, — завела песню другая, — бедная вдова с целым домом девочек, муж умер, один сын убит, другой в бегах, еще один сын сбился с пути, а еще один тайком приходит и уходит, словно замыслил что-то. Потом есть твоя старшая дочь в безутешном горе, твоя вторая дочь, запрещенная неприемниками, твоя третья дочь, идеальная из идеальных, если еще забыть про ее французский, который официально признан самым пидарастичным в районе. А теперь еще и дочь, которую будут подозревать в предательстве. Ты подумай о мелких». Они показали на мелких, стоявших рядом с ними, жадно ловивших каждое слово. «Нет, — они покачали головами. — Никакой больницы. Этой придется выжить. И она выживет, — настаивали они. — Так что не волнуйся, соседка. — Тут они принялись похлопывать маму по плечам, обнимать ее. — И не забывай, — закончили они, — мы ведь знаем, что тут нужно делать. Мы все, включая и тебя, много-много раз проходили через эти импровизации, приобрели начальный опыт, знаем эти доморощенные рецепты».

Я соглашалась с соседками, хотя и не в пункте бегущей впереди меня репутации. Единственная причина, почему она предшествовала мне, состояла в том, что они ее состряпали и поставили передо мной. Любовница *сама знаешь кого* было бы глупостью, если бы сам Молочник не настаивал на таком моем положении. А кроме того, в районе, который питался подозрениями, предположениями и неточностями, где все было вывернуто наизнанку, невозможно было толком рассказать какую-нибудь историю или не рассказывать ее, а просто помалкивать, все, что здесь говорилось, все, о чем умалчивалось, превращалось в сплетню. Поскольку это сообщество верило в сплетни, то насколько был велик шанс, что власти, сталкивающиеся с презрением и неуступчивостью запретного района, не будут хвататься за всякие глупости, фотографировать их, снимать на кинопленку, складывать в папки, сопоставлять с другими сведениями и тоже легко верить в это? Что же касается осведомительства, то полиция могла захомутать кого угодно в любом случае. Они знали, что могут в любое время задержать тебя и попытаться перетянуть на свою сторону. И это независимо от того, вызывал ты «Скорую» или нет. Вызов «Скорой» не должен был быть проблемой, но он был проблемой, потому что таким тогда был порядок вещей. И все же сама я не хотела «Скорой», не хотела больницы. Да и нужды в них не было, потому что — *сколько еще я должна повторять?* — это было никакое не отравление. Но соседки смотрели на это по-другому. Они предложили промывку, сказали, что если я выверну все свои кишки наизнанку, то это не повредит. «В конечном счете, — продолжали они, — кажется, что ее тело само пытается извергнуть что-то. Мы ему только поможем». Поэтому началась промывка и выворачивание кишок.

Они вмешались в состояние моих внутренностей, повлияли на мой следующий приступ корчей, и уже не знаю, какую дозу промывочного средства они туда влили, действие его было таково, что меня и в самом деле вырвало. В ту ночь меня чем только не пичкали, и все это выходило из меня наружу, а в промежутках я не менее семнадцати раз переходила из состояния окаменелости в состояние тряпичной куклы. Поначалу я пыталась считать, чтобы отвлечься, сделать вид, что это упражнение на отстраненность. Я считала вслух, сказали мелкие сестры, потом они сказали, что я либо потеряла счет, либо стала произносить цифры неразборчиво. Я вспомнила ощущение, которое испытывала — надрывное чувство в горле, в животе, а сначала я наивно думала, что у меня будет только нормальная неприятная рвота. Во время этой блевотной сессии я выдала последнее, что ела, а потом пошла сплошная желчь. Нет, сначала какое-то содержимое желудка. Потом были множественные выбросы отвратительного коричневого кишечного вещества. Потом уже, когда я уже не могла справляться с коричневым веществом, только после этого пошла желчь. После этого было еще. Потом были сухие позывы. Чертова прорва сухих позывов. И все эти этапы — в возрастающей степени против гравитации — скоро привели к тому, что у меня возникло неодолимое желание закрыть глаза, и я принялась умолять, чтобы мне разрешили их закрыть. Вообще-то я едва могла держать их открытыми. Нужно уснуть, думала я. Нужно лечь. Поскорее умереть. Почему они не дают мне поскорее умереть? Мне и вправду казалось, что именно эти женщины с их промывкой и время от времени молитвами, а не яд, были причиной того, что я умирала в нашей ванной в ту ночь. Роздыху мне не давали. Они разделились на две группы — одна давала мне рвотное, а другая занималась молитвами. Потом они менялись, и только спустя многочисленные продолжения и изнеможения понемногу наступила более сносная часть ночи. Она проходила короткими урывками забытья, которые по возрастающей перемежались с более долгими урывками забытья, каждый из которых наступал после новой порции, которую давали мне очистители, после чего организм исторгал из меня остатки яда. И только когда они оставили меня в покое, я смогла остаться лежать на полу, чувствуя облегчение, оставленная в покое, одна. Я лежала, созерцая пол — тоненький слой пыли на нем, волосок, крапинки моей рвоты, и думала, что единственными реальными вещами в этом мире были вот эти основополагающие компоненты пола, пыль и все остальное, и что они, и только они могут вечно поддерживать мое существование. Но иногда я передумывала, и тогда на место пола становилась панель ванны, или унитаз, или дружелюбная стена ванной, против которой я время от времени обнаруживала себя, тогда они казались мне столь же надежными, тоже обещающими поддерживать мое существование вечно.

Когда я пришла в себя в первый раз, стоял день, и я лежала в кровати, умственно спрягая французский глагол *être*[1]. Я его в уме пропускала через лица, времена и наклонения. Когда я пришла в себя во второй раз, я по-прежнему лежала в кровати, думала, что ж, если он произвел на меня такое действие своими сексуальными домогательствами, то я не знаю, смогу ли я теперь спастись от него. Когда я пришла в себя в третий раз, мне снился Пруст, вернее, кошмар с Прустом, в котором он оказывался каким-то неблаговидным современным писателем, живущим в тысяча девятьсот семидесятые, выдающим себя за писателя начала века, за что в моем сне его судил суд, кажется, в моем лице. В этот момент я опять вырубилась, потом пришла в себя в последний раз — потому что я многократно просыпалась и засыпала, пока не проснулась по-настоящему — и поняла, что сделала поворот и теперь на пути к выздоровлению. Причиной, почему я была в этом уверена, был «Фрей Бентос». Я старательно готовила у себя в голове стейк «Фрей Бентос» и фантазию на тему почечного пирога. Я ужс достала из шкафа консервную банку, открыла ее и поставила в духовку. Потом я достала тарелку, нож, вилку и кружку чая для себя. Даже в кровати в моей голове аромат этого пирога вызывал у меня слюноотделение. Слава богу, что через секунду пирог был готов. Я достала его из духовки, чуть не теряя сознание от предвкушения, и уже собиралась наброситься на него, когда дверь в мою спальню распахнулась. Это были мелкие сестры. Они опять все одновременно запрыгнули в мою комнату.

---

[1] Быть.

«Она проснулась!» — вскрикнули они, и вскрикнули это прямо мне в лицо, как и в лица друг дружке. Они сразу же сообщили мне, что мамы нет дома и они оставлены за главных. Они перечислили, чего я не должна делать, а это включало: падать с кровати, пытаться встать с кровати, есть или пить, кроме того, я не должна пытаться кокетничать с мужчинами. Это происходило одновременно с их рассказом о том, как мне было нехорошо, и их изображением моих стонов. Потом они перешли к болезненной белесой белизне моей кожи, что было прервано мной, потому что я сказала, что умираю с голоду, и, сбросив с себя одеяло, попыталась встать. Это вызвало визг. «Запрещается! — закричали они. — Мама не разрешила!» А я сказала: «Ну, хорошо, а что есть поесть? Принесите-ка мне что-нибудь». Но они затолкали меня назад в кровать и укрыли одеялом. Чтобы меня отвлечь, они сказали, что расскажут захватывающую историю про неприемников. Этим утром, пока я спала, военизированные неприемники той страны из нашего района приходили к нам в дом.

Мелкие сестры услышали стук в дверь. Тогда мама и мелкие сестры открыли ее. На пороге стояли мужчины. Говорили они вполголоса, сказали, что в районе случилось кое-что и они хотят поговорить об этом со мной. Мама сказала: «Вы не можете с ней поговорить. Она больна, к тому же в кровати, спит. Или занимается своими французскими языками, пока выздоравливает. Но что случилось? Можете мне сказать, что случилось?» Мужчины сказали, пусть отправит малявок подальше. Мама сказала мелким сестрам идти в гостиную, закрыть дверь и не подслушивать, о чем пойдет речь. Она подтолкнула их в коридор, придавая начальную скорость. Мелкие сестры прокрались назад, на этот раз через гостиную в передней части дома, а там прижали уши к занавешенным окнам. Но неприемники по-прежнему говорили вполголоса.

«И что, если она в то же время была в питейном клубе? — услышали они голос прервавшей их матери. — Многие люди ходят в этот клуб. Этот питейный клуб, — сказала она, — самый популярный в районе. Если моя дочь была там, это еще не значит, что ей известно об этих делах». Потом мама сказала, что я пролежала в кровати четыре дня, была отравлена, и пусть они поговорят с женщинами-промывательницами, если хотят, а неприемники ответили, что сейчас они уходят, но обязательно поговорят с промывательницами, а еще, что они обязательно вернутся, если показания промывательниц окажутся неудовлетворительными. После этого они ушли, а мама отправилась к соседям, узнать, что означает этот новый поворот. «Ну, вот, мы тебя приободрили, — сказали мелкие сестры, хотя я после моей последней переделки не понимала, как они смогли это разглядеть, — так что теперь твой черед, средняя сестра, почитать нам». Тут они показали мне книги, и я только теперь заметила, что эти книги у них в руках. А это были: «Изгоняющий дьявола», взятая из стопки на прикроватном столике мамы; «Трагическая история доктора Фауста» и непонятно откуда взятая и адаптированная для детей взрослая книга «Назовите себя демократией!», начинавшаяся словами: «Какое марионеточное государство еще пять лет назад могло проводить обыски в домах без ордера, могло арестовывать без ордера, могло сажать в тюрьму без обвинения, без вынесения судебного приговора, могло прибегать к телесным наказаниям, отказывать в посещении заключенного, могло запрещать расследование смертей в тюрьме, арест без ордера и заключчние без обвинения и тюремное содержание без судебного приговора?» Чудные они, мелкие сестры, подумала я. Слишком много трагедий. Настоящий молочник прав. Нужно поговорить о них с мамой. А они тем временем положили книги на мое пуховое одеяло, на меня. После этого забрались на мою односпальную кровать под одеяло рядом со мной.

Младшая мелкая сестра у изголовья кровати обняла меня, как смогла, а старшая мелкая сестра и средняя мелкая сестра тоже притиснулись ко мне, сцепили руки в ожидании у задней спинки кровати, когда я начну читать.

Позднее в тот день мелкие сестры отправились искать приключения, а мама вернулась и поднялась ко мне. Вид у нее был мрачный, а это означало, что сейчас последуют новые плохие новости. «Эта бедняга, которая травила людей, — она умерла. Разведывательный патруль с солдатами нашел ее при въезде с перерезанным горлом — кто-то ее убил». Первая моя реакция не была, как кто-нибудь мог бы предположить: «Что ты говоришь? Невероятно. Как она может быть мертва, если она сама убивает людей?» И не очевидным: «Кто ее убил?» — прореагировала я, потому что, хотя я и слышала слова мамы, в мою голову не вмещалось, что ее кто-то мог убить. Одного только упоминания ее в разговоре прежде было достаточно, чтобы настроиться на определенную волну. Господи, кого она на этот раз убила, подумала я. Кого отравила теперь? Но вообще-то я не хотела знать, в душе не хотела, потому что это столько уже продолжалось, что, в конечном счете, перестало трогать. Но я, конечно, сочувствовала тому, кто это был, но это было такое же сочувствие, какое я испытала, когда старейшая подруга рассказала мне об отравлении сестры таблеточной девицы. Еще одна из тех историй, которые не берут за душу, которые встречают безразличное сочувствие без истинного участия... Но вдруг словно гром с неба грянул, что отравленной-то была я. После этого родилась мысль: «Какой же я была слепой! Какая же я идиотка», потому что теперь это было ясно, абсолютно очевидно, черт бы ее подрал. Она отравительница. Она была в клубе. Она подошла ко мне в клубе, выговаривала мне за то, что я убила ее и других в сговоре с Молочником или что-то в таком роде. Ее новый метод действий, как об этом знали все, состоял в том, чтобы, не закрывая рта, рассказывать свои гипнотизирующие изобретательные истории. Так она брала вас, свою следующую жертву, на крючок, завоевывала ваше внимание. Вы встревожены, но сосредоточены на ее словах, а это значит — хотя вы и знаете ее модус операнди и всю ее историю отравлений, — вы не обращаете внимания на ее руки. А ей этого и надо. Очень быстрая, очень ловкая, умеющая становиться невидимой, она подмешивает во что угодно, растворяется в ничто. Некоторые люди говорили, что она типичная местная, коварная и маленькая, яростная феминистка, вот только, судя по тому, что говорили настоящие феминистки, она не была феминисткой, потому что наши женщины с проблемами говорили, что она умственно неполноценная.

Они говорили, что теперь это очевидно, потому что, чтобы прикрыть свое безумие, она периодически использует не только проблемы гендерной несправедливости, но и другие законные проблемы любого рода несправедливостей. Точно так же, как кто-нибудь другой, добавляли они, может использовать для прикрытия своего безумия что угодно — образование, карьеру, семейную жизнь, сексуальную жизнь, религию, фитнес, лицевые подтяжки, похудания лица, воспитание детей, борьбу за свободу, правительственное управление какой-либо страной. Все, что делала эта несчастная женщина, подводили они итог, было ее личным, а не коллективной версией этого. Женщины с проблемами еще прежде сказали неприемникам, что бесполезно предупреждать таблеточную женщину, потому что она не может перестать делать то, что делает, и ей требуется вмешательство, но не того рода, которое могут предложить они. После чего женщины с проблемами сказали, что поскольку неприемники избрали себя главными в этом курятнике, то почему бы неприемникам не предоставить таблеточную девицу в их, женщин с проблемами, распоряжение, а самим не заняться тем, что в их компетенции? Они могли бы сделать что-нибудь, предложили эти женщины, с этим сладострастником среднего возраста, который тут завлекает молодых женщин в свои сети, соблазняет их. Неприемники ответили, что они не станут вовлекаться в дрязги и не потерпят диктата. «У вас был шанс разобраться с таблеточной, — сказали они, — и вы его упустили, даже пришли к тому, как нам стало известно, что отравлены несколько из ваших. Так что прочь с дороги, мы с этим разберемся сами...» Они имели в виду, конечно, свой проверенный временем безошибочный способ.

Так неприемники огласили свое предупреждение: таблеточная девица поотравляла уже слишком многих, а потому еще одно отравление станет для нее последним, но она не остановилась, а потом я узнала, что черту она перешла даже не на мне. После меня был кое-кто еще, мужчина, и она отравила его, думая, что он — не знаю, может, Гитлер, — и он мучился всю ночь, и его жена мучилась всю ночь вместе с соседками, которые промывали его. После этого жена отправилась к неприемникам и сказала, что сделала таблеточная девица. Но прежде чем неприемники успели что-либо предпринять, в дело вмешалась какая-то таинственная личность. Так развивались события, по словам мамы, которая сидела в моей спальне на моем стуле против моей кровати и пересказывала мне, потрясенная, эти помехи, пришедшие к ней по испорченному телефону. Они подошли к нашей двери, сказала она, потому что их задание теперь состояло не в том, чтобы убить таблеточную девицу, но узнать, кто ее убил. Все, кто имел с ней в последнее время хоть какие-то дела, настоятельно приглашались к неприемникам, чтобы ясно и четко отчитаться о себе. Исключение сделали только для меня — которую видели в питейном клубе во время разговора с таблеточной девицей за день до этого, — и для мужчины, ошибочно принятого за Гитлера, поскольку, когда неприемники приходили к нам, и он, и я были слишком больны и не могли встать с кроватей. Отравленный мужчина смог доказать свою непричастность к ее убийству, потому что и его семья, и промывательницы свидетельствовали в его пользу. Моя мать на пороге нашего дома сказала неприемникам, что наша семья и наши промывательницы могут подтвердить то же самое относительно меня.

Неприемники не вернулись, убедившись в том, что я лежала в постели, когда убили таблеточную девицу, и странно было то, что я так еще и не почувствовала, что ее уже нет в живых. Надо всем этим преобладало мое упрямство по отношению к матери в ответ на ее упрямство по отношению ко мне. Было ясно, что она согласна с тем, что человек, ошибочно принятый за Гитлера, вполне мог быть отравлен таблеточной девицей, но ее вера в слухи о моем романе с Молочником по-прежнему оставалась настолько сильной, а вера в меня была настолько слабой, что она никак не могла допустить, что и я тоже была отравлена таблеточной. В то же время, испытывая облегчение оттого, что моя трудная ночь была делом рук таблеточной девицы и, таким образом, не имела никакого отношения к тому воздействию, которое оказывает на меня Молочник, я чувствовала, как нарастает мое раздражение на мать за то, что она не хочет видеть то, что прямо у нее перед носом. Она продолжала говорить об этой смерти, забыв, казалось, что в восьми случаях из десяти намеренных отравлений в районе ответственность лежала на «бедной таблеточной девице», и тут мое терпение лопнуло, и я выдала не самое уместное замечание, но лучшее, что я могла родить в тот момент. «Слушай, ма, она не маленькая девочка. Она старше меня. Она женщина!» А мама ответила: «Ты прекрасно понимаешь, что я имею в виду. Она была миниатюрной и низкорослой, и все знали, что с ней что-то не так. Даже если бы ее не убили, эта маленькая девочка никогда бы не выросла». И вот в этот момент тот факт, что таблеточной девицы больше нет, окончательно дошел до меня.

А мама разволновалась. Она сказала, что, если ее не убили неприемники — а они сказали, что они ее не убивали, потому что у них нет никаких причин не говорить, что они не убивали, если убили, к тому же они тут во весь голос заявляли, что собираются ее убить, — это могло означать только то, что здесь произошло обычное убийство. Обычные убийства были жуткими, необъяснимыми, именно такие убийства у нас не случались. Люди понятия не имели, как к ним относиться, как их классифицировать, как к ним подступаться, а все потому, что у нас происходили только политические убийства. «Политические», конечно, включали все, что имело отношение к границе, все, что логически можно было — пусть даже в какой-нибудь мелкой мелочи, в самой вымученной, даже если остальной мир, если его это заинтересует, скажет, что это абсолютно невероятно — свести к границе. Если происходили какие-то другие, неполитические убийства, то сообщество погружалось в недоумение, а еще в тревогу, не понимая, как ему жить дальше.

«Не знаю теперь, чего ждать, — сказала мама, и она определенно была встревожена. — Мы превращаемся в “заморскую” страну. Там все возможно. Там обычные убийства. Там свободные нравы. Люди там женятся, заводят романы, а их супругам на это наплевать, потому что они тоже заводят романы... не понимаю, зачем тогда жениться? Они не говорят, зачем они женятся. Потом они разводятся или даже не заморачиваются тем, чтобы развестись, а вместо этого заключают браки с собственными детьми. Стоит тебе там выйти за дверь своего дома, как ты наталкиваешься на сексуальные преступления». Я никогда не видела маму такой — потрясенной, близкой к истерике, и я думаю, такие вещи происходят с людьми, непривычными к обычным преступлениям, когда те происходят поблизости. «Ма, — сказала я. Я попыталась ее остановить, попыталась ее отвлечь. — Ма! Ма! — Мама подняла взгляд, полный смятения, потом попыталась собраться с мыслями. — Ма, скажи мне, что еще ты слышала про таблеточную девицу?»

Она больше ничего не знала, кроме того, что делом занялась официальная полиция, но с ними никто из сообщества не разговаривает. Некоторые наплели что-то, несколько других поводили их за нос. Снайперы уже наверняка взяли их на прицел. Пока их патруль на бронированных машинах с командой противоснайперов и с трупом не уехал, сообщество, как всегда в таких случаях, наглухо закрылось. Продолжились разговоры: «Не может это быть обычным убийством. У нас не случаются обычные убийства. Наверняка это политическое убийство, вот только знает ли кто-нибудь, с какой стороны оно политическое?» Так обстояли дела, или я думала, что дела обстоят так, когда почти две недели спустя не решила зайти в кулинарный магазин.

После того как я оправилась от отравления, я никак не могла наесться. И меня все время преследовали фантазии о еде, когда я на самом деле не ела, мои мозги показывали мне приятные и аппетитные шоу со спецэффектами. Я снова и снова видела «Фрей Бентос», а еще «Фарли Раск», «Сахарные булочки», сардины, сэндвичи с хрустящим картофелем, бисквитные сэндвичи с горчичным кремом, сэндвичи с батончиком «Марс», моллюски, свиные ножки, съедобные водоросли, жареную печень, конфетки в каше — прежние детские сласти, младенческие сласти, большинство из которых теперь у меня вызывали отвращение. И только когда я почувствовала желание поесть чипсы, обычные чипсы, ничего, кроме чипсов, я подумала: наконец, настоящая еда. Возвращение к нормальной жизни.

Я вышла из дома с обычной теперь своей нынешней опаской — как бы случайно не наткнуться на Молочника, дошла до кулинарного в самой середине района, так и не встретив Молочника, распахнула убогую покоцанную дверь магазина, и тут же меня окутал великолепный чипсовый запах. Я настолько погрузилась в него, настолько им наслаждалась, что поначалу даже не обратила внимания на странную атмосферу вокруг меня, что было подобно, как поняла я потом, тому, что я не замечала собственного отравления, хотя разумный человек понял бы, что его отравили гораздо раньше. Ситуация в кулинарном магазине была именно такой.

Там стояла очередь, большая, длинная, она петляла вокруг двух стенок магазина, и я встала в конец. Тут же подошли другие, встали за мной. Я знала большинство из этих людей зрительно, но никогда с ними не разговаривала: женщины средних лет, пришедшие за ужином для мужей, несколько мужчин, несколько детей, несколько подростков. Но в то время там не было ни одного человека, с которым я была бы знакома лично. Пока шла очередь, я наслаждалась запахом, а еще мысленно повторяла *je suis, je ne suis pas*[1], а также подсчитывала в уме, сколько человек передо мной. Но пока я это делала, люди, которых я считала, стали выходить из очереди. Некоторые тут же вышли из магазина, но большинство отошло в стороны или к дальней стене. Это означало, что я добралась до прилавка на девятнадцать человек раньше, чем должна бы добраться, если бы они остались в очереди, одновременно я почувствовала, что и люди сзади меня тоже рассеиваются. Вскоре, кроме меня, в очереди не осталось никого, хотя люди, стоявшие в ней прежде, необъяснимо продолжали оставаться в магазине. За прилавком одна из двух продавщиц в большом белом переднике подошла ко мне, встала ровно передо мной. Она уперла руки в бока и замерла, не спрашивая, что мне надо, и не глядя на меня, даже когда я ей говорила, что мне надо. Она словно направляла взгляд куда-то на мой висок. Я не то чтобы забеспокоилась, но

[1] Я есть, меня нет (*фр.*).

что-то так, немного, я смотрела, как она двигается, чтобы набрать чипсов мне и мелким сестрам. И вот тогда я поняла, что в магазине стоит мертвая тишина, а поскольку я всегда жила в этом районе и с детства, даже толком этого не осознавая, тонко воспринимала потоки, неуловимости и ритмы района, мне пришло в голову только то, что причина моей заторможенности — недавно перенесенная болезнь. Она была у меня за спиной, тишина, она подрагивала у меня за спиной, и я не могла повернуться, хотя мысли мои метались. «Только пусть не Молочник. Господи, пожалуйста, путь это будет не Молочник». И я все же повернулась, и это был не Молочник. Это были все остальные. Все, кто был в магазине, глазели на меня.

Некоторые тут же отвели глаза, другие уставились в пол, третьи принялись разглядывать свои руки или крупный плакат со списком продуктов перед нами за прилавком. Кто-то смотрел на меня открыто, даже, думаю, с вызовом, и я подумала, говножопые, что я еще натворила? И тут до меня дошло, я почувствовала, что это как-то связано с таблеточной девицей. Не с тем, что она меня отравила, о чем, как я была уверена, знал теперь весь район. А с ее смертью. Но не могут же они думать, подумала я, что я имею к этому какое-то отношение. В этот момент вернулась продавщица с чипсами, поставила их на прилавок. Я отвернулась от остальных, взяла пакеты, вытащила деньги, чтобы расплатиться. Женщина исчезла. Она повернулась ко мне своей широкой спиной и уже ушла в дальний конец, стояла там тоже в молчании рядом со второй продавщицей. Они никого не обслуживали. Никто не просил, чтобы его обслужили. Все ждали, казалось, что случится дальше.

Неприемники сказали, что не убивали ее. Потом стали выяснять, кто ее убил. Потом, сославшись на какие-то удобно подвернувшиеся, как говорилось, срочные дела на границе, они оставили свою активность и смылись. Но эти люди никогда не смывались. В этом состояла их репутация, их фирменный знак, их профессиональная непредотвратимость. Поэтому сообщество пришло к выводу, что, в конечном счете, убил ее один из них. Не по политическим, конечно, мотивам, потому что с учетом неожиданной молчаливости неприемников, их тихого отступления, резкого прекращения их свирепого, дотошливого разыскания и, в особенности, без их обычного признания в содеянном, если оно было содеяно, таблеточная девица не могла быть убита по политическим мотивам. Значит, не по мотивам границы. Не для спасения страны, не для защиты района, не для пресечения антисоциального поведения в районе. Это сделал Молочник. Он ее убил. Обычно убил, не политически, убил ее, потому — так решило сообщество, — что ему не понравилось то, что она попыталась убить меня.

Может, так оно и было, а может, не так оно было, но кулинарный магазин думал, что так, и в тот момент в окружении всех этих людей, уже имевших на этот счет свое мнение, я тоже подумала, что так оно и было. Высокопоставленный герой сообщества совершил обычное грязное убийство, а все для того, чтобы отомстить за какую-то бесстыдную шлюшку. Я не очень наивная, а это значит, что я поняла для себя, к примеру, вы большую часть своих жизней живете с вещами, немного не укладывающимися в норму, немного сдвинутыми, но вполне поддающимися восстановлению, что вполне естественно. Но вот в один прекрасный день условия повсеместно — ставили вас об этом в известность или нет, давали вы на это свое согласие или нет, — меняются на противоположные. Все стронуто со своих мест, да, но не кто-то один все это стронул, а значительно большее число, чем один. Прежде мои внутренности были не в себе, боли в животе, дрожь в ногах, рука у меня тряслась, когда я вставляла ключ в скважину. И паранойя меня одолевала в доме, я все проверяла, не забрался ли он ко мне в шкаф, тогда как его там не было, не забрался ли он ко мне под кровать. Каждый раз, когда он приближался... все ближе... еще ближе, но я до этого момента не могла сказать, появляется ли на мне его клеймо, или оно уже давно на мне. Старейшая подруга предупреждала: «Твои поступки невозможно предсказать. Тебя нельзя вычислить — *а они это не любят*. Ты, подруга, упрямая, иногда глупая, невероятно глупая, потому что ты исходишь из того, что люди, которым свойственно твое отсутствие уступчивости, тебя не любят. Это опасно. То, что ты не предлагаешь им — в особенности в такие смутные времена, — люди возьмут сами». — «Не все люди, — возразила я. — И потом, моя жизнь — это не их жизни. Почему я должна что-то объяснять и просить у них прощения, тогда как они сами выдумали эту историю и даже сейчас ведут себя, как плохие собаки, наблюдают, выжидают подходящий момент, чтобы наброситься на тебя?» А что касалось их взгляда на меня как на отвязную, похотливую, бесстыдную, то я сказала: «Если уж об этом речь, старейшая подруга, то на самом деле я в большей степени Дева Мария, чем любая из...» — «Тебе восемнадцать, — сказала она. — Ты девушка. Никого за спиной у тебя нет, пока ты не пожелаешь, чтобы у тебя за спиной стоял Молочник. Так дай им что-нибудь — *что угодно,* — и пусть они тебе не поверят, и в особенности, потому что они получат удовольствие, оттого что не поверят. Но тогда по крайней мере они не будут пенять тебе на твое высокое положение благодаря ему». Но я этого не сделала. Не смогла. Не знала как. Не верила, что у меня еще есть время для этого. Слишком много слухов, слишком много вымысла, а еще «не суйте свои носы в чужие дела» позади, теперь от всего этого не отделаешься.

Так что я чему-то училась, но в этой напряженности, в особенности эмоциональной напряженности, я не знала, чему я учусь. И не знала, что мне делать, а оттого совершила глупость. Среди этого молчания и глазения на меня я взяла чипсы и, не расплатившись, развернулась и ушла из магазина. Я уже не хотела этих чипсов, не хотела собственных денег. Конечно, я должна была оставить их — и чипсы, и деньги на прилавке, очистить себя от этой ситуации, но очевидное, возвышенное, благородное едва ли приходит в голову, когда ты неожиданно оказываешься в стрессовой ситуации. Как ты спустя некоторое время узнаешь, что нормально, что возвышенно, а что — нет? И вот я взяла чипсы и не заплатила за них, сделала это отчасти от злости: *Да, Молочник. Иди. Убивай. Убей их всех. Вперед. Слушай меня. Я тебе приказываю*, а отчасти я сделала это из сопереживания и тревоги за их чувства. У меня не было ни малейшего желания ввязываться в неприятности с людьми старше меня, как иногда это делают восемнадцатилетние, отваживаясь на открытое неуважение, на упреки. И я потеряла голову и позволила им вынудить меня взять эти чипсы в угрожающсй мансрс. Так что самым ксприсмлсмым было мое собственное поведение, вызывающее обращение с людьми в магазине, хотя все они мысленно именно к этому и склоняли меня. Но теперь я знала то, что они знали уже некоторое время: что я уже больше не одна из подростков среди кучи других подростков, которые приходят в район, выходят из него, слоняются без дела. Теперь я знала, что это клеймо — и не только от Молочника — необратимо и против моей воли выжжено на мне.

Шестая

После того как я узнала об убийстве таблеточной девицы, но до похода в кулинарный магазин, пока я еще лежала в кровати, выздоравливала, поступили три телефонных звонка. Два касались меня, и первый звонок был от третьего зятя. Он слышал про отравление, но хотел услышать от моей матери, которая и сняла трубку, почему я не бегаю. Он сказал, что я пропустила нашу пробежку днем раньше, пропускала и другие, что я не звонила, чтобы обсудить это или устроить с ним по этому поводу какую-нибудь перебранку. Потом он добавил, что оскудение стандартов достигло такой степени, что он недоумевает: что такое происходит теперь с женщинами? Мама сказала ему: «Зять, она не будет бегать. Она в кровати, отравлена», — на что зять ответил, что про отравление он знает. «Но собирается ли она бегать?» Мама сказала: «Нет. В кровати. Отравлена». — «Да, но собирается ли она бегать?» — «Нет...» — «Да, но...» Мелкие сестры сказали, что мама в этот момент возвела глаза к небу. Она попыталась еще раз: «Сынок, мы не можем обсуждать это целый день. Она в кровати. Бегать не собирается. Отравлена. Не собирается. В кровати лежит, отравленная». Но третий зять — его зацикленность на теме задавливала мыслительный механизм — собирался еще раз спросить, буду ли я бегать, но на сей раз мама опередила его: «Дай тебе Господь здоровья, зять, но что с тобой случилось? Ты сам знаешь, она отравлена, весь район знает, но вот я двадцать часов пытаюсь тебе объяснить, что ее желудок зачищали, или как там говорится, и мне пришлось две ночи сидеть с ней на тот случай, если зачистка не удалась, но ты никак не врубаешься, ведешь себя так, будто я ничего тебе не объяснила». Зять с небольшой заминкой сказал: «Так вы хотите сказать, что она не собирается бегать?» — «Прямо в точку, — сказала мама. — А паскудение? При чем тут вообще паскудение?» — «Оскудение, — поправил ее зять, — стандартов». Тут мама прикрыла рукой микрофон и прошептала мелким сестрам: «Парень заговаривается. Забавное маленькое существо. Правда, вся семейка забавная. Один Господь знает, с какой стати ваша сестра вышла замуж в это семсйство». Потом она убрала руку с микрофона, а в этот момент зять заканчивал свою тираду: «Во-первых, эта ее привычка читать на ходу совершенно немыслима. Потом, извинение насчет ног больше не работает — тоже немыслимо. А теперь она еще и не бегает. Если она упорствует в этой своей непостижимости, теща, скажите ей, она знает, где меня найти, когда придет в себя. А я тем временем буду бегать один». Мама сказала: «Хорошо, сынок, я согласная насчет чтения на ходу, но дела обстоят так, что она все еще чуть ли не при смерти, так что пока я держу ее в кровати», после чего она попрощалась, на что ушло еще пять минут, потому что люди тут таковы, что они непривычны к телефонам, не доверяют им, не хотят показаться грубыми или резкими, повесив трубку после одного «до свидания» — мало ли, вдруг прощальная тирада другого еще в пути с задержкой в проводах? Поэтому по телефонному этикету произносилось множество «пока», «до свидания, зятек», «до свидания, теща», «счастливо», «счастливо», «пока», «пока». При этом разговаривающие не отрывали трубку от уха, но наклонялись, понемногу, с каждым словом прощания приближая трубку к рычагу телефона. В конечном счете, трубка возвращалась на рычаг, а человеческое ухо размыкалось с ней. Даже на этом этапе прощальные слова могли еще произноситься на всякий случай из желания закончить все наилучшим образом, но это не означало, что человек, пошедший на такие труды, не измучен физически и не опустошен умственно этой попыткой закончить телефонный разговор. Означало это, что разговор — без всяких взволнованных «я его оборвала на полуслове? он не обидится? не повесила ли я трубку слишком быстро — может быть, он оскорблен?» — наконец достиг своего традиционного завершения. Когда мне об этом сказали — поскольку я еще не набралась сил, чтобы это вынести, а потом отбить менторское умонастроение зятя — я порадовалась, что на этот звонок ответила мама.

Потом мама ответила на второй звонок, который меня тоже не порадовал. Звонил наверный бойфренд, и разговор не получился. Во-первых, этот звонок был беспрецедентен, потому что я не давала номера нашего телефона наверному бойфренду, и его номера у меня не было, да я даже не знала, есть ли у него номер. Телефоны для меня немного значили, и я не думала, что они много значат для наверного бойфренда. Одна из причин, почему я держала для себя как опору литературу девятнадцатого века, состояла в том, что я не хотела погружаться ни в какое «сегодня», ни в какие стрессовые, эмоционально перегруженные материи. Мы с ним договаривались о следующей встрече, прощаясь, и держались своих договоренностей. Мы действовали так отчасти и потому, что телефонам тогда вообще не доверяли, считали их технологическими средствами, ненормальными средствами связи. Но главным образом им не доверяли из-за «грязных трюков», неофициальной прослушки, проводимой властями кампании наблюдения. Это означало, что обычные люди не пользовались телефоном для частных переговоров, подразумевавших деликатные любовные дела. Конечно, военизированное подполье тоже ими не пользовалось, но тут я говорю не о них. В общем, телефонам не доверяли; да и у нас телефон был только потому, что он уже был в доме, когда мы туда переехали, и мама не хотела его отключать — вдруг люди, которые придут его снимать, на самом деле окажутся не телефонистами, а шпионами-инфильтраторами властей. Они унесут телефон, предупредили нас соседи, а тем временем подсунут другие штуки, которые позволят им выявить наши плотные связи с неприемниками, тогда как никаких плотных связей с неприемниками у нас не было. Хотя два моих брата были неприемниками, связи у нас были средненькие, нормальные, да и то плотнее вначале, чем уже позднее. Теперь, хотя в принципе мы одобряли их первоначальные цели и ни в коем случае не собирались публично разоблачать их перед властью, их уровень легитимности в ее глазах колебался в зависимости от их последних деяний и ее текущего уровня двойственности по отношению к ним, но мама не проявляла никаких позывов говорить им об этом в лицо — я думаю, что в той или иной степени это может служить доказательством, что никаких тесных связей с ними у нас не было. И потому наш телефон висел на стене у лестницы, и люди иногда им пользовались. Но дело было в том, что вам приходилось открывать телефоны повсюду и каждый раз, когда вы хотели ими воспользоваться, чтобы посмотреть, нет ли там жучка внутри. В редких случаях, когда я пользовалась телефоном, я его проверяла, хотя я понятия не имела, как выглядит жучок и будет ли он внутри телефона, или снаружи на кабеле наверху, или на телефонном коммутаторе, если коммутаторы еще существовали. На самом же деле я лишь делала вид, что ищу этот жучок, и подозревала, что другие, тоже регулярно разбиравшие свои аппараты, просто делали то же самое.

Так что я не знала его номера, если только у него был номер, и думала, он тоже не знает моего номера из-за всех трудностей, с которыми сопряжен процесс узнавания. Но, главным образом, у нас не было номеров телефона друг друга потому, что мы находились в категории отношений, имеющей пометку «наверные». «Наверность» была причиной, по которой я не сказала, что меня отравила таблеточная девица, не рассказала о преследовании меня Молочником, не рассказала о том, что районные слухи мне жизни не дают. Мне и в голову не приходило рассказать, потому что зачем наверному бойфренду в наших наверных отношениях знать это, как не приходило мне в голову думать, что кто-то из нас должен спрашивать разрешения раскрыть свои мысли, чувства и потребности на этот счет? К тому же: а что, если бы я попыталась, а он не услышал? Что, если бы он не смог взвалить на себя груз, который и я-то сама не могла на себя взвалить? Но он позвонил, и трубку взяла мама, и он попросил к телефону меня, а она сказала: «Нет, вы ее не услышите. Мне безразличны ваши фокусы, безразлично, насколько вы крупная шишка среди неприемников, насколько вы галантны в своем поведении, или какая героическая репутация у вас в сообществе. Вы — совратитель молоденьких девушек и развратный лжемолочник, который позорит имена настоящих молочников. Вы не будете говорить с ней. Вам не удастся ее опорочить. Держитесь от нее подальше. Убирайтесь отсюда вместе с вашими бомбами — *вы женатый мужчина*!» Она сказала это, ни о чем не заботясь, не таясь, ничуточки не думая о том, что разговор может кто-то подслушивать. После этого она повесила трубку без всяких «до свидания», даже не дав себе труда сказать ему *adieu*[1]. Я в это время лежала в кровати, но прекрасно слышала все ее слова, ошибочно предполагая, что на линии и в самом деле Молочник. Он был такой пройдоха, что, конечно, для него заполучить мой телефон было гораздо проще, чем даже мне самой или моему «почти годичному пока наверному бойфренду». И вот вам, пожалуйста, он со своей ненасытной прожорливостью заявился прямо в мой дом. Тут я подумала о наверном бойфренде и затосковала по нему, мне в первый раз после отравлсния захотелось, чтобы он был здесь, в этом доме, в этой спальне, рядом со мной. Если бы он только связался со мной как-нибудь. Но эти мысли надолго не задержались в моей голове, потому что на смену им пришла другая. Мысль о маме, и насколько это все станет невозможным, если она познакомится с ним. *Итак, молодой человек, когда же свадьба? И когда, молодой человек, появятся детки? И правда ли, молодой человек, что вы принадлежите к правильной религии и не женаты?* Да. Ужасно. Я прогнала его из головы, но не потому, что он не имел значения, а потому, что он, наоборот, имел значение. Как же ему повезло с родителями — убежали бог знает когда, и делу консц.

Третий звонок был маме, звонила одна из ее благочестивых подружек Джейсон-Запретных-Имен, звонила,

[1] До свидания (*фр.*).

чтобы по-быстрому сообщить, что рядом с обычным местом что-то случилось. Одна из убойных групп, сообщила она, устроила засаду и застрелила настоящего молочника, после чего его отвезли в больницу, а больница была тем самым местом, попадать куда из-за ее стигматического статуса доносительства — если ты страдал политическими болезнями — никогда не было безопасно. «У него не было возможности возразить, подруга, — сказала подруга. — Не было выбора. Они его пристрелили, а потом забрали. Но ты включи свой беспроводной, чтобы получить последние новости, потому что они говорят, что он террорист. Ты можешь себе представить? *Это настоящий-то молочник — человек, который никого не любит! — террорист!*» В этот момент, сказали мелкие сестры, мама уронила телефонную трубку.

Она побежала в мою комнату, сказала, ей надо в больницу, прорваться к настоящему молочнику. Мне хватит сил, спросила она, подняться, присмотреть за мелкими сестрами и домом? «Его убили?» — спросила я и удивилась себе, потому что никогда прежде не задавала такого вопроса. Она сказала, что не знает, но эти цепные псы, эти обвинители и бродяги Земли, которые ходят по ней туда-сюда, вверх-вниз, пристрелив его, отвезли в больницу, но она не поняла, что имела в виду Джейсон, потому что если он мертв и его отвезли в больницу, то это может быть морг рядом с больницей. Или, сказала она, может быть, Джейсон имела в виду, что он без сознания, может, умирает, а потому не мог возразить, сказать, чтобы его не везли в больницу. А может быть, он не возражал против больницы, настоял на том, чтобы его взяли в больницу, потому что, как все знали, настоящий молочник всегда все делал наоборот против того, что требовали от людей в нашем районе неприемники той страны. «Не знаю, — сказала мама, потом она сказала: — Они говорят, что он был террористом. Сейчас они обыскивают его дом, раскапывают двор, хотят найти вещи, которые там террористически спрятаны». — «Все в порядке, ма, — сказала я, вставая с кровати. — Иди и делай, что должна, а я тут присмотрю за всеми нами и всем». Она наклонилась, поцеловала меня, потом наклонилась и поцеловала мелких сестер, которые поднялись следом за ней по лестнице. Они цеплялись за нее, кричали, просили, молили: «Не надо, мамочка! Не надо! Мы не хотим, чтобы ты ехала!» Она сказала им, что они хорошие дочери, но теперь должны делать то, что я, их средняя сестра, им скажу. Выпрямившись и освободившись из их хватки, она взяла немного денег из сумочки на всякий пожарный случай, сунула их в карман юбки, потом передала сумочку со всеми оставшимися деньгами мне. И в этот момент я точно поняла, что на уме у мелких сестер, почему они цеплялись, кричали, просили, молили. Мама отдавала свою сумочку прежде только два раза. В первый раз, когда за ней приехала полиция, чтобы забрать ее на опознание мертвого сына, нашего второго брата. Тогда она отдала сумочку старшей сестре, не доверяя самой себе и не зная, что с ней там сделают, если один из этих человекоподобных, сказала она, попробует уколоть ее чем-нибудь вроде: «Так тебе и надо. И первенцу твоего выводка в его поганой полиции тоже так и надо, нечего объявлять нам войну». Второй случай с сумочкой произошел, когда неприемники района пришли за второй сестрой, чтобы ее убить или наказать каким-то другим способом, — не столько за то, что она вышла замуж за врага, сколько за ее наглость, поскольку она осмелилась вернуться в район и посетить семью, *после того* как вышла за врага, — или же они хотели заставить ее искупить свою вину за то, что она вышла за врага, — заманить мужа в засаду, где его убьют. В тот раз мама поспешила сунуть сумочку третьей сестре и бросилась в лачугу, где они принимали решение по второй сестре. Она взяла с собой пистолет (о существовании которого я не знала), оставшийся наверху от моего убитого брата, но что я точно знала, так это то, что она понятия не имеет, как им пользоваться. Неприемники отобрали у нее пистолет, а ей вынесли предупреждение, вторую сестру выпороли и сказали, чтобы больше никогда не возвращалась в район. А теперь сумочка оказалась у меня. «На всякий случай», — сказала мама, надела пальто, повязала косынку. Мелкие сестры теперь ревели, а я стояла на корточках и обнимала их, пыталась успокоить. У мамы был мрачный вид, ни капельки не похоже на то, как она выглядела — я не могла этого не отметить, — когда в больнице умирал ее муж, наш отец. Так что я не могла винить мелких сестер. Я сама пребывала если не в панике, то в состоянии, от которого до паники рукой подать. Я не хотела об этом думать, но что, если мелкие сестры правы, и она ввяжется там в какую-нибудь историю, и ее саму арестуют и посадят в тюрьму, откуда она никогда не вернется?

Она вернулась, но только с наступлением темноты, когда мелкие сестры были уже в постели, убаюканные сухим завтраком «Райс криспис», попкорном «Тайто криспс», сдобными булочками «Пэрис Банс», ломтиками хлеба, поджаренными на сковородке, апельсиновыми витаминками, и все это обильно посыпанное сахаром. За этим последовала «Кто боится Вирджинии Вульф?», которую они сами выбрали, я ее не выбирала. Меня это ужасно раздражало — переместиться в двадцатый век, но я обнаружила, что мелких сестер интересует не диалог или сюжет, а сказочное название, и они просто хотели слышать его снова и снова. И поэтому я его заталкивала через каждую третью фразу, что их успокоило, и они уснули. Я оставила их дверь приоткрытой, спустилась по лестнице в гостиную и села в кресло в тишине полутьмы. Подумала, а не включить ли радио, узнать, мертв он или нет, но я не выносила радио: эти объявляющие голоса, эти бормочущие голоса, эти голоса, повторяющиеся каждый час, каждые полчаса в своих специальных важных выпусках, все то, что я не хотела слышать. Я надеялась, что он жив, но почти всегда в таких ситуациях люди были мертвы. Так зачем тогда тревожить себя, получив раньше времени то, от чего я могла пока уклоняться? Я еще не достигла этой точки, этой критической точки, когда не знать было невыносимее, чем узнать. Я была все еще на этапе *стойте, пока не надо*, и в этом своем состоянии я услышала, как мама поворачивает ключ в скважине.

Хотя в комнате теперь было по-настоящему темно, она знала, что я сижу здесь, знала, как обычно знают такие вещи, может быть, благодаря невидимым влияниям, умственным конструкциям или ясночувствованию, может быть. Она не стала задергивать шторы или включать свет. Она просто села против меня в пальто и косынке и сказала, что он жив, что его состояние стабильное, но она не знает, что такое «стабильное», потому что ей не сказали, так как она не из семьи, хотя у настоящего молочника — его единственный брат умер — не было семьи, не сказали и другим соседям, которые пришли в больницу, состояние стабильное — вот единственное, что они сказали. Она тогда сменила курс — обычная вещь, — разум внезапно испытывает потребность свернуть и заняться вопросами, которые, может, и имеют отношение к делу, но слушающему не кажутся относящимися к делу. Она начала говорить о ком-то, о какой-то девушке, которую знала. Это было давно, сказала она, когда и она была девушкой, и эта девушка, которую она знала, была ее второй старейшей подругой, но я о ней никогда не слышала, мама о ней никогда не говорила. Но теперь она сказала, что их дружба закончилась и они расстались, потому что эта ее подруга приняла обет и стала святой женщиной, собиралась присоединиться к другим святым женщинам в их святом доме недалеко по дороге. Мама вздохнула. «Не могла в это поверить, — сказала она. — Нам было по девятнадцать, и Пегги решила отказаться от жизни — одежда, ювелирные украшения, танцы, быть красивой — от всего того, что было важно — ради того, чтобы стать святой женщиной». Но, как сказала мама, не это было самым трагическим из того, от чего отказывалась эта Пегги. Мама все говорила и говорила, у меня мысли спутались, и я подумала, не говорит ли она об этой Пегги, которой, может, вообще и не было, потому что на самом деле ее давний друг с детства — настоящий молочник — сегодня все же был застрелен и убит. Может быть, это какая-то подмена, выдумка, одно из таких прикрытий для признания: *Он мертв, дочка. Он мертв. И как мне теперь справиться с этим*? Вместо этого мысль уходит в сторону, полная решимости не воспринимать дурных последствий, сочиняет истории, чтобы отсрочить наступление этих последствий, отказываясь даже на секунду принимать... Мама прервала мой поток мысли: «Дело было в том, дочка, что я тоже хотела его». Она теперь явно говорила о настоящем молочнике, оказывается, все девчонки положили на него глаз, все девчонки были не кем иным, как этими уважаемыми женщинами, этими средних лет заступницами нашего района, на ступеньку ниже настоящих святых женщин, и женщин, которые не были бы ни на одну ступеньку ниже, если бы в свое время не поддались на искушение мужчин, секса и потомства. «Помню ясно как божий день, — сказала мама, — когда они узнали о том, что Пегги решила поступить в святой орден. Они смеялись над глупостью такого решения, радовались ему, его своевременности, потому что теперь, когда Пегги не будет, кто их сможет остановить?» Мама сказала, это ее разозлило, но при этом она злилась и на Пегги, которая на все сто процентов погрузилась в себя в своей монашеской мантии, в мистическом состоянии, в ее обручении с Иисусом, она больше не отличала настоящего молочника от любого другого человека, ее больше не волновало, что думают или говорят люди. «Я была в недоумении, — сказала мама, — потому что она его любила, я знала, что любила, но все же она его отвергла, несмотря на близость с ним, потому что да, дочка, — и здесь мама понизила голос, — в те дни было уважение и гораздо меньшая публичность, и эмоциональность, и болтливость, чем нынче, но я знала, что она с ним спала, а в те времена это было совершенно не принято».

Да, Бог был Бог, и все такое, сказала мама, но представить, что можно пожертвовать ради Бога настоящим молочником... Так она сказала. Мама так на самом деле сказала, и для меня было откровение услышать это из ее уст прямо в мои уши. Вот тут передо мной была моя мать, одна из пяти самых благочестивых женщин района, и она говорила мне невероятные вещи: *Да, Бог был Бог, и все такое, но...* Это было скандально и волнующе, даже немного освежало, — то, что человек с религиозными убеждениями отнюдь не на все сто процентов с религиозными убеждениями, или что религиозным убеждениям не остается ничего иного, как приспосабливаться к потребностям нижней части тела. Значит, мы были правы. Мои сестры и я были правы. У мамы в юности были любовные свидания и встречи с мужчинами в «таких-растаких» местах, или же она пыталась иметь такие встречи, или же, по меньшей мере, не была против них. В глубине души она была за них. Смерть располагает к искренности, и реальность типа «попал в засаду и чуть не был убит» тоже располагает к искренности. Я бы никогда не узнала таких подробностей о маме, и о настоящем молочнике, и о Пегги, и о верхнем эшелоне благочестивых мирских женщин района, если бы настоящего молочника в тот день не подстрелили и чуть-чуть не убили. А она сидела и не могла остановиться. Они были счастливы, когда старейшая подруга постриглась в монахини, хотя и ненадолго, потому что конфликт между ними после этого разгорелся не на шутку. «Они боролись за него, — сказала она. — И я, дочка, тоже боролась за него». Я сидела и помалкивала, потому что хотела, чтобы она дорассказала, не хотела, чтобы она вдруг образумилась, вспомнила, кто она, кто я, кто тот другой, уже мертвый, мой отец, за которого она вышла замуж. «Но случилось ужасное, — сказала она. — Нечто такое, чего ни я, ни другие не предвидели». И это ужасное вот чем оказалось: настоящий молочник в соответствии с его обычной противоречивостью сам решил вопрос своего брачного статуса. Если не Пегги, решил он, то никто. Что касается его имени, то мама теперь перешла непосредственно к этому.

Я вместе со всеми остальными моими ровесниками думала, что он известен в районе как «человек, который никого не любит», потому что он рассердился в тот раз и кричал на детей — не умеющий любить, асоциальный, вспыльчивый, — район так и решил. А еще потому, что он не был игроком команды, демонстрировал нежелание поддерживать неприемников. «Оно было ради нас, это оружие, — сказали люди, — и местным ребятам нужно было его где-то прятать». Поэтому все пришли еще к тому мнению, что он несговорчивый. Он был склонен к спорам и опять, главным образом, с неприемниками — по поводу их угрозы смерти таблеточной девице, по поводу порки нашей второй сестры, по поводу их попытки убить гостью, приходившую в сарай к феминисткам, чтобы говорить о всемирных женских проблемах. Он даже возражал против прострелов коленных чашечек, избиений, защитников рэкета, смолы и перьев — смолы и перьев не только для других, но и для него самого. Все видели проблемы, которые он создавал, говорили люди. Он продолжал быть не спокойным, не тактичным, а, напротив, — жестким, здравомыслящим, понимающим, упрямым. Естественно, как дали понять моему поколению, это привело к тому, что его наградили прозвищем «который никого не любит». Было, конечно, и другое его имя, но его стали называть так в последнее время, чтобы отличить от того, в кого я, если верить общественному мнению, влюбилась. Но теперь, когда я слушала маму, выяснилось, что была и другая, более старая причина для того, чтобы его так называть. «Когда Пегги разбила его сердце и ушла к Богу, — сказала она, — он разбил сердца всех остальных девушек, не женившись ни на ком и отказываясь забыть ее». Он продолжал оставаться красивым, хотя теперь на другой лад — он стал мрачным, он словно пережил потерю невинности, почувствовал горький вкус утраты, а потому поначалу он был «человеком, который не способен любить никого, кроме Пегги». Потом во время его могильно-кладбищенской, черве-прах-поедающей, сердце-ожесточенной фазы он стал «мужчиной, который следует мрачной политике не любить никого, а в особенности Пегги», что для лаконичности укоротили до «мужчины, который никого не любит», и это прозвище до появления прозвища «настоящий молочник» оставалось на нем, словно выжженное клеймо. И это прозвище оставалось с ним, несмотря на все добро, которое он делал и до сих пор продолжает делать. Он помогал матери Какего Маккакего, которая была и матерью несчастного ядерного мальчика, помогал после смерти ее мужа, потом после смерти ее дочери, потом после смерти каждого из ее четырех сыновей. Потом он помогал маме, когда умер папа, потом после смерти второго брата, потом, когда вторая сестра попала в беду с неприемниками из-за неправильного выбора мужа. Он и мне помог после той моей встречи на десятиминутном пятачке с Молочником. И он помогал другим, многим другим, таблеточной девице, которая не приняла его помощи, но странным образом не отравила. Женщины с проблемами — им он тоже помогал, когда сообщество относилось к ним насмешливо и не возражало бы против их порки за то, что они устраивают бурю в стакане воды, когда еще не улажены восемь столетий накопившихся политических проблем. И вот он помогал всем этим людям, причем делал это с какой-то более широкой перспективы, с более высокого уровня сознания. И тем не менее это никак не влияло на его имя в нашем сообществе. «Так бездарно, — сказала мама. — Ведь какой человек! Тонкий, справедливый, честный. А какой красавец, дочка...» Тут она ушла в сторону и принялась спрашивать, согласна ли я с ней в том, что он точная копия актера Джеймса Стюарта, а еще актеров Роберта Стэка, Грегори Пека, Джона Гарфилда, Роберта Митчема, Виктора Мэтьюра, Алана Лэдда, Тайрона Пауэра и Кларка Гейбла. Я не могла сказать, что согласна с ней, но влюбленные люди, я это знала, все время видят какие-то безумные вещи. «В конечном счете, нам, женщинам, пришлось отказаться от него», — сказала она, и я после этих слов посмотрела на нее, а потом она даже в темноте почувствовала, что я смотрю на нее, и поспешила исправить сказанное. «Но не я, — сказала она. — Я не говорю про себя. Я давно, задолго до этого, отказалась от него». Но ничего она не отказалась. Ах, не отказалась. Именно тем вечером у меня в голове что-то встало на свое место. «Конечно, я от него отказалась», — настаивала она и даже повысила голос в этот момент, чтобы воспрепятствовать моему новому прозрению. «Если бы я не отказалась от него, дочка, — предполагалось, что это доказывает правдивость ее слов, — то зачем я бы стала выходить за твоего отца?»

В самом деле, зачем? И опять я вернулась к своим размышлениям о непонятных браках, в которых сходятся люди, не подходящие друг другу. Я не имею в виду те случаи, когда вырождаются прежде успешные союзы, в которых каждая из сторон дополняла другую, в которых стороны были преданы друг другу, но в итоге пришли к естественному концу их общего пути и расстались с любовью и благословением или без любви и благословения, чтобы продолжить свой путь с кем-то или чем-то другим. Я говорю о том, что люди вступают в брак, хотя не любят, не хотят друг друга, и если бы кто-то со стороны посмотрел на них, он покачал бы головой и сказал, что никто ни с кем не должен находиться в таких интимных отношениях, если выяснилось, что они не подходят друг другу. Но в сознании сообщества имелись основания для иного подхода. Первое — политическая ситуация здесь, в которой супруг, который был тебе по-настоящему нужен, мог и не умереть преждевременной насильственной смертью, но, с другой стороны, вполне мог и умереть. Зачем отдавать сердце единственному человеку в мире, которого ты любишь и с которым хочешь прожить жизнь, когда ты, может быть, сделаешь всего несколько шагов по этой дороге, как он покинет тебя и ляжет в могилу? Еще одной причиной неудачных браков был страх остаться в одиночестве из-за социальной стигмы, автоматически прикреплявшейся к такому положению. Поэтому выходи за кого угодно. Он подойдет. Твой муж подойдет. Или она подойдет. Бери в жены кого угодно. Выбирай себе в жены кого угодно. Бывали и случаи, когда тебя заставляли вступить в брак, потому что ты должна соответствовать условностям, не можешь подвести других — свидание назначено, торт заказан, ты что — еще не забронировала отель на медовый месяц? Частой причиной того, что ты не выходила, за кого хотела, был страх за себя, за свою независимость, за свое будущее, и потому ты боялась потерять себя, выйдя за человека, которому твое будущее было безразлично, который не чувствовал его, не признавал его и не поощрял твоих устремлений. Потом еще не выходили за того, за кого хотелось, потому что, выйдя за нужного тебе, ты могла возбудить злость или зависть в других — других, которые тоже хотели того же человека. Имелись и другие причины выбора не того супруга — страх перед тем, что, впустив желанного в свою душу, ты потеряешь независимость, или же ты вступала в брак с кем-то, близким к тому, кого ты хотела, но кто не хотел тебя, и поэтому ты выбирала его лучшего друга или коллегу по работе, родственника, хотя бы соседа. Конечно, была и основная причина, главная, почему ты выходила не за того. Что произойдет, если ты выйдешь за *того самого*, за того, кого любишь и хочешь, который любит и хочет тебя, и ваш союз окажется прочным, хорошим, полным немыслимого счастья, если этот замечательный супруг не разлюбит тебя, если ты не разлюбишь его, если ни один из вас не будет убит по политическим проблемам? Каков будет удел всех этих радостных «вечно» и «бесконечно»? Ты уверена по-настоящему, взаправду, что тебе по плечу справиться с такой перспективой? Сообщество придерживалось мнения, что нет, это недопустимо. Большое и длительное счастье — слишком много, чтобы молить судьбу об этом. Вот почему брак через сомнение, брак через вину, брак через сожаление, через страх, через отчаяние, через упреки, а еще через ужасное самопожертвование являлся здесь почти обязательным негласным брачным реквизитом. Вот почему я защищала себя, не выходила замуж; более того, держась за наверные отношения, несмотря на мои периодические порывы и тщетные попытки переформатировать меня и наверного бойфренда для надлежащих отношений. Вот в чем состояли все причины — выбор явно немалый — для так называемого случайного брака или брака с неподходящим человеком. И я теперь знала, что папа и в самом деле был неподходящий супруг, потому что, хотя она и обвиняла его, всегда его обвиняла — за его депрессии, за то, что он не встает с кровати, за то, что ложится в больницу, за то, что умер, за то, что не любит ее, — дело было не в папе. А в том, что она была влюблена, все еще, до сих пор, все время была влюблена в настоящего молочника. А папа — он знал, что он неподходящий супруг? Переживал ли он, было ли его сердце разбито не только потому, что он занял не свое место, а потому, что позволил ей поставить его не на его место? Или знал ли папа на протяжении всех этих лет супружества, даже до супружества, что мама для него тоже неподходящая супруга?

Теперь, по прошествии почти двух недель, мама все еще уходила в больницу ухаживать за настоящим молочником, а я оставалась дома присматривать за девочками. Их паника спала, они теперь понимали, что она ушла не навсегда, не исчезла, ее не «исчезли», не увезли в какое-то страшное место вроде больницы или тюрьмы, что она не умерла, что ее тело не зарыто в какой-то тайной, наскоро вырытой могиле. Они согласились с тем, что какое-то время ей придется бывать дома урывками, и тогда они смогут быть с ней, что пока они могут из меня вить веревки, чем они и занимались. «Мамочка говорит, нам это можно». «Мамочка говорит, мы можем туда ходить». «Мамочка говорит, что мы можем не ложиться хоть до четырех утра». Часть из этих «мамочек» я им позволяла, а по вечерам читала им, потому что мелкие сестры любили, когда им читают. И вот в это время, потому что они их потребовали, и потому что у меня самой проснулась в них потребность, я в тот ранний вечер отправилась в самую середину нашего района, чтобы купить (условно говоря) эти чертовы чипсы.

Я распахнула покоцанную дверь магазина, вошла внутрь и пережила несколько неприятных минут, когда меня там превратили фактически в пособника убийцы таблеточной девицы, хотя я, конечно, выйдя на улицу, решила, что он, вероятно, не имеет к этому никакого отношения. Это скорее было их склонностью к сенсациям, выдумкам, вранью, а им так хотелось, чтобы оно было правдой, что они в своих головах и сплетнях и превращали домыслы в правду. В любом случае, если я была пособницей, то кто такие были они, чтобы говорить об этом, потому что все они тоже становились пособниками. Я распахнула дверь и вошла, а потом, немного времени спустя — ошарашенная, пристыженная, с бесплатными чипсами, а еще с озлобленными мыслями: «Убей их, Молочник. Убей их всех. Я их ненавижу. Не медли — убей их» — вышла на улицу. Прошла по улице от кулинарного магазина и завернула за угол, думая, так значит, так оно теперь и будет? Я имела в виду, что я смогу брать товары бесплатно. Я видела, что некоторые избранные в районе берут всё бесплатно. Заходят в магазин, и хозяева молча, иногда неприветливо, хотя по большей части с избыточным усердием и с избыточной приветливостью подают им пакеты с товаром за так. Значит, такой стала теперь моя роль в инфраструктуре Молочника? Меня будут ненавидеть, бояться, презирать, но, в конечном счете, будут и мириться со мной? Если так обстояли дела — если так мне все будут давать товар, доставлять товар, все больше и больше товара, независимо от того, нужен он мне или нет, — то каким, заволновалась я, должен быть мой следующий шаг? Должна ли я преодолеть себя, брать товары бесплатно, складывать их в углу и никогда на них не смотреть? Должна ли я быть твердой, не запуганной, не загнобленной, а бросить деньги им на прилавок? Или я должна уйти с достоинством, ничего не купив, ничего не приняв. Если я буду придерживаться последней линии, то я проведу свою линию, но я уже взяла чипсы, значит, они провели свою линию. Это означало, что мне не оставалось ничего другого, а только отправляться за пределы района, чтобы делать покупки, и не какие-нибудь мелкие, а, вероятно, закупки на неделю. А еще я не была подготовлена к этому, к противостоянию этому, к победе над этим. Если бы он умер — если бы Молочник умер, — или если бы его посадили в тюрьму, или если бы его «исчезли» — потому что неприемники не видели ничего дурного в том, чтобы время от времени «исчезать» друг друга — или если он даже дойдет до того, что потеряет интерес ко мне, то мои рейтинги упадут, и они, владельцы магазинов, в свою очередь потребуют от меня возмещение за все это жополизство и возвращение всех их пакетов. И вот я шла, погруженная в свои мысли, размышляя о мрачных перспективах, думая «Какой смысл? Что толку?», и во мне нарастала целая груда негатива. И тогда на меня опять нашло то неприятное физическое ощущение плавучести в теле, я больше не ощущала ног, а ноги больше не касались земли. Я видела, что они двигаются, но не ощущала их движения. И опять у меня возникло ощущение, будто я голая и обнаженная сзади. Что происходит? Я это ненавижу, подумала я, и тут я остановилась и взялась за какую-то изгородь. И тут, словно по команде, я почувствовала эти антиоргазмические дрожи, прошедшие по мне. Значит, меня ждут шок за шоком, одно говно за другим, пока, казалось, я не пойму послания. Но какого послания? Почему я вдруг виновата в том, что они решили, будто он перерезал ей горло за меня?

Тут я вспомнила про чипсы. Я все еще держала их в руке, обременяла себя ими. Поэтому я их бросила. А когда они оказались на земле, я уничтожила этот благородный жест, подумав: с какой это стати я буду их бросать? Не поднять ли мне их? Они не испачкались. Они по-прежнему в упаковке. Я могла бы стряхнуть с них пыль, перекрестить их и принести мелким сестрам. Но вопрос был улажен стаей уличных собак, они появились из ниоткуда, набросились на чипсы, принялись драться за них, а победители за считаные мгновения их сожрали. Ярость собак породила громкий «ох», я перевела взгляд в направлении звука и увидела там сестру таблеточной девицы, ту самую, которую, как и меня, недавно отравили чуть не до смерти и которую отравил тот же человек. И опять же, как и я, она держалась за ограду, словно в начале своих отравительных мучений, а не после избавления ее от отравительных мучений. Она скосила глаза сначала на меня, потом на собак, и я увидела, что после отравления она утратила свою яркость, а еще, что у нее ухудшилось зрение. Говорили, что она не пользуется палкой, и я теперь видела, что не пользуется. Вместо этого она пользовалась остатками зрения, а также стенами, частоколами, фонарными столбами, живыми изгородями — именно так она продвигалась, приближая свое лицо к предметам и на ощупь. «С ней все в порядке, справится», — таким был прогноз сообщества относительно ее, а также общепринятый эвфемизм, употреблявшийся вместо «поправилась, но сломана», что тоже было эвфемизмом вместо «нуждается в срочной медицинской помощи и внимании», и всего этого нуждающееся лицо было лишено, поскольку не могло обратиться в больницу. Что касается ее яркости, то теперь я своими глазами убедилась, что ее яркость получила повреждения, стала пятнистой, едва различимой. Если не считать немногих слабых мерцаний и необычного мрачного мерцания, то она могла бы быть одной из нас с нашим тяжелым, сонным бременем. В этот час на улице было мало народу, потому что большинство людей находились дома, пили чай, смотрели новости по телевизору, а те, кто был, шли прямо на нее. Некоторые нарочито не смотрели, другие неуверенно замедляли шаг, останавливались, а потом резко переходили на другую сторону (где все еще продолжали драку собаки), выбирая такой маршрут как наименее беспокойный. Один или двое пребывали в нерешительности, как пребывала в нерешительности и я, но не потому, что мы не хотели помочь, а потому, что сестра таблеточной девицы в своей уменьшившейся яркости, в своей наступающей тьме, могла теперь отвергнуть предложения помощи. Потом человек, может, и хотел помочь, но был не в состоянии, поскольку сам цеплялся за ограду. Наконец колеблющиеся напротив меня приняли решение. Они тоже перешли на другую сторону, так что теперь осталась только я и сестра таблеточной девицы. Оставались, конечно, еще и собаки, некоторые дрались, некоторые лизали, даже жевали обертки. Потом я увидела двух мужчин, и они тоже дрались, физически дрались. А не заметила я их раньше, потому что они не издавали ни звука. Они дрались молча, в абсолютной тишине — кулаки подняты, выпад, прямой удар, хук, перемах, уход, прыжки, захваты. Видеть это было странно, но еще страннее было то, что у обоих дерущихся во время всех этих физических усилий изо рта торчала ленивая, длинная сигарета.

Я отпустила ограду и подошла к сестре таблеточной девицы. Я сказала ей, кто я, потому что мне было ясно, что она меня не может различить. Я спросила, не нужна ли ей помощь, хотя и не верила, что она скажет «да», и даже сомневалась, что она вообще ответит, и одна из причин этого состояла в том, что если она, как и другие в кулинарном магазине, думала, что я приложила руку к смерти ее сестры, то с какой стати она будет думать, что я уверена, что она примет теперь от меня помощь? Вторая причина возвращала меня к сомнительным бракам, к выбору не того супруга. Тут некоторые говорили, что этот новый оттенок тьмы, опустившийся на сестру таблеточной девицы, объясняется не столько ее отравлением сестрой, сколько постепенным угасанием ее духа, после того как годом раньше от нее ушел ее давний бойфренд. С учетом того, кто от нее ушел, даже точнее сказать, кто ее бросил, и с учетом того, что я состояла в кровном родстве с этим человеком, мои мысли в этот момент не могли углубляться в этом направлении. Но я все же предложила ей помощь, и она сказала: «А что ты сделала? Я увидела движение, а потом прибежали собаки, и мне не пройти из-за них». Она уже поворачивалась, чтобы пройти длинным путем в противоположную сторону. Предположительно, это означало, что она пойдет, цепляясь то за одну, то за другую ограду, за живые изгороди, от одного поломанного фонарного столба к другому, пока не доберется до дома. «Выбросила чипсы, — ответила я, потом сказала: — Не ходи там, там мужчины дерутся». Услышав мои слова, она замерла, сказала, что пытается разглядеть все, что попадается на пути. В особенности уличные знаки, сказала она, и показала рукой, добавив, что они бледные. Я посмотрела туда, куда она показывала, но не увидела там уличных знаков. В этом районе, где большинство улиц были одинаковые, неприемники с целью замедлить и запутать врага сняли все уличные знаки, и она должна была бы знать это, и я потому подумала, не повредило ли отравление и ее мозг? «Я отсчитывала путь, — сказала она, продолжая вглядываться и не отпуская ограду. — Не могу вспомнить, свернула ли я на...» — тут она назвала две улицы, ни на одну из которых она не сворачивала. Но ей до дома оставалось пройти всего три улицы. Я объяснила ей, где мы находимся, и собиралась спросить, не хочет ли она, чтобы мы прошли вместе. Но получилось так, что мы обе заговорили одновременно. Наши речи обратились к главному, и я заранее остерегла себя, сказав, что не должна быть эгоистичной и говорить то, к чему секунду спустя я перешла, и сказала то, что сказала: «Я не убивала твою сестру. И я не имею никакого отношения к тому, что твой любовник ушел от тебя». А она мне сказала: «Мы на днях нашли письмо в комнате моей сестры».

Это письмо нашла сестра таблеточной девицы в ходе объединенных поисков, предпринятых всей семьей. Они вознамерились найти место, где таблеточная девица держала свои отвары и свои яды, все инструменты своей профессии. Она постоянно получала что-нибудь новое и физически не могла хранить все при себе. Вероятно, прятала где-то, решила она, где-то в доме. Пока часть семьи вела поиски на дальних подступах, в уличном сортире, выгребной яме, угольном подвале, на чердаке и так далее, сестра таблеточной девицы отправилась в маловероятные места. Такие места, сказала она, где американские индейцы, исполненные мудрости и проницательности, будучи с древности в родстве со средой обитания и ее стихиями, прятали вещи — на виду и там, где их невозможно найти. В переводе это явно означало гостиную. Таблеточная девица, отравительница, не осчастливливала своим присутствием даже самые обязательные из семейных собраний, а это означало, что там она бы никогда ничего хранить не стала. Поэтому сестра таблеточной девицы прямо и направилась в гостиную и принялась искать в самом невероятном месте этой самой невероятной комнаты, где ее сестра с наибольшей вероятностью могла хранить свои яды. На диване в тот день лежала — как она лежала уже пять лет и наверняка должна была пролежать еще больше — когда-то любимая семейная тряпичная кукла. Эта кукла передавалась детьми друг другу по мере их взросления, пока не дошла до последнего ребенка в семье, который отказался от нее в одиннадцатилетнем возрасте. Хотя кое-кто в этой семье, вероятно, думал, что когда-нибудь, очень скоро, да, когда-нибудь, когда он или она закончат все другие, более насущные, домашние дела, то займутся куклой — выбросят ее или отдадут кому-нибудь. Поскольку пункт этот в повестке был третьестепенный, этот день так до сих пор и не наступил. Семейный уборщик забыл о ней, и кукла продолжала лежать там, на виду у всех, пока кто-нибудь не обратит на нее внимания. И вот сестра таблеточной девицы подошла к кукле и взяла ее. В животе куклы между сексуальной чакрой и чакрой солнечного сплетения имелся большой вход и выход, закрытый пришпиленной английскими булавками салфеткой. Сестра таблеточной девицы открыла булавку, вытащила ее из тела куклы и обнаружила внутри не фактические яды таблеточной девицы, а письмо, сложенное в восьмушку. Оно было написано рукой сестры и, казалось, являло собой частное послание, написанное одной некой стороной таблеточной девицы другой ее стороне. «Моя дражайшая Сюзанна Элеонора Лизабетта Эффи» — начиналось письмо. Тут сестра таблеточной девицы сделала паузу. Как и все другие члены этой совестливой семьи, она не была расположена копаться в чужих вещах. В обычной ситуации она бы никогда этого не сделала, вот только у семьи были серьезные обязательства найти и уничтожить орудия убийства их родственницы, а с неприемниками на пороге, угрожавшими убить эту родственницу, они чувствовали, что у них нет другого выбора, кроме как пошевеливаться. Пока остальные копались внизу и наверху и во дворе, вынимали половые доски, проделывали отверстия в стенах, искали под балками склянки и отвары, сестра таблеточной девицы с сомнением и угрызениями совести, восседая на диване, развернула письмо того, что оказалось тринадцатью страницами, исписанными мельчайшим, аккуратнейшим, чернейшим почерком. Она сделала глубокий вдох. «Моя дражайшая Сюзанна Элеонора Лизабетта Эффи», начиналось письмо.

Моя дражайшая Сюзанна Элеонора Лизабетта Эффи!

На нас возложена обязанность перечислить все ваши страхи, чтобы вы их не забыли: страх перед нищетой; перед навязчивостью; перед старостью; перед невидимостью; перед видимостью; перед стыдом; перед ошеломленностью; страхом быть обманутой; страхом быть запуганной; быть брошенной; быть побитой; быть темой для разговоров; быть предметом жалости; быть предметом насмешек; страхом перед тем, что тебя будут считать одновременно «ребенком» и «старой девой»; страхом перед гневом; страхом перед другими; страхом совершать ошибки; страхом инстинктивного знания; страхом перед грустью; перед одиночеством; перед неудачей; перед потерей; перед любовью; перед смертью. Если не перед смертью, то перед жизнью — перед телом, его потребностями, его частями, его страждущими частями, его никому не нужными частями. Потом перед дрожью, рябью, превращением наших ног в студень из-за этих дрожи и ряби. В масштабе один к десяти, девять и девять десятых из нас верят в то, что мы теряем наши силы и отступаем перед собственной слабостью, что другие коварны. В нестабильность мы тоже верим. Девять и девять десятых из нас считают, что мы подвергаемся слежке, что мы воспроизводим старую травму, что выражение наших лиц натянутое, несчастное, оцепеневшее. Таковы наши страхи, дражайшая Сюзанна Элеонора Лизабетта Эффи. Отметь их для себя, пожалуйста. Не забывай о них, пожалуйста. Сюзанна, ах, наша Сюзанна. Мы боимся.

«Обалдеть», — сказала я. «Да, — сказала сестра таблеточной девицы. — Но это еще не все».

Не для того чтобы продлить или утомить я пишу это, но самое большое беспокойство, беспокойство, которое прочно сидит в нас, а если бы мы только избавились от него, даже притом что мы бы сохранили все наши другие страхи, то мы были бы неописуемо счастливы, это беспокойство, которое стало нашим неизбывным проклятием, изменило нас в худшую сторону, воспрепятствовало нашему преодолению пустяков, какими являются уже перечисленные страхи, и беспокойство это — фатальное нечто нашей души; ты ведь помнишь, наша Сюзанна, это фатальное нечто нашей души? Эти Легкость и Изящество, которые пробрались в нас, которые были внутри нас и которые, как ты помнишь, все еще владеют нами?

«Она имела в виду меня, — сказала сестра таблеточной девицы. — До того как отравления начались, я хочу сказать, начались по-настоящему — я говорю о давних днях, когда сестра травила случайных, временных личностей, и не забывай, она была моей старшей сестрой, так что я должна была уважать ее за старшинство, — я решила поговорить с ней, потому что не понимала не только силы ее страхов, но и самого существования ее страхов, я пришла к ней в комнату и запуталась в словах. Я не понимала, что запуталась, но я сделала и кое-что похуже. Не увидела того, что должно было броситься мне в глаза. Своими попытками я не сделала ничего — только возбудила ее подозрительность ко мне. Я пыталась разговорить ее, узнать о ее прежних отравлениях, расплести путаницу, попытаться вернуть ее к прежнему здравомыслию. Она сказала, что это невозможно, что сосредотачиваться на добре пагубно, когда существует зло, все то зло, сказала она, которое нельзя забыть. Она сказала, что старые темные вещи, а с ними и новые темные вещи нужно помнить, они должны быть признаны, потому что иначе все, что случилось в прошлом, случилось бы впустую. В моем невежестве, — продолжала сестра таблеточной девицы, — и хотя я понять не могла, что она имеет в виду под "впустую", я сказала: может быть, эти темные вещи не прошли впустую, может быть, к сожалению, они не прошли впустую, но важно то, что от них теперь можно избавиться, что она теперь может уйти от них, разве не так? Тогда-то она и отравила меня в первый раз». — «В первый раз?» — спросила я. «Да. Она пять раз травила меня, хотя я думала, что первые три были всего лишь месячными». Это младшая сестра сказала мне потом, что позже у нее со старшей сестрой состоялся еще один разговор за чашкой чая. В тот раз, хотя таблеточная девица снова сама готовила чай, младшая опять слышала, как та говорила о темных, плохих вещах, за которые следует держаться. Она поняла, что ее сестра по-прежнему остается в плену вопроса о плохих вещах. На сей раз речь шла о том, как сделать, чтобы их не потерять, потому что иначе это будет означать, что прощение может пробраться к нам через заднюю дверь. Сестра таблеточной девицы сказала, что таблеточная девица сказала, что она прощать не может, по крайней мере, пока не получит извинений. «Я сказала, — сказала сестра таблеточной девицы, — и сказала это еще раз, хотя и не знала, кто должен принести эти извинения или за что должны были извиняться непрощенные... но я сказала, что ожидание извинений, на мой взгляд, это часть агрессивного мышления, и я спросила, не может ли она оставить эти ожидания, потому что иначе эти ожидания лишь еще больше уничтожат ее. Она сказала, что не может двигаться дальше, что должна получить извинения, прежде чем что-либо станет возможным, а я сказала, не нужно ей ждать, вот ничуточки не нужно, и в этот момент я подумала о том, что у меня во второй уже раз случилась очень плохая менструация». Когда они в третий раз пили чай и разговаривали, казалось, сказала сестра таблеточной девицы, что они целиком и полностью оставили тему «впустую» и неполученных извинений, как тему прощения или непрощения, а вместо этого перешли к идентичности, наследству и традиции. «Я сказала ей, что мне кажется, — сказала сестра таблеточной девицы, — что она слишком уж занимает свои мысли самоотделением, самоизоляцией, чересчур крепко держится за них, уделяет им внимания больше, чем следует, что она и делала каждый раз, когда совершала свои отравления. “Как насчет мирного сосуществования?” — спросила я, а она ответила, что такие вещи нужно уважать, что к тому же, если бы она сосредоточилась только на ярких сторонах, то все бы думали, что никаких других сторон нет. Они бы забыли, сказала она. Думали бы, что все хорошо, и осталась бы только одна она, которая помнила бы. Я не понимала, что это за «вещи», о которых она говорит. Я сказала, что ее идентичность, похоже, имеет склонность к фанатизму, а потому она не может себе позволить сомнения и, как следствие, лишь становится еще фанатичнее, после чего у меня в третий раз случились мучительно-болезненные, судорожные месячные». В четвертый раз, сказала сестра таблеточной девицы, она поняла, что сестра отравляет ее, и после этого они перестали пить вместе чай и разговаривать. «Но я все еще думала, — сказала она, — что должен быть какой-то другой способ». К тому времени неприемники той страны в нашем районе уже стали угрожать таблеточной девице, а ее семья принялась искать орудие убийства. «Вот тогда-то я и нашла послание, — сказала сестра, — которое начиналось в настроении страха и продолжалось, и продолжалось — целая стопка в тринадцать страничек, исписанных мелким почерком». Кончалось же письмо так:

С любовью и огромным волнением и озабоченностью за вашу нынешнюю и неизменно будущую безопасность от

Вашего, хотя и остающегося воистину испуганным,

Верного страха перед другими людьми и не только в трудные дни.

Верный страх перед другими людьми и не только в трудные дни не наносил сильных ударов. Никакой длительной переписки не было, сказала сестра таблеточной девицы, имея в виду какую-нибудь противоположную силу, какую-нибудь отважную атаку, совершенную внутренней противоположной партией, пытающейся изменить и вернуть в нормальное русло ситуацию страха, вывести ее к счастливому разрешению. Вместо этого нашлась одна отдельная страничка от *Легкости и Изящества,* и даже она с постоянными вставками от *Верного страха перед другими людьми и не только в трудные дни. Дорогая Сюзанна Элеонора Лизабетта Эффи*, так начиналась эта страничка Одинокого рейнджера.

Дорогая Сюзанна Элеонора Лизабетта Эффи,

Мне вовсе не нужно говорить вам...

ЭТО СТРАШНО! АХ, КАК ЭТО СТРАШНО!

...что все, что вы видите, есть отражение...

ВСЕ ТАК УЖАСАЮЩЕ!

...вашего внутреннего ландшафта, и что вам нет нужды...

ПОМОГИТЕ! ПОМОГИТЕ! МЫ УМРЕМ! МЫ ВСЕ УМРЕМ!

...верить этому внутреннему...

МОЙ ЖЕЛУДОК! МОЯ ГОЛОВА! О, МОИ ВНУТРЕННОСТИ!

...ландшафту. Вместо этого мы можем...

ПОМНИТЕ ПРО НАШУ АПТЕЧКУ ПЕРВОЙ ПОМОЩИ! НАШУ АПТЕЧКУ-УТЕШИТЕЛЬНИЦУ! НАШУ АПТЕЧКУ ВЫЖИВАНИЯ И САМОЗАЩИТЫ! НАШУ АПТЕЧКУ, НАШ СПОСОБ ЗАЩИТЫ НАШИХ ИНТЕРЕСОВ! НАШИ СКЛЯНКИ, И НАШИ ОТВАРЫ, И НАШИ ГЛЯНЦЕВИТЫЕ ЧЕРНЫЕ ТАБЛЕТОЧКИ! ОХ, ПОСПЕШИТЕ С МЕСТЬЮ! МЫ ХОТИМ, ЧТОБЫ ОНИ ПОЧУВСТВОВАЛИ НАШУ БОЛЬ И...

Таким образом, *страх перед другими людьми* победил, привел к беспорядочному отступлению, а в конечном счете и убил *Легкость и Изящество. Легкость и Изящество* пришли в другом облачении: *Неповторимость, Яркость, Сестрица*. В итоге оно пришло к ней в таком виде — *Сестрица*. Так что все было логично. *Сестрица* пробралась внутрь ее. Ей не нужна была *Сестрица* внутри ее. А потому *Сестрица* должна была уйти. Вот так сестра таблеточной девицы была отравлена в пятый и почти роковой раз. Потом была отравлена я. Потом был отравлен человек, принятый за Гитлера. После этого сама таблеточная девица умерла насильственной смертью.

Страх перед другими людьми, вероятно, счел, что с ее смертью сам он сможет продолжать жить. Он станет веселиться, расслабится, продолжит наводить страх. Они никогда не понимают, эти психологические захватчики и собственники, что, расправившись со своим хозяином — единственным главным существом, необходимым им для собственного выживания, — они неизбежно расправляются и с собой. Я разглядывала сестру таблеточной девицы, у нее было болезненно-бледное лицо, пот на лбу, затрудненное дыхание, глаза — безотрадные из-за ухудшения зрения, а ее крохотные ручки все еще цеплялись за ограду. Она держалась за нее словно в лихорадке. Может быть, ее и вправду лихорадило. И она была тонкая, как папиросная бумага, не только телом, а всем своим существом. Она была взвинчена, подспудное проникало наружу, восприимчивость, все ранние системы предупреждения, все ее детекторы наблюдения подавлялись и подавляли. Я предложила ей помощь, но не знала, как ей помочь. Я чувствовала себя вовлеченной. Она назвала меня по имени, по имени, которое мне дали при крещении, и голос ее прозвучал тепло, дружески, и мне стало легчс, это было далеко от моих ожиданий: «Ты убила нашу сестру!» Потом она сказала: «Ты понимаешь, насколько она была испугана? Я не представляла, насколько она была обложена, потому что она была моей старшей сестрой, и независимо от того, что она чувствовала себя окруженной врагами». Я ответила ей кивком, потом подумала, что она, возможно, не увидела его, и сказала «да». И думала, что бы еще добавить, потому что, как и с настоящим молочником в его грузовичке, я чувствовала, что хочу добавить что-то, сделать что-то. Прежде чем мне что-то пришло в голову, появился ее прежний любовник.

Я почувствовала его у меня за спиной прежде, чем почувствовала на себе его руки. Это был третий брат, мой третий брат, которого я не видела целый год. Он теперь после женитьбы почти не появлялся — а если появлялся, то ненадолго — в нашем районе. Он приезжал повидать маму, привезти ей денег, но приезжал второпях и уезжал так же, второпях, брал ее и мелких сестер, хватал их — *быстро! бегом!* — увозил их куда-нибудь проветриться. Он вез их в город, говорили мелкие сестры, или в горы, или на побережье, если день был солнечный, и они всегда останавливались, чтобы купить что-нибудь вкусненькое, потворствовать своим желаниям — «мороженое, чипсы, лимонад, сосиски». «Если карусель есть поблизости, — добавляли они, — мы и кататься идем, он нас туда сажает, даже маму, на все аттракционы». Он еще иногда возил их через весь город, говорили они, выпить чая в его доме с ним и его новой женой. Эта новая жена появилась неожиданно. Никто не предвидел ее появления — ни мама, ни мы, ни сообщество, ни третий брат и, уж определенно, не сестра таблеточной сестры, давняя подружка, в которую он был влюблен много лет. Что же до меня и его, то мы с ним не встречались после его женитьбы, потому что он приезжал к нам каждый второй или третий вторник, в тот самый день, когда я после работы уходила к наверному бойфренду. Но вот он вдруг появился у меня за спиной, положил руки мне на плечи, прежде чем я успела повернуться и понять, что это не Молочник, не линчеватели из кулинарного магазина, не *страх перед другими людьми* или сама возвратившаяся с того света таблеточная девица. Это был он, третий брат, и я почувствовала вибрации его приближения и была не единственной, кто их воспринял. Сестра таблеточной девицы тоже что-то почувствовала. Она оборвала разговор о великом страхе ее сестры, вздрогнула, потом воскликнула: «Кто это? Кто там? *Кто это?!*» Голос ее звучал взволнованно и требовательно, но в то же время возбужденно, с надеждой, потому что она раньше меня почувствовала, кто стоит у меня за спиной, знала еще до того, как брат сказал: «Отойди в сторонку, сестра-близняшка, я пройду».

Но ему самому пришлось меня обходить, потому что я была слишком ошарашена, чтобы шевелить ногами. Хотя он и заговорил со мной, я видела, что он уже забыл о моем существовании, смотрел мимо меня, двигался прямо к той единственной девушке, которую всегда любил. Услышав его голос, сестра таблеточной девицы издала еще один крик, ее рука взлетела ко рту, другая выбросилась вперед, чтобы то ли оттолкнуть его, то ли ухватить. Потом она уронила руки, попыталась отступить, но не смогла, потому что и без того стояла у ограды. Вместо этого она пошла боком, и в этот момент я поняла, что и она теперь забыла о моем существовании. Возможно, в этом была вторая причина, подумала я, по которой она могла бы отказаться от моей помощи. Поскольку я была сестрой ее бывшего любовника, который ее бросил, чтобы жениться на какой-то неизвестной, но, видимо, полезной особе, то разве она не захотела бы, чтобы ей лишний раз не напоминали об этом ужасном событии из ее прошлого? И это было опять про неправильного супруга, на этот раз про жену третьего брата, которая была неправильной, тогда как женитьба на сестре таблеточной девицы была бы правильной. Так это видели мы — моя семья, ее семья, все в сообществе. Но они не поженились, потому что третий брат уехал и сделал обычную неоспариваемую, подсознательную вещь по самозащите. Поскольку девушка, которую он любил, любила его взаимно с такой силой, на которую он не мог ответить с взаимной уязвимостью самопожертвования, он закончил их отношения, чтобы отказаться от них, прежде чем он их потеряет, прежде чем у него их отнимут, будь то судьба, будь то кто-то другой. Никто не сказал ему ничего разумного в то время, потому что кто же мог оказаться этим кем-то другим? И брат попытался убежать от своего великого страха, теоретически потерять то, что ему было нужно больше всего, и решил обойтись заменой. Неудивительно, что сестре таблеточной девицы было что сказать на этот счет.

«Уходи, — сказала она. — Ты уехал, бывший любовник, поэтому теперь просто уходи». Ее голос дрожал, ее трясло, она определенно разозлилась, и держать себя в руках ей удавалось с трудом; ясно было и то, что она с трудом различала его. Что же касается меня, то я оставалась невидимой для обоих, но это не мешало моим мыслям метаться. Неужели уже слишком поздно? Неужели он сжег свой корабль? Неужели все уничтожил? Или она собиралась смилостивиться и позволить ему исправить случившееся? Имея намерение все исправить, третий брат, казалось, не уйдет, как она потребовала. Вместо этого он подошел к ней и, хотя не прикоснулся, теперь заговорил, принялся умолять. Не думая о словах, не думая о красивости, потому что он слишком сильно переживал эмоционально, чтобы осознанно оценивать то, что говорит, а говорил он что-то в таком роде: «...Ошибка ...дурак!.. Такой дурак! Не знаю, что было у меня в голове, что я делал... Глупо. Не тот человек. Потому что я любил тебя... Боялся. Рискованно... Играл на безопасность... Продал мечту... Какой идиот... Ах, дурак!.. Черт побери!.. Не тот человек... В жопу... Незрелый!» Было и что-то еще про «безрадостно», потом что-то о «радости», что-то типа «любовь, моя любовь», и «не мог с собой справиться», и «идиот сумасшедший, огромный идиот, счастье, не мог... не стану... большой безмозглый идиот». Я думаю, он говорил про себя. После этого было про «эту любовную историю» и про то, как он поступился своим чувством, как «принял решение», он говорил, что его трясло, что он был здесь, стоял сейчас перед ней и трясся. «Ты не видишь, что меня трясет?» — сказал он. Потом он сказал: *Черт! Ты не можешь видеть, как меня трясет! Ты не можешь видеть! Что она сделала? Что твоя сестра сделала с твоими глазами?*

Теперь он резко замолчал, и я думаю, он недавно узнал, что сестра таблеточной девицы, его бывшая девушка, была отравлена, но и не догадывался, до какой степени, вероятно, не видел отравленных людей вблизи, чтобы понять, что это не всегда только ущерб пищеварительному тракту. Но сестра таблеточной девицы теперь уже вполне контролировала себя. «Ты разбил мое сердце! — воскликнула она. — Ты сделал меня несчастной, и как на это ни посмотри, ты не сможешь не сделать ее — кто уж она такая — несчастной. Поэтому уходи, уходи», — и опять ее руки выставились. И опять его руки выставились, и она попыталась, и он попытался, потом она попыталась, потом она замерла. Потом он попытался снова, потом она его оттолкнула. В общем, там были замирания и отталкивания, руки выставлялись, предплечья выставлялись, руки отталкивались, и неоднократно «уходи», но без всякого ухода. Потом от него последовали новые заявления о любви, новые «дураки», и «чертовы дураки», и «чертовы идиоты». «А если бы она убила тебя! — воскликнул он. — Если бы твоя сестра убила тебя! Ты могла умереть, и я бы никогда...», и хотя его на самом деле не трясло, по крайней мере физически, внутри его явно происходило какое-то потрясение. Не то чтобы она могла видеть, но по его голосу и без того было ясно, как он выглядит. Определенно правдой было, что он поступился, принял решение, измарался, потускнел, так что, может быть, не пройдет еще и года, если он не пойдет туда, куда велит ему сердце, а если его сердце и дальше будет получать отказы, он превратится в одного из таких похороненных заживо, стопроцентно, заскученных до смерти людей в гробах. Но посреди этих его изъявлений в любви и внутреннего дрожания его тон изменился. В нем появились тревога, резкость, восхитительное бесстрашие, даже гнев. Он снова спросил, что с ней сделала ее сестра и возил ли кто-нибудь ее, его возлюбленную, для оказания помощи? Поэтому теперь появился доктор. Возили ли ее к доктору? Что делалось, чтобы ей помочь? Что-нибудь делалось, чтобы ей помочь? Но сестра таблеточной девицы оборвала его, отринула его озабоченность такими пустяками, как то, что ее сестра сделала с ней. «Потому что, какая у тебя может быть тревога о том, что со мной сделали другие, когда ты ничуть не тревожился о том, что ты сам со мной сделал!» За этим последовало и еще что-то, на сей раз от обоих, потом отталкивания от нее, потом хватание его за рубашку, чуть ли не объятие, чуть ли не ее голова легла ему на... Но нет! Это было неприятие его рубашки, неприятие его, потом снова отталкивание, потом снова хватание за рубашку, шажок поближе, ближе, еще ближе, еще ближе. Потом она наклонилась, склонилась, склонила голову на свои сложенные руки, уже не скрывая своих чувств. Потом она закрыла глаза и вдохнула его в себя, ее любовника, ее бывшего любовника, и в этот момент третий брат, вероятно, подумал, что получил разрешение. Он поднял руки — слишком рано! — разрешение не получено. Она с криком еще раз оттолкнула его.

Так это и продолжалось. Она снова оттолкнула его, теперь слабее, и его руки уже были вытянуты — более мудро, в ожидании, в готовности принять сигнал, малейшее указанис на то, что следующий раз будет нужным ему разом, все это, конечно, не предназначалось для моих ушей и глаз. В обычной ситуации я была бы потрясена, испытала отвращение при мысли о том, что кто-то — а в особенности я — стоит, широко разинув рот, в нескольких футах от двух перевозбужденных эмоциональных любовников. Но я была словно приклеенная, не могла оторваться, не хотела отрываться, и к тому же они сами это начали и продолжали. А теперь, позволив ему обнять ее, когда сама она держалась за него, умудряясь в то же время его отталкивать, она предостерегла его, сказав: «Я думаю, я тебя ненавижу», что означало, что она его не ненавидит, потому что «я *думаю*, я тебя ненавижу» — это то же самое, что «вероятно, я тебя ненавижу», а это то же самое, что «я не знаю, ненавижу я тебя или нет», а это то же самое, что «я тебя не ненавижу, боже мой, любовь моя, я тебя люблю, все еще люблю, всегда, всегда тебя любила и никогда не прекращала любить». Потом она оторвала голову от его груди, продолжалась толкотня или нет, но сейчас они оба застыли. Последовала секунда из ничего, миг неопределенности, а потом они с облегчением упали — больше никаких разговоров, никакого драматизма — в объятия друг друга.

Они теперь целовались, прижимались тесно друг к другу; он наклонялся над ней, поддерживая ее за спину, за талию, а она, выгибая назад позвоночник, обхватила его руками за шею, позволяла ему держать ее, поддерживать, наклоняться над ней. И вскоре мне действительно стало казаться, что он целует ее сзади в икры. Это было как одна из тех «тебя никогда так не поцелуют, пока ты не будешь так пахнуть» рекламок французских духов на Рождество, и тут я еще заметила — хотя они и ничуть, — что посмотреть на них пришли и другие. Большинство этих людей оторвалось от небольшой толпы, которая собралась посмотреть на странное представление драки двух мужчин дальше по улице. Они, эти мужчины, все еще молча продолжали драку, по-прежнему с сигаретами, свисающими с губ. Возможно, это была драка слишком тихая, слишком длительная, слишком вызывающая недоумение, дезориентирующая драка, плохо поддающаяся оценке, одна из тех драк, которые случаются, главным образом, по ассоциации идей, этакая модерновая встреча в стилистике *ар-нуво*.

Но поскольку аудитория была обычная, привыкшая к хронологическому и традиционному реализму, большинство стало сомневаться, что эти двое дерутся по-настоящему. Поэтому они потеряли интерес к драке и перешли к нам, и большинство этих соседей теперь кивали, и кивали они с выражением глубокомысленности на лицах. Женщина рядом со мной глубокомысленно кивала женщине по другую сторону от меня, которая отвечала на ее глубокомысленный кивок, глубокомысленно кивая ей в ответ. «Я знала, что дело в чувстве вины, — сказала первая, обращаясь теперь ко мне. — Это объясняет поведение твоего брата, его скрытность, его незаметное проскальзывание в район и спешное бегство отсюда. Вина. Только вина. Никакой связи с политическими проблемами, с неприемничеством или с каким-нибудь возможным подозрением в осведомительстве. Только вина — а еще раскаяние — и больная совесть из-за того, как он с ней поступил. Но ты имеешь хоть малейшее представление — и теперь все повернулись ко мне, — что на это скажет неправильная жена?»

Это было что-то новенькое. Братья. Мои братья. У меня было четверо братьев, три по-настоящему, а один из них, второй, мертвый. Я все еще считала мертвого второго брата, потому что он по-прежнему был моим братом. Я и четвертого брата считала, того, кто никогда не был моим братом, а который вместо этого был старейшим другом второго брата со времени детского сада. Он всегда жил с нами, этот четвертый брат, хотя у него была своя семья — двое родителей, два брата, семь сестер — до сих пор они у него были, жили в четырех улицах от нас. В четырнадцать лет, уйдя из школы, он продолжал жить в нашем доме, хотя в это время уже присоединился к неприемникам. Второй брат тоже присоединился к неприемникам. Даже теперь, когда второго брата не было, четвертый брат теоретически все еще жил с нами как часть нашей семьи, хотя в настоящее время он не жил в нашем доме, потому что был в бегах. Говорили, что он уехал на мотоцикле к границе после перестрелки с патрулем, когда он намеренно убил четырех патрульных и случайно трех обычных людей — одного взрослого и двух шестилетних девочек, они стояли у загородной автобусной остановки, ждали автобуса. Мы с тех пор его не видели, хотя люди и говорили, что он где-то там, в одном из графств в этой стране «через границу». Что же касается первого брата, старшего брата, то, по традиции, предполагалось, что если кто-то из семьи здесь и должен присоединиться к движению, то именно первенец должен присоединиться к движению. Эта традиция настолько укрепилась, что, когда второй сын мамы, мой второй брат, был убит в перестрелке с силами той страны, то полицейские, когда они пришли за мамой, чтобы она опознала тело, все время неправильно называли его ее первенцем. А настоящий мамин первенец, мой первый брат, он не поступил к неприемникам, а вместо этого упал както вечером пьяный в городе и сломал руку. Он сам пришел в больницу и сказал, что упал из-за того, что камень в мостовой расшатался, и подал иск, и те, кто отвечают за то, чтобы верить или не верить, поверили ему, и ему присудили несколько тысяч. Он дал кругленькую сумму маме, а потом, имея в виду страну и ее политические проблемы, сказал: «Ну их в жопу, я мотаю отсюда» — и уехал на Средний Восток, где мир, тишина и жаркое солнце. Прежде чем уехать, он предложил братьям уехать вместе с ним, но второй брат и четвертый брат, погрязшие в неприемничестве, сказали, что никуда не поедут, а третий брат не хотел уезжать, потому что был влюблен в сестру таблеточной девицы. Поэтому первый брат уехал один, и с тех пор от него не было никаких вестей. Так вот, значит, этот брат, первый брат, блудный, сделал то, что он сделал. И второй брат, мой покойный брат, сделал то, что он сделал. Четвертый брат в настоящее время делал то, что он делал. А третий брат, бросив свою правильную девушку и женившись на неправильной, ничего с этим не делал до настоящей минуты, он поставил точку — по крайней мере, тоже до этого момента — во всем, что о нем можно было сказать.

Закончив свой поцелуй а-ля Жан-Поль Готье и все еще не замечая нас, публику, третий брат поднял свою настоящую жену на руки. Он сказал всего одно слово «больница!», после чего из режима своих прежних заявлений о любви и собственном идиотизме перешел в режим «срочная медицинская помощь и забота», развернулся и понес свою любовь к машине. «Не надо бы ему везти ее в больницу, — зашелестели в толпе и принялись отрицательно покачивать головами. — Больница неподходящее место. Нет ничего более неподходящего, чем больница. Нужно будет заполнять анкеты. Будут спрашивать, кто ее отравил. Потом сообщат в *Gestapo*, и их обоих вынудят стать осведомителями». И тут они обратились ко мне: «Ты же понимаешь, они выяснят, кто твой брат. Узнают, кто он, узнают, что он брат твоего мертвого второго брата и брат беглого четвертого брата, и то, что он сам не неприемник, не будет значить ровным счетом ничего. То, что он в родственной связи с неприемником, — сказали они, — то, что он из одной семьи с неприемником, будет считаться доказательством того, что и он сам пособник». Сказав это, они ждали, что я отвечу. А что до меня, то мне бы хотелось, чтобы они перестали болтать про больницу. Многие из здешних уже переломили этот тренд, нарушили больничное эмбарго и обращались туда регулярно. Больница кишела людьми из моего района, хотя считалось, что они не должны туда обращаться. Еще чуть-чуть, и начнут организовывать однодневные путешествия в больницу, резервирование мест в больнице на время отпуска. Начиналась новая эра, по крайней мере в том, что касалось больниц, и чем скорее эти соседи поймут это, тем скорее мы приспособимся и будем жить дальше. Я, конечно, знала, что они не осмелятся упомянуть то, что было у них на языке: что власти узнают, что третий брат — брат сестры, которая состоит в сексуальной связи с крупным игроком военизированного подполья, того, кто стоял за недавними убийствами судей и судейских жен и который убил крупнейшего отравителя, какого знал наш район за всю свою историю. Однако соседи обошли всю эту историю с убийствами, а еще историю о том, что я была побудительным мотивом той стороны этой истории, который стал причиной «обычного убийства». Вместо этого они вернулись к тому, что полиция сделает из третьего брата и его подруги осведомителей. А третий брат тем временем, глухой к их мудрости, к их неодобрению, к опасности вовлечения себя в осведомительство, посадил любовь своей жизни на пассажирское сиденье своей машины. Он метнулся на свое сиденье, перепрыгнув через капот, и тут же завел двигатель. Машина с ревом понеслась по улице и со скрежетом завернула за угол на пограничную дорогу, которая вела в больницу. После этого мой обеспокоенный, но теперь счастливый брат исчез из зоны видимости и слуха вместе со своей снова счастливой, но опасно больной бывшей экс-любовницей.

Вот и все. Все действия закончились. Но их для меня было более чем достаточно на один день. Я не любила действия, потому что хороших действий практически не случалось, практически эти действия никогда не были связаны с чем-то приятным. И я отправилась домой, изменив план на остаток вечера, и изменение состояло в том, что мелкие сестры могут поесть сладкий пирог. После пирога они могут отправиться на поиски приключений, а я — остаться, принять ванну с пузырьками, тоже поесть пирог, лежа в ванне, держать ноги вверх во время и после ванны, закончить «Персидские письма», которые, возможно, распадутся от пара и от влаги, что не имело значения, потому что мне осталось дочитать всего несколько страниц. После этого, если мама еще не вернется, когда нужно будет укладывать мелких сестер, я почитаю им немного Харди, потому что они уже вошли в свой период Харди. Перед этим у них был период Кафки, за которым последовал период Конрада, что было нелепо, поскольку ни одной из них не стукнуло еще и десяти. И вот я решила почитать им Харди, хотя это и был отвратительный век Харди, а не приемлемый век Харди, но, тем не менее, я все равно собиралась им почитать, а чтобы закруглить вечер, лягу в постель и начну с одной из моих книг восемнадцатого века «Некоторые соображения о причинах величия и упадка Древнего Рима», изданной в 1734 году. Эта книга, на мой взгляд, была такой, какой и должны быть все книги. План мой был простой и последовательный, без затей, легкий в осуществлении, но, стоило мне войти в дверь, как мелкие сестры выскочили из задней гостиной с восточными зонтиками от солнца в руках, в рождественском «дожде», который достали из коробки, стоявшей на шкафу, и их первыми словами, обращенными ко мне, были: «Тебе звонил кто-то, сказал, наверный бойфренд». Это меня удивило, потому что, с какой беспрецедентной стати у наверного бойфренда будет мой телефон? Он никогда не звонил мне домой, и я никогда не звонила ему домой, да у меня даже номера его не было, я даже не знала, есть он у него или нет... Мелкие сестры продолжили: «Мы сообщили этому человеку, что ты пошла в кулинарный магазин за чипсами для нас, средняя сестра, — они пошарили глазами, но у меня в руках никаких чипсов не было, — потом мы спросили его телефонический номер, чтобы ты могла ему перезвонить, но он сказал: “Если она ушла только за чипсами, и если она только за этим ушла” — и потом он добавил, что сам перезвонит через полчаса. Он перезвонил через тридцать семь минут, но тебя еще не было. Тебе понадобилось много времени, чтобы купить нам чипсы, средняя сестра, — они снова пошарили глазами в поисках чипсов, на их лицах появились крохотные морщинки. — Поэтому мы предложили ему еще раз дать нам его телефонический номер, но снова этот человек, твой наверный бойфренд, сказал: " Не затрудняйте себя". Потом он спросил, не сестры ли мы тебе, и мы ответили, да, сестры, но *где чипсы*, средняя сестра?» Они ухватили быка за рога, поэтому я объяснила им отсутствие чипсов, хотя в моем объяснении не было ни слова правды. Поэтому я предложила им туманную, уклончивую историю — в кулинарном якобы не было чипсов, хотя я и знала, что всучить им туманность и легкость никогда не удается без проблем. Чтобы побыстрее закрыть вопрос и предупредить их вполне вероятные неодобрительные комментарии о моей нравственной чистоте, которая позволяет мне лгать им, я поспешила сказать, что они могут взять, что захотят, на кухне из шкафов — надеясь, что в кухонных шкафах найдется что-нибудь вкусненькое, — после чего я закрыла главу про чипсы, сообщив, что сестра таблеточной девицы и третий брат вроде как снова вместе, типа того.

Этот маневр был правильным, блестящий финт-отвлечение. Мелкие сестры любили сестру таблеточной девицы. Они ее так любили, что всегда бежали ей навстречу, подпрыгивали, бросались на нее, повисали на ее руках, на шее, обнимали ее, смеялись, получали ответные объятия, и это случалось каждый раз в то время, пока она была подругой третьего брата. Так что было вполне объяснимо, что, когда третий брат ее бросил, их сердца тоже были разбиты до такой степени, что они почти на год вычеркнули третьего из списка приглашаемых на Рождество. Одиннадцать месяцев, три недели и вплоть до кануна Рождества он был вычеркнут, но тут они сжалились и снова включили его в список. Этот период наказания включал и те случаи, когда он по вторникам вывозил их с мамой на прогулки с каруселями и веселыми развлечениями, даже не подозревая, похоже, о всей глубине непрощения его преступного поведения, в котором он был обвинен ими, ни того, насколько он был близок к тому, чтобы на это Рождество не получить от мелких сестер открытку с северным оленем, пару мужских носков, пару мужских шнурков и мужское мыло на бечевке. И теперь известие о примирении сделало свое дело. Это была лучшая из новостей не в последнюю очередь потому, что сестра таблеточной девицы отвечала на любовь мелких сестер с таким же самозабвением. Я не встречала никого, кто бы так снисходительно относился к серьезным рассуждениям трех маленьких личностей об изобретении энциклопедии, о вихревых ветрах на Фарерских островах, диатоническом звукоряде, провинциях Китая, нелокальности вселенной, теориях и фактах материальной науки или о культурном уничтожении внутреннего дворика Ка-д'Оро. Сестра таблеточной девицы так потворствовала им. Она наслаждалась мелкими сестрами, слушала их, поощряла их, воспринимала их серьезно, читала их объемные примечания и задавала разумные вопросы, доставляя им удовольствие. И теперь, когда эта пара воссоединилась, наступила радость, вопросы сместились с проблемы чипсов на проблему сестры таблеточной девицы и третьего брата. Но, не догадываясь о том, как сильно подействовал яд, — как мы с третьим братом поначалу тоже не догадывались о разрушительном действии отравления, — мелкие сестры не знали об опасном состоянии хорошенькой девушки, которую они любили. Я не стала углубляться в подробности на этот счет, не стала говорить, что она сейчас на грани смерти и в этот самый момент находится в больнице с трстьим братом, чтобы врачи занялись ею. Я просто сказала им, что они, вероятно, ее увидят и вскоре воссоединятся. А тем временем и пока на кухне есть из чего, сказала я, они могут поужинать, приготовив себе что угодно, потом они могут играть до самого поздна, а потом получат дополнительный бонус — я им почитаю Харди двадцатого века. Это их устроило, и вот чем мы занимались — мелкие сестры выбрали конфетки «Смартиз», сухарики «Фарлиз», вареные яйца, что-то под названием «леденцы с легким освежающим мятным вкусом» и различные другие полдниковые радости, — когда в третий раз за этот вечер и в четвертый раз, если брать в целом, позвонил наверный бойфренд.

«Ну, уже идите и поглощайте все это», — крикнула я, имея в виду их еду, потому что, когда телефон позвонил и я взяла трубку, мелкие сестры собирались отправляться на кухню. И тут наверный бойфренд сказал: «Это ты?», я прикрыла ладонью микрофон и крикнула еще: «И закройте за собой дверь и не подслушивайте телефонный разговор!» Поскольку я в первый раз говорила с наверным бойфрендом — с каким угодно наверным бойфрендом — по телефону, я чувствовала себя заторможенно, а потому не хотела, чтобы наш разговор подслушивали, имея в виду в данном случае мелких сестер. Конечно, были еще и специальные службы, но что касается их, то если они подслушивали — потому что, может, никто и не подслушивал, — то подслушивать им в этот момент особо было нечего, если не считать моего неразговаривания с наверным бойфрендом с моей стороны. Поэтому я крикнула мелким сестрам, чтобы ели свою полдничную еду где-нибудь подальше, чтобы потом ушли через заднюю дверь, после чего села на лестнице, убрала руку с микрофона, приложила трубку к уху и сказала: «Наверный бойфренд». Я была рада, что он позвонил, очень рада, хотя и испытывала какое-то странное чувство, говоря с ним по телефону. Всего восемь раз, семь, может, шесть разговаривала я по телефону. Наверный бойфренд сказал: «Долгонько ты покупала эти чипсы, наверная герлфренда», — и голос был, как всегда у него, то есть приятный, то есть мужественный, то есть доброжелательный, и он подначивал меня насчет чипсов, потому что я сначала так подумала, что он меня подначивает. Так что телефонный разговор начался отлично, но к концу — когда позади остались темы его именования террористом мамой, продолжающейся осады, в которой он оказался теперь уже не только из-за слухов о турбонагнетателе и флаге, но и из-за каких-то новых слухов про него, распространившихся по всему его району, но ответственность за которые, как он думает, лежит на мне в моем районе, — я вернулась к его замечанию «долгонько ты покупала» и теперь пересматривала его, выводя из категории доброжелательного подначивания для завязки разговора, как оно мне показалось вначале. Мне не потребовалось много времени, чтобы понять, что это, по большому счету, прямая атака на меня.

Он спросил у меня, что случилось. Почему я пропустила наши вторники и наши пятничные вечера, переходящие в субботу, и наши субботние дни, переходящие в воскресенья, потому что, кроме пресечения мной наших иногдашних совместных вечеров по вторникам, никто из нас ни разу не пропустил назначенного свидания за все время наших почти годичных любовных встреч? Я сказала ему, что случилось кое-что, и мне пришлось оставаться дома и присматривать и за домом, и за мелкими сестрами. Я ничего не сказала ни о ранении настоящего молочника, ни о том, что мама стала самой собой из-за того, что ранили настоящего молочника, ни о том, что я была отравлена, ни об убийстве таблеточной девицы, ни о том, что Молочник активизировал свою охоту на меня... ни вообще о Молочнике. Ничего я не сказала и о сообществе, и о его измышлениях, об автомобильной бомбе, которая все еще оставалась насущным вопросом между нами, хотя он и пытался отделаться от него. Было еще и происшествие в кулинарном магазине, о котором я умолчала, происшествие с этим явным «на, забирай свои чипсы, только не думай, что тебе это сойдет с рук, шлюха!», и я умолчала об этом не из упрямства. И все же мне начало казаться, что, вероятно, я и могу сказать, что мои дела могут стать — если наверный бойфренд захочет — и его делами. Но пока я помалкивала, думая, ну, хорошо, я ему скажу, а что дальше? Что, если я скажу? Что, если я решусь и выложу ему все это, как с автомобильной бомбой, а он возьмет да и скажет, что ему это ни к чему? В этот момент моей жизни и опять же потому, что я была сбита с толку и запугана Молочником и сообществом, а еще из-за этого неопределенного статуса отношений между мной и наверным бойфрендом, а еще потому, что я так долго оглядывалась назад, что и не почувствовала, как выпускаю из рук собственные благоприятные возможности, — вот из-за всего этого я решила, что чувствительный удар, который я получу, если он скажет, что ему это ни к чему, будет хуже ситуации моего молчания. И вот поэтому я все сгладила, думая, что в настоящий момент так мне и следует себя вести, но наверный бойфренд сказал: «Но что случилось? Что это за происшествие такое, наверная герлфренда?» После мгновения испуга моя челюсть отвисла, и, невзирая на все свои давние аргументы в пользу молчания, слова посыпались из моего рта. Я слышала свой голос, рассказывающий о том, что ранили друга мамы, что она поэтому в больнице, — и тут наверный бойфренд прервал меня и сказал, что приедет, хочу ли я, чтобы он приехал? Как мне хотелось, чтобы полет моей искренности унес меня и дальше, и я бы сказала ему то, что хотела сказать — «да». Он мог приехать. Мог быть здесь. Мог быть без поучений мамы, без ее вопросов о браке или детях. Или обвинений в том, что он Молочник. Даже если бы она была здесь, ее настолько сейчас заботили собственные сердечные проблемы, что она вряд ли заметила бы присутствие наверного бойфренда в комнатс. Так что не мысли о ней остановили меня сейчас, заставили задуматься, отторгнуть его предложение. Дело было вот в чем — *ну а что, если он приедет и выслушает?* Я вдруг увидела себя со старшей сестрой, мы сидим молча в передней гостиной мамы в день и час похорон ее убитого бывшего бойфренда. Я знала: невероятно, чтобы я позволила себе стать тем, чем я стала, как говорили слухи, но, судя по последним слухам в районе, мои отношения с Молочником продолжались вот уже два месяца. А это означало, что мне пришло время изменить ему, и вот я и изменяла ему, завела интрижку за его спиной с каким-то молодым автомехаником, молокососом из другого городского района. И вот тогда из-за этих новых слухов я перед ответом задумалась, приводя свои мысли в порядок. Рассказав кое-что — более легкую часть, которая не включала меня, а только маму и настоящего молочника, — я пришла к тому, решила я, чтобы рассказать наверному бойфренду все остальное. Но, прежде чем я успела это сделать, наверный бойфренд по-своему истолковал мою нерешительность, накинулся на меня и сказал, что я не хочу, чтобы он приезжал, что никогда не хотела, чтобы он приехал — чтобы забрать меня, чтобы довезти до дома, чтобы провести время со мной в моем районе. Сначала он сказал, что подумал, будто это из-за слухов про него и турбонагнетатель, а потому я стыжусь появляться с ним на людях; что может быть из-за слухов о нем, я даже стала верить, что он еще и осведомитель. Это было до прежнего слуха, сказал он, потому что даже в районе в другом конце города до него дошел этот слух — о том, что он осмеливается добиваться расположения подружки неприемника. «А этот неприемник, — сказал он. — Этот Молочник-неприемник. И что, наверная герлфренда, ты скажешь на это?»

И напряженность тут же вернулась, та напряженность, что нарастала между нами из-за слухов в наших районах. Теперь, казалось, что эти слухи соединились, и его точка зрения «мое нежелание видеть его у меня объясняется тем, что мне стыдно за него» изменилась на «мое нежелание видеть его объясняется моими отношениями с Молочником», а моя точка зрения изменилась с «моего нежелания видеть его здесь из-за мамы, которая будет требовать брака и детей» на «мое нежелание видеть его здесь из-за Молочника, который может его убить». Поскольку сказать ему об этом не сулило ничего хорошего, я решила, послушайте, разве я только что не стала раскрываться перед ним, и вот, пожалуйста, он затевает из-за этого ссору? Вместо того чтобы ответить — а с какой стати я буду отвечать, если он, как и другие, начинает с обвинений? — я снова пошла на попятный, закрылась, уязвленная и разозленная, и в этот момент меня снова стало одолевать отвращение. Ой, нет, подумала я. Только не это отвращение, не по отношению к наверному бойфренду. Но да, через несколько секунд наверный бойфренд снова начал изменяться. Он мигом стал менее привлекательным, менее похожим на себя. А потом совсем непривлекательным, совсем непохожим на себя. Вместо этого он становился все больше и больше похожим на Молочника. Потом у меня начались дрожи, и это случилось в первый раз из-за наверного бойфренда. Потом я подумала, погоди минутку. Откуда у него номер моего телефона? Какую воровскую, шпионскую, сталкерскую операцию он провел, чтобы заполучить номер моего телефона? «Откуда у тебя мой телефон?» Стоило мне пуститься в атаку с этим вопросом, как отвращение стало пропадать, и я опять вспомнила, кто он. «Ты дура, — сказала я себе. — Какая разница, откуда у него твой телефон?» Ведь я даже не возражала против того, чтобы у него был мой телефон, потому что по зрелом размышлении я хотела, чтобы у него был мой телефон. Не для того, чтобы он звонил. Скорее дело было в том, чтобы он у него был, в его желании иметь мой номер, это предвозвещало у меня в голове определенную близость, рост доверия. Но он принял мой вопрос по первому впечатлению, как атаку на него, что в тот момент, когда я спрашивала, к сожалению, так и было. «Из телефонной книги, наверная герлфренда», — рявкнул он, а рявканье в прежние времена было необычным делом для наверного бойфренда. «Из какой еще телефонной книги?» — сказала я. «Боже милостивый, наверная герлфренда! Телефонные книги — тоже запретная тема двадцатого века?» — я впервые услышала тогда от него подкол, связанный с моими читательскими пристрастиями. Значит, и он туда же, подумала я. И он. Мой собственный наверный бойфренд предательски туда же. Ножом в сердце. «И вот я набрал несколько номеров с твоей фамилией в вашем районе, — продолжил он, — потому что, если ты не забыла, ты мне так и не дала твоего адреса, наверная герлфренда, — и тут я услышала горечь, отчетливо услышала горечь в его голосе. — И, в конечном счете, после нескольких попаданий не туда, — сказала горечь, — я набрал следующий — и подошла женщина, которая оказалась твоей матерью».

Теперь он говорил ледяным тоном, который можно описать, как тронутый возмущением, обиженный, ледяной. Он больше ничего не сказал о своем приезде, но сказал про Молочника. «Наверная герлфренда, — сказал он, — скажи мне, что ты говорила своей матери обо мне и этом неприемнике?» — «Ничего, — сказала я. — Моя мама всегда так делает. Все выдумывает из головы». — «Она сказала, у меня есть бомбы, — сказал он. — Сказала, что я женат, что я совратитель, потом повесила трубку и не позволила мне поговорить с тобой. Так скажи мне, что ты ей наговорила?» — «Я тебе уже сказала, — ответила я. — Ничего. Это она. Я за нее не отвечаю. Она так всегда делает». — «Ты ей наверняка что-то сказала», — сказал он. «А зачем мне это было делать?» — сказала я. Здесь опять присутствовал упрек, а мне приходилось опровергать, объяснять, отвечать за ложные представления других людей. Потом он продолжил свои приговоры, заявил, что слышал, будто этот тип среднего возраста уже достиг среднего возраста. Он еще подчеркнул, что этот тип среднего возраста, этот старик, может, уже и достиг среднего возраста, но в движении он занимает весомое место. Знала ли я, что этот крутой пенсионер вытворял в... «Прекрати мне это говорить, — сказала я. — И я не встречаюсь с ним. Никак с ним не связана». — «А знает ли он, наверная герлфренда, — не отставал наверный бойфренд, — обо мне?» Я не верила своим ушам. Он, казалось, теперь так распахнул свои уши, что слышал даже самые крохотные сплетни не только своего, но и моего района. «Я знаю, мы с тобой никогда об этом не говорили, — сказал он, — о том, что мы с тобой всего лишь наверный бой и наверная герла "в почти годичных пока наверных отношениях", что, вероятно, означает, что нам уже пора встречаться с другими, но неприемник, наверная герлфренда, я имею в виду, *этот* неприемник? Ты и в самом деле уверена, что хочешь идти этой дорожкой?» Меня это обидело — ему, казалось, было все равно, что каждый из нас может встречаться с другими, пока мы пребываем в наших собственных наверных отношениях. Сама я в начале наших с ним отношений испытала несколько других парней, имея в виду, что один из них может стать моим наверным бойфрендом, но потом я прекратила это делать, потому что наверный бойфренд стал наверным бойфрендом, и мы все чаще проводили вместе дни и вечера, к тому же другие не оправдали моих ожиданий. Они задавали слишком много вопросов, пробных, проверочных вопросов, явно по списку, чтобы оценить, вынести суждение, понять, достаточно ли я хороша, а не задавали вопросы из желания узнать, какая я на самом деле. И потому я сама оценила этих ребят и пришла к выводу, что это они недостаточно хороши для меня, а это означало, что я пресекла наши возможные наверные отношения, когда они еще не начались. Что же касается замечания наверного бойфренда об одновременных свиданиях с двумя, а то и с тремя, то не означало ли это, что у него самого еще куча любовниц? Встречался ли он с какой-нибудь девушкой или какими-нибудь девушками в то время, когда у нас с ним были наши наверные отношения? Не спал ли он с ними, как спал со мной, потому что я для него так мало значила? Может быть, у него продолжаются романы с ними, со всеми этими многочисленными, бесчисленными женщинами, несмотря даже на то, что он попросил меня переехать с ним на улицу красных фонарей?

«...потом она обвинила меня в бомбах и повесила трубку».

Это был он — продолжал говорить о маме, и это пресекло мои мучительные мысли о нем и других женщинах. «Но прежде она дала мне понять, — сказал он, — что я вовсе не из тех замечательных ребят, которые соответствовали бы ее положению». — «Она приняла тебя за кого-то другого», — сказала я. «Я знаю, — сказал он. — Об этом-то я тебе и говорю». Тут его голос зазвучал глумливо и самодовольно, а потому я сказала: «Не стоило бы тебе преувеличивать, наверный бойфренд. Не моя вина, что она готова слушать и повторять всякую чушь, что все они готовы слушать и повторять всякую чушь. Нет никакого Молочника... Нет, Молочник есть, но ко мне он не имеет...» — «Не трудись объяснять, — сказал он. — Я все знаю». И меня окончательно достало это его отстраненное, пренебрежительное, такое пресыщенное «не трудись объяснять». Как он смеет говорить «не трудись объяснять», словно я затрудила его голову, утомила до мозга костей своими попытками объяснить, словно это не он сейчас выносил свои сентенции, чтобы клещами вытянуть из моей глотки по словечку эти объяснения. И вот после этого его замечания я приняла ответные меры. «Ты только не размахивай передо мной этой «заморской» тряпкой[1] на турбонагнетателе», — сказала я. Это было грязно, очень грязно, ниже пояса, отвратительно, позорно грязно, я бы такого никому не сказала,

---

[1] В оригинале: *butcher's apron* — дословно «мясницкий фартук», так в Северной Ирландии времен Смуты называли британский флаг.

даже кому-нибудь, кого я ненавидела и у кого случайно мог оказаться этот такой основосотрясающий «заморский» турбонагнетатель от «Бентли-Блоуера», спрятанный в его осведомительском доме, причем турбонагнетатель не с одним флагом раздора «заморской» страны, но с целой кучей флагов раздора из этой страны, чего, как я знала, у наверного бойфренда не было. Да, это был один из не самых лучших моих дней, но он сам спровоцировал меня своей манерой, своим обвинением меня в связи с этим подпольщиком-неприемником. И вот я выплеснула на него это помойное ведро, хотя и пожалела, что выплеснула на него это помойное ведро, не сразу же пожалела, не так чтобы не выплеснуть на него еще одно помойное ведро. Я сделала это, почти немедленно пожалев, что сделала, отпустив язвительное замечание вместе с другими мстительными высказываниями, о которых тоже пожалела почти сразу. «Ты готовишь, — сказала я. — Ты завариваешь кофе и смотришь закаты, тогда как даже женщины не заваривают кофе и не смотрят закаты. Ты заменяешь людей машинами. Ты замусорил дом так, что ни в одну комнату не пройти, и ты говоришь о литовских фильмах». На это он сказал: «Ты читаешь на ходу». — «Старая песня», — сказала я. «Я еще не закончил, — сказал он. — Мне нравится, что ты читаешь на ходу. Это такая тихая, ни на что не похожая вещь, и ты делаешь это, думая, что ничего странного в этом нет или что никто этого не замечает. Но это странно, наверная герлфренда. Это ненормально. Это небезопасно. Напротив, это вызывающе и дерзостно, а в нашей среде обитания это выставляет тебя как упрямую, извращенную личность. Я не хотел тебе это говорить, но ты начала говорить мне всякие вещи, поэтому и я говорю. Ты словно не кажешься больше живой. Я смотрю на твое лицо, и у тебя такой вид, будто твои органы восприятия исчезают или уже исчезли, и поэтому никто не может до тебя достучаться. Твое поведение всегда было трудно предугадать, а теперь и вообще невозможно. Нам, пожалуй, лучше на этом остановиться, пока не стало еще хуже».

Итак, мы обвинили друг друга в недостатках, выставили друг другу счета — одна из таких ссор, — но да, я с ним согласилась, пора было остановиться. Я как-то подкоркой во время этих телефонных препирательств чувствовала беспокойство, будто кто-то меня подслушивает, что не шло ни в какое сравнение с тем, что я чувствовала в последние два месяца, когда мне все время казалось, что кто-то меня подслушивает, кто-то за мной наблюдает, преследует, фиксирует все происходящее, где бы я ни находилась, что бы ни делала, кто бы ни был рядом со мной. Я была на грани нервного срыва и все больше и больше убеждалась, что некоторые люди ничего другого в жизни не делают, что они всю жизнь отдают тому, чтобы незаметно подслушивать, но, возможно, то было мое разыгравшееся воображение, и никто не подслушивал, никто не совал нос в мои дела. На этом мы тогда закончили наш разговор — натянуто, формально, я сказала, что, как только смогу, приду к нему, а он отвечал таким тоном, будто его не стоит утруждать, будто он мне не верит, будто не хочет меня видеть. За этим с обеих сторон последовало одно-единственное «до свидания», после чего мы повесили трубки. Я повесила трубку, но осталась сидеть на лестнице, хотя моя новая интуитивность, пусть и с опозданием, опять начала давать знать о себе. Она сказала мне, чтобы я перестала себя жалеть и отправилась к наверному бойфренду, напомнила мне, что наверный бойфренд мне нравится, что наверный бойфренд был моим первым заходом солнца, что я ни с кем, кроме него, не спала, что я проводила у него не менее трех ночей в неделю, пока Молочник не пригрозил его убить, после чего я сократила ночевки у него до двух, что я делала это, ночевала у него, тогда как до наверного бойфренда никогда ни у кого не ночевала. И делала это независимо от того, что мы находились в наверных отношениях, а не в тех, надлежащих отношениях, в которых находится настоящая пара. И еще: независимо от того, что у нас происходили случаи амнезии каждый раз, когда один из нас предлагал продвинуть наш наверный статус на более высокий уровень, я должна отправиться к нему, говорила мне моя интуитивность, не объяснить ему, глядя в глаза, откуда взялось это непонимание между нами, поговорить по-настоящему, расчистить завалы в наших отношениях. Когда я сделаю это, — и может, наверный бойфренд позволит мне сделать это, не переходя к самообороне, — тогда и он сможет выговориться — и про историю с турбонагнетателем, и про историю с осведомителем, а теперь еще и это новенькое про «герлфренду неприемника» — про все, что происходило с ним. В зависимости от того, как все это пойдет, он потом отвезет меня домой, потому что я должна вернуться из-за мелких сестер. Но бог с ней с мамой, бог с ним с Молочником, пусть он отвезет меня не до обычного места, не до обычной демаркационной точки на краю района, а на сей раз прямо до дверей моего дома. Он даже сможет войти, побыть какое-то время, остаться на ночь... если только его не беспокоят угрозы Молочника убить его. Он был взрослым, он был зрелым мужчиной. Я могла предоставить это решение ему. Итак, сказала мне моя интуитивность, наверный бойфренд — это мой наверный бойфренд; Молочник никакой не мой любовник. В тот момент утверждения этой убежденности это новое «возрождение правды» казалось понятным и окрыляющим. В лихорадочном возбуждении я, совершенно не чувствуя, что вместо понятности и окрыления могу из крайности отчаяния и бессилия переметнуться в другую крайность — неожиданной и неуместной радости, написала записку мелким сестрам. В записке говорилось: «Надевайте ночнушки. Я вернусь попозже и почитаю Харди, как обещала». После этого я надела курточку и бросилась к автобусной остановке.

Не пошла я пешком по трем причинам. Во-первых, я находилась в таком взвинченном, ложно приподнятом состоянии, которое принимала за решительность и счастливую убежденность. Поэтому мне хотелось поскорее добраться до наверного бойфренда. Во-вторых, даже теперь, даже с этой моей пружинистостью и возбуждением, мои ноги даже для ходьбы — я уж не говорю про бег, только про ходьбу — еще не вернулись в прежнее состояние. В-третьих, хотя я и приняла решение разобрать завалы в отношениях с наверным бойфрендом, я все же испытывала беспокойство: вдруг я выйду из двери дома и увижу Молочника. Тогда мне казалось — хотя я это и не оспаривала, что я не хочу, чтобы мое новообретенное возрождение подвергалось испытанию, может быть, потерпело еще одно поражение, если он в очередной раз появится на сцене.

Я сошла с автобуса в районе наверного бойфренда, пошла просекой, которая вела к его дому, и увидела, что его большая входная дверь взломана. Она оставалась на петлях, но была взломана. Что это значило? Я осторожно приоткрыла ее и вошла в крохотную прихожую. Оттуда я переместилась в гостиную — людей в ней не было, а детали машин были повсюду разбросаны, поломаны, наводя на мысль о том, что складирование приобрело некий бессистемный, адский, даже безумный характер, а не обычный, методический, когда детали складывались аккуратно одна на другую, или же произошел какой-то сбой в нормальном повседневном складировании. Я уже собиралась позвать его, но тут услышала голос шефа, предположительно, с кухни. Он бормотал свои обычные кулинарные инструкции воображаемому ученику: «Ну-ка. Попробуй так. Нет. Это оставь. Вот так, вот так. Вот, так-то лучше. Прижми полотенце, пока я все это собираю, потом я прополощу...» Я повернула к кухне, чтобы оборвать шефа, спросить, что случилось с входной дверью, и узнать, где наверный бойфренд, но тут я остановилась, потому что воображаемый ученик шефа начал отзываться. Он произнес *что-то, что-то*, я не могла разобрать, но голос узнала, это был голос наверного бойфренда, но что-то в его голосе было такое, отчего у меня мурашки побежали по коже, и я остановилась. Я поймала себя на том, что непроизвольно сдерживаюсь, не иду дальше полуоткрытой двери между гостиной и кухней. Наверный бойфренд снова сказал *что-то, что-то*, потом: «Черт, в жопу все. Кретин! Здоровенный кретин! Полный идиот! Не предвидел, не знаю, что было у меня в голове, шеф, что я делал... Идиот... Должен был понять, что они...» А шеф принялся бормотать что-то типа, не может ли наверный бойфренд заткнуться и повернуть голову направо. Я осторожно приоткрыла полуоткрытую дверь чуть больше и посмотрела в проем, увидела наверного бойфренда — он сидел за кухонным столом на одном из его кухонных стульев. Он сидел не совсем, но почти что спиной ко мне, и что-то у него случилось, потому что он прижимал мокрое полотенце к глазам. Он закрыл оба глаза полотенцем, а шеф стоял рядом с комком волокна или марли, другое полотенце было у него под мышкой, а сам он наливал какую-то хирургическую жидкость из бутылки в металлическую миску с водой на столе. Еще на этом столе, вернее, воткнутый в столешницу строго вертикально, был один из длинных кухонных ножей шефа. На нем была кровь. И опять мои инстинкты подвели меня. Я ни на секунду не поверила, что это человеческая кровь, я решила, что это свидетельство недавно приготовленного блюда «жареная свекла и помидорки “черри”», или «праздничная красная капуста в портвейне и красном вине», или «блюдо съедобной красноты с добавкой красноты и всплесками новой красноты с дополнительными пугающими красными всхлипами в ближайшем будущем». Нет. Это была кровь. И еще кровь была — много крови — на рубашке шефа, красные брызги и красновато-бурые пятна на полу. Потом я заметила, что кровь капала с самого наверного бойфренда. Но странным образом я оставалась там, где стояла, будто что-то очень сильное ухватило меня за руку и крепко держало, приказывало мне, командовало мной, предупреждало меня. Ничего подобного не ожидалось в поведении наверной герлфренды, которая несколько мгновений назад, полная своего возрождения и мгновенного исцеления, неслась к дому наверного бойфренда, полная абсолютной решимости увидеть его, быть с ним откровенной, объяснить ему свою новообретенную свободу от разделенности с ним. Я не охнула, не вскрикнула, не метнулась озабоченно к наверному возлюбленному с криком «*Что случилось? Боже мой! Что случилось?*» Вместо этого я оставалась там, где стояла, и ни шеф, ни наверный бойфренд не замечали, что я наполовину в кухне, наполовину в гостиной.

Наверный бойфренд снова начал что-то говорить: «...Сволочь. Трусливый маленький ублюдок. Какой ублюдок-ублюдок, ублюдок долбаный!» И тут я сообразила — потому что наверный бойфренд именно этими словами и ругался, когда вспоминал своего соседа «пойми меня правильно», того, который распустил слух о флаге на турбонагнетателе, что привело к слуху об осведомителе. «Мы едем в больницу, старейший приятель», — сказал шеф, на что наверный бойфренд ответил: «Ни в коем случае. У меня хлопот и так хватает из-за этого флагового доносчика, а теперь еще, вероятно, из-за того, что мне хватает дерзости затрагивать любовные интересы этого неприемника». Под «любовными интересами» имелась в виду я, что меня потрясло, потому что он сказал это без всякой доброты, сказал это не по-доброму, сказал это саркастически. Неужели наши отношения испортились настолько, что вот это вот сейчас говорит мой настоящий наверный бойфренд? Но постой, подумала я, его только что ударили ножом, или избили, или что-то случилось с его глазами, но я тут же подумала, я сама недавно была отравлена, а потом едва ли час прошел, как меня в кулинарном магазине обвинили в пособничестве убийству, потом он сам только что по телефону обвинил меня в том, что я любовница, и даже теперь, у меня за спиной, обвинял меня в том, что я любовница, правда, он же не видел меня, когда я сидела в уголке со старейшей подругой из начальной школы и перемывала ему косточки. И все же, снова подумала я, с ним что-то случилось. Правда, снова подумала я, он сказал это как-то по-недоброму. Вот, я думаю, идеальный урок мгновенного действия, почему люди не должны подслушивать у дверей. «Нет, шеф, — снова отказался наверный бойфренд, потому что шеф опять заговорил о больнице. — Они определенно выставят меня осведомителем, если узнают, что я был в больнице». Потом он сказал, что с глазами все будет в порядке, чтобы шеф перестал суетиться, что скоро они промоются, и все будет, как прежде. «Мы этого не знаем, — сказал шеф. — Мы не знаем, что они в тебя бросили, а ты говоришь, что тебе не больно, но все же ты не можешь их открыть, поэтому мы едем в больницу. Кто знает, — добавил он, — может быть, мы там увидим и “пойми меня правильно”». — «Я думаю, они не ждали сопротивления», — сказал наверный бойфренд, не обращая внимания на последние слова шефа, а вместо этого следуя только своему направлению мысли. Что же касается меня, которая их подслушивала, то мне казалось ясным, что случилась очередная драка и, как обычно, по поводу сексуальной ориентации шефа. Но по следующему замечанию наверного бойфренда я поняла, что дело обстоит иначе. «Я что говорю, вот я увидел, что вроде как один, — сказал он, — у них численное превосходство, потом мне брызнули в лицо этой дрянью, и я уже ничего не видел, и даже когда ты прибежал, шеф, у них оставалось численное превосходство. Так как тебе это удалось? Как ты — гомик, кукла, кого никто всерьез не принимал, — как ты один распугал всю эту шоблу?» Шеф пожал плечами, чего наверный бойфренд не видел, и сказал «да ну», и это было такое уклончивое «да ну», а может быть, снисходительное «да ну», говорящее о том, что это скучная тема для разговора. Но его взгляд, тоже невидимый наверному бойфренду, остановился на его ноже. Нож все еще был окровавленный, все еще стоял прямо, все еще воткнутый в столешницу, но сейчас шеф тихонько вытащил его из столешницы и положил, все так же тихо, в раковину. Потом он попытался снять мокрую материю с глаз наверного бойфренда, но наверный бойфренд воспротивился. Он развернулся вместе со стулом, оттолкнул шефа в сторону. «Порядок, шеф, — сказал он. — Оставь это. Все в норме. Они не болят», — но шеф настаивал, что должен сам посмотреть. Я тоже хотела посмотреть, потому что нужно ему в больницу или не нужно в больницу? Но какое-то невидимое существо все еще заставляло меня оставаться неподвижной.

Я пока, во время этих разговоров, смотрела по большей части на наверного бойфренда, потому что, почему же мне не смотреть на наверного бойфренда? Но теперь я скользнула взглядом в сторону шефа и мгновенно испытала шок. Выражение его лица — напряженное, такое, как есть, потому что он не знал, что за ним наблюдают, а потому и причин для притворства не было — было выражением любви. Это не было выражение любви «лучшего друга», не было это и бесстрастным выражением любви «ко всему человечеству». И категории «наверный» в этом выражении тоже не просматривалось. Я никогда прежде — и уж определенно не по отношению к наверному бойфренду — не видела такого выражения на лице шефа. Правда, с другой стороны, я никогда особо в шефа не вглядывалась, не смотрела на его лицо. Он был просто шеф, согнутый парень, безобидный парень, парень, которого другие парни должны защищать; а еще парень, к которому нужно относиться снисходительно, над которым можно посмеяться, в особенности когда с ним случаются эти его поварские припадки. В глубине души я предполагала, что шефа нужно жалеть, но опять же не привычной жалостью, а чем-то типа «как это ужасно, наверно, быть на его месте, так что, как хорошо, что я не такой». Его не считали, не воспринимали как равного. А теперь мне показалось, что я вижу его в первый раз. Теперь я понимала, почему мои инстинкты сдерживали меня, не давали обнаружить себя. У меня случились дрожи дурного предчувствия, уже во второй раз без всякого отношения к Молочнику. И теперь шеф снимал полотенце, и в эти мгновения то выражение на его лице стало еще пронзительнее, и это потрясло меня еще сильнее. Он поднес руку к лицу наверного бойфренда, и наверный бойфренд не возражал. Не было никакого грубоватого мужского: «Ну-ка, дай я взгляну». Может быть, не столько к поврежденным глазам наверного бойфренда поднес он руку. Он приложил ладонь к щеке. Погладил щеку один раз, перенес руку вниз, потом мягко, медленно переместил ее на другую щеку. И опять наверный бойфренд позволил ему, держа собственные глаза все время закрытыми. Тут я увидела, что прежняя кровь, эти разводы, они не из глаз наверного бойфренда, а из его носа. Он отвел руку шефа в сторону, чтобы вытереть их. Потом он оттолкнул ее еще раз, потом еще, чего я ожидала от него с самого начала. В этот момент не было никаких слов, только мягкое отведение и тихое ее возвращение, два глаза закрыты, два глаза открыты, наверный бойфренд на стуле, шеф рядом с ним, стоя, наклоняется над ним.

И тут наверный бойфренд сказал: «Перестань. Перестань, шеф. Мы не можем это делать. Прекрати». В подтверждение своих слов он снова поднял руку и оттолкнул руку шефа. Он оттолкнул, другой вернул на прежнее место, потом наверный бойфренд оттолкнул, не очень сильно. Потом замер. Не было никаких проклятий, никаких: «Иди на хер, шеф. Что ты делаешь? Я не из таких». И никакого удивления между ними, удивительным и неожиданным то, что происходило на кухне между двумя этими мужчинами, как получалось, было только для меня. И теперь наверный бойфренд, после того как оттолкнул шефа, замер, ухватил его запястья и задержал, не открывая глаз. Он склонился к рукам, к животу шефа, а шеф склонился над ним, пока его лицо не погрузилось в волосы наверного бойфренда. Один из них застонал, потом последовало: «Перестань. С этим кончено, шеф, прекрати это», но, когда шеф освободил запястья от хватки наверного бойфренда, чтобы, вероятно, прекратить, наверный бойфренд вскинул лицо вверх и снова притянул шефа к себе.

И в этот момент я развернулась в сторону гостиной, потому что подумала, нет. Я знала, что теперь произойдет, а это было не для моих глаз, не для моих ушей. Постой, подумала я вдруг. Что ты имеешь в виду, не для твоих глаз и ушей? Это же твой наверный бойфренд, к тому же и наверный бойфренд такого недавнего *ты ведешь себя вызывающе, наверная герлфренда, тебя всегда трудно предугадать, а теперь и вообще невозможно.* Но как давно? Как давно у них это началось?.. Я словно перешла в состояние непонимания, все при этом прекрасно понимая. И теперь они перестали бормотать, и я предположила, что это означает — хотя оглянуться и не осмелилась, — что я стала свидетелем второго за этот день поцелуя Готье. После этого бормотание возобновилось. «Не тот человек», — сказал наверный бойфренд — опять имея в виду меня, а шеф сказал: «...ради тебя, все ради тебя, сделал это ради тебя, потому что...» — «Опасаюсь. Рискованно слишком рискованно... Какой идиот!.. Какой испуганный идиот!.. Если бы они убили тебя! Если бы эта шобла... Ты мог бы умереть, и я бы никогда не смог...» Последние слова могли быть сказаны как шефом, так и наверным бойфрендом. Я не знала, донесут ли меня ноги до двери. А пока я стояла, ссутулясь, притулясь к стене кухни в гостиной наверного бойфренда, где была взломана входная дверь. А почему она была взломана, почему его маниакальное накопление было прервано — меня это больше уже не волновало. Что же касается телефонной ссоры, нашей недавней ссоры — *поскольку теперь он и шеф... поскольку он и его... поскольку они...* — какое теперь значение могла иметь телефонная ссора? Так что теперь можно было проститься с мыслью о том, что наверный бойфренд — неизученный, незамысловатый, свободный от лжи человек, который не ищет защиты для своего сердца, тогда как вот он — я видела его, он подтверждал шефу и мне, что и он «приспособленец», выбрал себе для подстраховки не ту, тогда как нужно было ту. Какая же я идиотка, думала я, а у меня были мысли, что я защитила себя, верила, что защищена от неправильного выбора супруга тем, что продолжаю «наверную категорию», хотя теперь мне стало ясно, что и в этой категории человек может быть доведен до смерти. Правда нисходила на меня о том, как это страшно было не быть в оцепенении, а быть в курсе, знать факты, хранить факты, присутствовать, быть взрослой. В процессе продолжающихся утверждений наверного бойфренда о том, что он идиот, и моих обвинений в собственный адрес в идиотизме, шеф вернул нас троих к насущному моменту, снова потребовав поездки в больницу.

Его тон изменился на резкий, твердый, требовательный. Даже когда наверный бойфренд сказал: «Да уже все почти вернулось, почти в норме. Смотри, мои глаза возвращаются. Я уже немного вижу», шеф все же сказал: «Мы едем, только дай мне минутку, я сменю рубашку». Я запаниковала, поскольку шеф вот-вот мог появиться в гостиной, чтобы пройти наверх. *Он держит рубашки здесь? Ну, конечно же, он держит рубашки здесь!* — и тогда он увидит меня, а это испугало меня, потому что шеф и сам теперь пугал меня, потому что он оказался совсем не тем, кем я его считала до этого дня. Но кем я его считала? Я его не принимала в расчет. Не находила его особенно дружелюбным, но меня это мало волновало, потому что в иерархии важности — его не было в этой иерархии. Но не безобидный. Теперь я это видела, он не был безобиден. Если вспомнить, каким он становился собственническим, когда речь шла о еде, то каким же он будет, когда будет затронуто его право собственности на человека? Потом я подумала о ноже, его ноже, окровавленном, в раковине, все еще окровавленном. Подумала, что я сейчас могу упасть в обморок, хотя никогда в жизни не падала в обморок. Но у меня кружилась голова, было как-то тепло и влажно. Я услышала жужжание, какое-то роение вокруг меня или внутри меня, и теперь, конечно, эти новые фамильяры, дрожи, отчетливо курсировали вверх и вниз по нижней части моего тела и ногам. Потом послышались еще звуки, интимные звуки с кухни, стоны, наводящие на мысль как минимум о продолжении поведения в манере Готье. Один из них сказал «муж», потом я услышала: «Бросим все это. И вообще, почему мы здесь? Уедем в Южную Америку. Уедем в Буэнос-Айрес... на Кубу! Уедем на Кубу. Мне нравится Куба. Тебе понравится Куба», — а я думала: *муж! Куба! уедем!,* тогда как мы с ним не могли зайти дальше наверных отношений или проехаться по дороге до улицы красных фонарей.

Я незамеченной прошла по заваленной автомобильными деталями комнате, потом вышла из взломанной двери, по тропинке и по той извилистой просеке. Они так никогда и не узнали, что я была там, но я, идя по тропинке, проигрывала в голове, а что бы случилось, *если бы*. Что, если бы я тихонько вышла через взломанную дверь только для того, чтобы с шумом вернуться? Они бы решили, что я только-только заявилась. Я бы заметила взломанную дверь, тут же закричала бы, позвала бы экс-наверного бойфренда. У экс-наверного бойфренда и шефа на кухне было бы время, чтобы разъединиться физически. Они бы успели взять себя в руки и быстро, до моего появления, привели бы себя в порядок. Экс-наверный бойфренд закричал бы: «Иди сюда, наверная герлфренда», — и я бы вошла, увидела бы двоих друзей, нож в раковине не на виду, больше не требующий объяснений. Но глаза экс-наверного бойфренда и кровь остались бы, как прежде. Шеф говорил бы о больнице, а экс-наверный бойфренд отказывался бы. Я бы ахнула, может быть, закричала бы, бросилась к нему, обхватила экс-наверного бойфренда руками. «Что случилось, наверный бойфренд? Боже мой! Что случилось?», и они объяснили бы или позволили бы мне самой сделать вывод о том, что гомофобы в районе опять напали на шефа, а это означало, что мы бы переварили все это, импровизировали бы, мы бы соорудили нечто туманное и бесчестное. Никаких противоречивых мнений не было бы, ничего несовместимого. На шефа напали, а он его, как и обычно, защитил. Никто бы не сказал, я бы определенно не сказала, как я и не сказала: «Пожалуй, пришло время нам троим поговорить».

Так что не было бы ни ссор, ни еще одного сведения счетов, ни обвинения в недостатках, ни взаимных упреков. Ни криков, ни надувания губ. Но я знала, что больше не увижу экс-наверного бойфренда и не войду в его дом. Я шла в темноте в сторону, казалось, стоянки такси и, как прежде, когда я выходила из кулинарного магазина, я не чувствовала под собой ног. Я видела свои ноги, видела землю, но соединить их между собой было невозможно. Я потрогала руками бедра, намеренно ощутила их, надавила на них, но делала это незаметно, потому что, как это уже стало обычным в последнее время, мне казалось, что за мной наблюдают.

Но никакой злости. Я не чувствовала злости. Но я знала, что там, в глубине, под онемелостью, злость есть. На экс-наверного бойфренда. На шефа. На первого зятя за выдумывание историй, потом за их распространение, включая и последнюю о том, как это глупо с моей стороны при свете дня ставить рога Молочнику с парнем моего возраста из другой части города. Злость на сплетни, на приукрашательство выдумок зятя, на фабрикацию собственных выдумок. На приспособленцев, которые возмущали меня, на продавщиц из кулинарного магазина и всех прочих магазинов, которые вскоре почувствуют себя обязанными бесплатно предоставлять мне любые из товаров, которые я, по их мнению, хотела бы иметь. Она проходила, таяла, эта злость, и, как и с ногами, которые я видела, но не чувствовала, мне казалось, что я не имею права злиться, потому что, если бы я подошла к этому иначе, то теперь не была бы сама виновата. Если бы я сделала то-то и то-то вместо того-то и того-то, пошла бы не туда, а туда, сказала бы не то, а то, или выглядела бы иначе, или не вышла бы в тот день с «Айвенго», или в тот вечер, или в ту неделю, или в любое время в течение этих двух месяцев, когда я позволила ему увидеть меня и захотеть меня. Тут я споткнулась, и в этот момент ко мне подъехал белый фургон. Пассажирская дверь открылась, и это чувство «уже не войдешь в это место ужаса» снова охватило меня.

Я села, словно это было естественно, словно я не в первый раз садилась в эту неприметную, намеренно усредненную самую главную машину. Прежде чем я сама успела сделать это, он наклонился в нескольких миллиметрах от меня, но не прикасаясь ко мне, не глядя на меня, и ухватив ручку двери с моей стороны, потянул на себя. Он взял какую-то камеру с телеобъективом с пассажирского сиденья и положил в просторную полость между нами. Кроме того, в этой полости я увидела медицинские пузырьки со множеством этих глянцевитых черных таблеточек с белыми точками посредине, одна из таких все еще лежала в моей сумочке. Захлопнув дверь с моей стороны, он снова сел прямо на своем сиденье и завел двигатель. После чего мы вместе, как настоящая пара, поехали. Странное чувство я испытывала, оттого что после всего этого нарастания, после последнего бастиона «не должна садиться в его машины», после предупреждений не только от меня самой, но и от старейшей подруги из начальной школы, сказавшей «что бы ты ни делала, не важно что, подруга, никогда не садись в его машины», я думала, что, перешагнув этот порог, — два месяца назад точно так думала — испытаю куда как больше смятения и эмоций, чем чувствовала сейчас. Никакого смятения. Никаких эмоций. Вот оно случилось, и я всегда знала, что оно случится, потому что оно сто лет меня уже предупреждало, что оно приближается и случится. И вот оно начиналось. И что тут было такого, чтобы испытывать эмоции и смятение? Оставалось только войти и покончить с этим. И я не то чтобы сознательно думала, *ну и пусть возьмет меня, потому что он все время знал, что возьмет меня, и я не могу этому помешать, не могу помешать ему взять меня*; или что вот она я, еду, чтобы со мной случилось то, на что я уже давно должна была согласиться, чтобы оно со мной случилось. Вместо этого на сей раз в фургоне я погрузилась в какое-то гипнотическое, изнуренное состояние. Экс-наверный бойфренд сам сказал: «Не знаю, наверная герла, но смотрю на твое лицо, и у тебя такой вид, будто твои органы восприятия исчезают или уже исчезли». Есть слова, которые к тебе прилипают. Эти прилипли. Не нужно было ему говорить, что я потеряла власть над своим лицом.

Глядя как всегда перед собой, Молочник сказал: «Значит, дело сделано. Закончено». — Его голос звучал тихо, неспешно, неприятно. Затем в его тоне послышалась положительная оценка, даже удивление. «Там была драка, но они никак не ожидали этого кавалера с ножом. Они теперь прекратят, оставят его. И этот другой, который с машинами — прежнее приложение, — ему не о чем беспокоиться. Никаких последствий ни по флагу, ни по осведомительству не будет для него. Ты ведь заблуждалась на его счет, верно говорю? Наверный бойфренд, так, что ли? Не переживай, принцесса. Нам можно выкинуть его из головы».

Он привез меня домой, по дороге не сказал больше ни слова и по-прежнему не глядел на меня, пока мы не доехали до дверей маминого дома. То, что он молчал, пока мы ехали, было умно, но, что говорить, Молочник был умен. Это было идеальное накопление, создание наиоптимальной атмосферы, в которой я должна была услышать и воспринять его последнее слово. Мы выехали из района экс-наверного бойфренда, проехали через центр в другой конец города, держась правильной географии и проезжая мимо всех моих персональных ориентиров. После этого по пограничным дорогам въехали в мой район, где, как настоящая пара, остановились у дверей дома моей матери. И я знала, что я должна быть потрясена, должна бы испытывать отвращение, должна по крайней мере чувствовать изумление, а я вроде бы даже как-то не удивляюсь тому, что вот я, в его одиозном фургоне, сижу в нескольких дюймах от этого одиозного человека. Но выбора у меня не было. Получилось так, что никакой альтернативы мне не предлагалось. Я была плохо подготовлена к тому, чтобы принять то, что с самого начала легко приняли остальные: я все время была *fait accompli*[1] Молочника.

По-прежнему в фургоне, в темноте, он выключил двигатель, повернулся на своем сиденье ко мне. Наконец я ощутила его взгляд, долгий внимательный взгляд на мне, потому что теперь он мог смотреть, мог позволить себе смотреть. Здесь был его успех, завершение, собственность. И по контрасту теперь я смотрела перед собой. Он снял перчатки и сказал: «Очень хорошо. Отлично», — хотя я думаю, сказал он это больше для себя, а не из расчета, чтобы услышала я. После этого он наклонился и поднес пальцы к моему лицу. Он повисли в воздухе, очень неподвижно,

[1] Свершившийся факт (*фр.*).

очень близко. Потом он передумал и убрал их. Откинулся на спинку кресла. А потом произнес свои последние слова. Он сказал, что я красива, что я не знала, что красива, что должна верить, что я красива. Он сказал, что сделал приготовления, чтобы мы могли поехать в одно приятное место, делать что-нибудь приятное, что он отвезет меня в удивительно прекрасное место на наше первое свидание. Он сказал, что мне придется скучать по моим римлянам и грекам, но он уверен, что я не очень расстроюсь из-за отсутствия римлян и греков. К тому же, сказал он, а мне действительно так уж нужны все эти римляне и греки? Мы должны будем решить это позже, сказал он. Он сказал, что пока я остаюсь жить в семейном доме, он будет подъезжать к моей двери, но ждать меня на улице, и что я должна буду выходить к нему. Потом он сказал, что приедет завтра в семь часов в одной из своих машин. «Не в этой», — добавил он, отвергая фургон и называя одну из этих с буквенно-цифровым названием. Я же со своей стороны — здесь он сказал, что я могу сделать для него, как его осчастливить, — могу выйти из дома вовремя, чтобы не заставлять его ждать. Еще я могу надеть что-нибудь хорошенькое, сказал он. «Не брюки. Что-нибудь хорошенькое. Какое-нибудь женственное, женское, элегантное красивое платье».

Седьмая

Три раза в моей жизни мне хотелось отвесить пощечину, и один раз в моей жизни я хотела ударить кое-кого по лицу пистолетом. С пистолетом у меня получилось, а вот с пощечиной — нет. Из тех троих, кому мне хотелось отвесить пощечину, одной была старшая сестра, когда она вбежала ко мне в тот самый день сказать, когда полиция стреляла в Молочника и убила его. У нее был радостный, возбужденный вид оттого, что этот человек, которого она считала моим любовником, этот человек, который, как она думала, важен для меня, мертв. Она откровенно вглядывалась в мое лицо, чтобы увидеть, как я реагирую, и даже в моем упрямстве — которое в противоборстве с Молочником и слухами обо мне и Молочнике увело меня в более глубокое, более чреватое опасностями место, чем все те, в которых я бывала прежде, — я видела, насколько она не владеет собой в этот момент. Она думает, что это урок мне, думала я. Не из-за политической сцены и того, что он представлял собой на ней. Не из-за того, что представляли собой его убийцы. Это было ничто. Это было напрямую связано с тем, что она не хотела, чтобы я имела то, что она много лет назад перестала себе позволять. Я, как она, должна удовлетвориться, удовольствоваться не тем человеком, которого я хочу, как она думала, человеком, которого я любила и потеряла, как любила и потеряла она, а какой-нибудь нежеланной заменой, которая может подвернуться теперь, после Молочника. Она продолжала смотреть, радостно взволнованная, далекая от того состояния скорби, в котором она пребывала сто лет. Но я, однако, не желала становиться причиной ее радости. Прекрати радоваться, это не принесет тебе радости — *пощечина*! — вот какие мысли крутились в моей голове. Что же касается реальной моей реакции, которую она так ждала, то я сохраняла выражение, обычное для меня в последнее время, близкое к отчужденному и почти непостижимое. Потом с намеком на напускную эмоцию, достаточную только для того, чтобы донести до нее, что на мгновение, одно крохотное мгновение, я подмечаю немного забавную диковинку, я сказала: «У тебя такой вид, будто ты испытываешь сейчас оргазм».

Ее радость — хотя и не та тошнотворно-торжествующая радость, которую испытывают некоторые люди, определенно заслуживающие пощечины, а радость человека, который обнаруживает, что ожил на секунду во всей своей отвратительности, тогда как в обычном состоянии он был совершенно мертвым, — так вот, ее радость испарилась, как я и предполагала, потому что я ударила ее туда, куда и хотела, куда и целилась, прямо в яблочко. Именно в это место попало бы и мне, если бы она или кто-то другой сказал такие слова мне. Она тогда отвесила мне пощечину, это была ее ответная реакция, потому что я ступила на ту почву, на которую не имела права ступать, и даже хотя в тот момент я считала себя абсолютно в праве, я в ответ не отвесила, не смогла отвесить пощечину ей. Получив поначалу удовлетворение оттого, что сумела потрясти ее, пристыдить в ее победе, я тут же пожалела о своих словах. Хватит. Я теперь хотела, чтобы она ушла, забрала с собой своего суррогатного мужа с его грязными клеветническими сплетнями, с которых все и началось, забрала все и ушла. Мир был суров, всегда суров, и тогда тоже.

Она ушла, снова неся на себе свою скорбь, снова встала у основания креста, а что до радости, то я не испытала ни малейшей. Я не была счастлива оттого, что он мертв, не радовалась... хотя, может, и радовалась, потому что, правда, почему бы и нет? Одно я знала наверняка, что облегчение обрушилось на меня с такой силой, что ничего подобного я в жизни не испытывала. Мое тело кричало: «Аллилуйя! Он мертв. Слава богу, аллилуйя!», пусть и не такие точно слова были у меня на первом плане в голове. А на первом плане у меня были мысли о том, что, может быть, я теперь успокоюсь, может, мне станет лучше, может быть, наступит конец всему этому, «пусть это будет не Молочник, пожалуйста, пусть это будет не Молочник», мне больше не придется оглядываться, опасаться, что он появится из-за угла и пойдет бок о бок со мной, никто больше не будет следить за мной, шпионить за мной, фотографировать, принимать не за того, кто я есть, окружать, вычислять. Никто больше не будет мною командовать. Не будет больше капитуляций, как предыдущим вечером, когда я была настолько сломлена, что стала безразлична к собственной судьбе настолько, что села в его фургон. И, самое главное, мне больше не нужно будет волноваться за экс-наверного бойфренда — его не убьет бомба. И вот, стоя на кухне, переваривая этот поток последствий, я пришла к пониманию того, насколько я была закрыта, насколько я была запихнута в тщательно сооруженную этим человеком пустоту. А еще сообществом, само́й умственной атмосферой, этой рутиной посягательства на чужую жизнь. Что же касается его смерти, то они подстерегли его поздним утром, когда он ехал на этом своем белом фургоне у парков-и-прудов, что означало, что после шести фальстартов они, наконец, все же вышли на того, кто им был нужен. До Молочника они пристрелили мусорщика, двух водителей автобуса, водителя подметальной машины, настоящего молочника, который был нашим молочником, потом еще одного человека, у которого не было ни синего воротничка, ни связей в сфере обслуживания, — и всех их по ошибке принимали за Молочника. После этого они сказали, что вся это ошибочная стрельба была правильной, словно они каждый раз попадали в Молочника, и только в Молочника.

Однако определенная часть медиа, критически настроенная по отношению к тому государству, не была готова спустить им это с рук. Уже начали появляться заголовки вроде: «МОЛОЧНИК, ЗАСТРЕЛЕННЫЙ ПО ОШИБКЕ ВМЕСТО МОЛОЧНИКА», и «МЯСНИК, ПЕКАРЬ, СВЕЧНИК, СМОТРИТЕ В ОБА». После этого появился киножурнал, статьи в других печатных изданиях, напоминавшие о других ошибках полиции, фальсификациях, тайных армейских вылазках, стрельбе из машины, собственной поганой полицейской репутации экстраспециального запредельщика. То государство в конечном счете отреагировало, признав, да, у них есть несколько случайных целенаправленных человек, занятых поисками определенных людей, что было совершено несколько прискорбных ошибок, но прошлое нужно оставить позади, долго задерживаться на нем не имеет смысла. Но самое главное, несмотря на все промахи и непредвиденный человеческий фактор, то государство заверяло благонамеренных людей, что они теперь, когда ведущий террорист-неприемник окончательно устранен, они могут спать спокойно. «Не поддаваться на обманы, риторические фортели или уловки ушлых полемистов или варварское ликование, — сказал их пресс-сек, — но мы считаем это хорошо сделанной работой». Поэтому никакого изъявления восхищения, умения добиваться превосходства, хвастовства, потому что хвастовство — неправильный путь для пакета публичных презентаций. Ни в коем случае для пакетов *публичных* презентаций. Узнав эту новость и даже в приватности подтекста моих собственных мыслей, которые никто не мог читать, кроме меня, а еще из страха перед тем, что меня в районе будут считать плохим человеком, предательницей с холодным сердцем, я внутри себя старалась не быть счастливой. Но я не могла не думать о том, что была на волосок от того, что он там запланировал для меня на грядущий вечер, и я была счастлива, а еще я была счастлива оттого, что никакой разоблачительный луч медийного прожектора в этот момент не освещает меня.

Таким образом, известие о его смерти попало в заголовки газет, но в заголовки попало не только это. После того как застрелили его и еще шестерых невезунчиков, которых приняли за него, опубликовали сведения не только о его возрасте, местожительстве, о том, что он «женат на» и «является отцом», но и то, что настоящая фамилия Молочника была Молочник. Это потрясло меня. «Этого не может быть, — восклицали люди. — Искусственно. Несусветно. Даже глупо иметь такую фамилию — Молочник». Но если подумать, то что тут несусветного? Есть фамилия Батчер. Есть фамилия Секстон. Да мало таких, что ли: Уивер, Хантер, Ропер, Кливер, Плейер, Мейсон, Тэтчер, Карвер, Уилер, Плантер, Трэппер, Теллер, Дулиттл, Папа и Нанн[1]. Годы спустя я встретила некоего мистера Постмэна, который работал не на почте, а библиотекарем, так что фамилии такого рода повсюду. Что же касается Молочника и приемлемости или неприемлемости Молочника, то что сказали бы об этом Найджел и Джейсон, наши хранители имен? И не только наши Найджел и Джейсон. Что бы сказали клерки и клеркессы, державшие оборону против имен, запрещенных в районах других неприемников? Даже Рошины и Марии, защищающиеся от противоположных запретных имен «по другую сторону дороги» в районах, возглавляемых приемниками? Алармисты же тем временем продолжали рассуждать о происхождении фамилии Молочник. Наша ли она? Их? Пришла к нам с той стороны дороги? Просочилась через море? Через границу? Следует ли ее разрешить? Запретить? Выбросить на свалку? Высмеять? Сбросить со счетов? И на чем остановились? «Необычная фамилия», — говорили все с нервной осторожностью после долгого размышления. Она размывает границы доверия, говорилось в новостях, но в жизни многие вещи размывают границы доверия. Размывать доверие — как я начинала понимать, из этого, кажется, и состоит жизнь. Как бы то ни было, новость о фамилии этого Молочника привела людей в беспокойное состояние; она их обманула, испугала, и, казалось, отделаться от некоторого ощущения неловкости было невозможно. Когда его фамилия считалась псевдонимом, каким-то кодовым именем, в «молочнике» было что-то мистическое, интригующее, какая-то драматическая возможность. Но лишенная символики, оказавшись повседневной, банальной, наравне со всякими старыми Томами, Диками и Гарринессами, эта фамилия тут же потеряла все уважение, которое набрала в качестве прозвища высокого калибра активиста военизированного

[1] Речь идет об английских фамилиях, обозначающих профессию или сферу деятельности: ткач, охотник, веревочник, игрок и проч.

подполья, и так же немедленно пожухла. Люди заглянули в телефонные книги, энциклопедии, справочники фамилий, чтобы узнать, есть ли еще где-нибудь в мире кто-нибудь с такой фамилией. Многие пришли в недоумение, растерянность, когда не нашли ничего, а только дали повод для дальнейших спекуляций как в медиа, так и в районе — что же за личность был этот самый Молочник. Был ли он холодным, зловещим деятелем военизированного подполья, как его все всегда считали? Или мы имели дело с этаким несчастным мистером Молочником, который все же оказался очередной невинной жертвой убийства, осуществленного тем государством?

Кем бы он ни был, как бы его ни называли, теперь его не стало, и потому я сделала то, что обычно делала после чьей-либо смерти, — постаралась забыть об этом. Все это побоище — вся это скотобойня, мясной рынок, все своим чередом — возобновилось. Я решила пропустить мои вечерние занятия французским, накрасилась и собралась идти в клуб. То есть в самый яркий, многолюдный, самый популярный из одиннадцати питейных клубов в нашем маленьком районе, а причина — питейные клубы были именно тем местом, куда ходят, точно тем самым местом, куда отправляются, когда в тебе одновременно энергия бьет ключом, и когда ты словно мертвая, и когда тебе требуется выпить.

Вскоре после прихода я оставила своих собутыльников и ушла в туалет. Я ничего не сказала о стрельбе этим друзьям, и они ничего не сказали о стрельбе мне. Это было нормально. Были друзья для выпивки и были друзья для откровенных разговоров. У меня был один друг для откровенных разговоров, но многолюдные питейные мероприятия вовсе не были сценой для старейшей подруги с начальной школы. Я открыла дверь в туалет, и как только я сделала это, человек, который на самом деле был мальчишкой Какего Маккакего, протиснулся следом. Теперь, когда мы находились в безотношенных отношениях, он оставил свое любительское сталкерство, а вместо этого, как и другие районные лизоблюды, которые считали меня любовницей, перешел к поклонам, расшаркиваниям и притворству — якобы к обожанию. Но в том, что касается его, мама продолжала оставаться в заблуждении. «Такой милый мальчик, — говорила она. — Сильный. Надежный. Правильной религии. И такие хорошие любящие письма подсовывает тебе в почтовый ящик. Почему ты с ним не встречаешься? Ты не подумывала о том, чтобы выйти за него?» Но моя мама, отчаянно желавшая выдать нас замуж, пока мы не превратимся в двадцатилетних старух, ничего не знала, потому что продолжала жить в свое время со своими ровесниками, не понимая, что сейчас мое время с другими людьми, а не с милым мальчиком Какего Маккакего, который протиснулся в туалет и прижал меня к раковине. В руке у него был пистолет, и он приставил его к моей груди, и тут я поняла — потому что уже и раньше подозревала, — что смерть Молочника не будет для меня означать конец Молочника. Из-за их историй, из-за того, что они считали, что Молочник завладел мною, из-за моего высокомерия, из-за того, что мой защитник теперь был мертв, из-за того, что теперь пошел слух, что я пытаюсь избежать возмездия за то, что наставляла ему рога с автомехаником, из-за того, что после любой значимой смерти, которая является скорее общественным, а не частным делом, допускается некоторая дополнительная доля анархии... по причине всех этих «из-за» наиболее маргинальные элементы в районе, вероятно, почувствовали, что сейчас подходящее время, чтобы распустить слух на всю катушку и в убийстве Молочника обвинить не расстрельную группу, а напропалую меня, якобы и срежиссировавшую убийство Молочника. Даже если абсурдность и противоречивость их заявлений выходят за всякие разумные рамки, всегда находятся люди, готовые сочинять что угодно. Потом они сами начинают верить в свои выдумки и строят на них новые. Это правда, что, принимая во внимание время и место, я могла показаться бродячей террористкой, пугающей соседей книжкой «Как поссорился Иван Иванович с Иваном Никифоровичем», но дело было не только во мне. На свой собственный специфический лад чертова прорва людей здесь была не менее пугающей.

И теперь, вернувшись к своей прежней сталкерской личности, Маккакего, казалось, был готов воспользоваться ситуацией, возникшей после смерти Молочника, побыстрому протиснуться в образовавшуюся щель и взять свое. К моему удивлению, он теперь перемешивал свои сталкерские речи с немалой долей противосталкерских — может быть, с целью восстановления попранной гордости и силы, после того как я два раза отвергла его, а кроме того, после того, как он чувствовал себя обязанным преклонять колени со словами «Прошу вас, ваше величество, вот, возьмите, ваше величество», каждый раз, когда мимо проходила я, собственность Молочника. Для его самолюбия теперь было легче выставить меня алкоголичкой, упрямо домогающейся его. «Оставь, наконец, нас! — закричал он. — Мы всегда хотели только одного: чтобы ты оставила нас в покое. Прекратила нас преследовать. Прекрати расставлять для нас ловушки. Что ты намереваешься сделать с нами? Отлипни от нас. Почему ты никак не хочешь понять, что ты не нужна, что твои авансы никогда не будут приняты, что дела тут обстоят так: спасибо, но больше не надо? Ты для нас ничего не значишь, мы о тебе даже не думаем, ты не можешь действовать безнаказанно, делая вид, что ничего не случилось, будто не ты это начала, будто не ты тут устроила кутерьму. Ты кошка — все верно, ты нас услышала, кошка — вдвойне кошка! Мы не думаем, что ты поднялась до уровня кошки. Но не переходи границ, потому что это отягченный харассмент». Он был прав. Тут имел место отягченный харассмент. Еще до Молочника он прислал мне письмо — одно из тех писем в почтовом ящике, про которые в своем неведении говорила мама. Он угрожал покончить с собой в нашем переднем саду, только у нас не было сада. Во втором письме это было исправлено на «перед твоей дверью». Теперь в этой туалетной встрече его письменная угроза самоубийством, похоже, превратилась в мою письменную угрозу самоубийством. В своем якобы переданном из рук в руки послании ему я предупреждала, что покончу с собой перед его дверью, чтобы он чувствовал себя виноватым за то, что не хотел меня. И это навело меня на мысль, не являются ли его слова прикрытием его намерения убить меня прямо сейчас, в туалете у этой раковины. В таком случае я все еще явно привлекала его. Не менее явно, что его это приводило в ярость. Если Маккакего в чем и нельзя было обвинить среди многих вещей, в которых его можно было обвинить, так это в мудреномыслии. А я тем временем пребывала в недоумении — не знала, как мне реагировать на его слова.

«Это неподходящее место, ты, недокошка», — начал он, но тут слова у него кончились, ярость, я думаю, слишком переполняла его, и он не мог завершить ту мысль, которую собирался до меня донести. Но необходимости в этом не было, потому что его мысль легко читалась между строк. Он хотел сказать, что этот питейный клуб, этот район — не то место, куда можно приходить без рекомендательных писем, без печати одобрения; к тому же в этом месте редко случались всякие гармоничные вещи — здесь во времена кровавого конфликта, когда верх брали не лучшие человеческие качества, преобладало искушение быть животным, быть простейшим. Он говорил, что здесь могло случиться что угодно, что я должна знать, что здесь может случиться что угодно, поскольку я сама здешняя. Он говорил, а мои мысли метались, я думала, этот мальчишка глуп, но он опасно глуп, он хочет меня оттрахать, и он хочет меня избить, и, судя по всему, он теперь, возможно, хочет и убить меня. Но он уже принял решение. Я знала, он хочет отомстить, что он давно вынашивал мысль о мести, еще даже до эры Молочника. Он принял решение, поскольку предполагалось, что я хорошая девочка, более того, его хорошая девочка, но произошла какая-то ошибка, которая сбила его с толку, оскорбила его, но так как Молочник положил на меня глаз, он был вынужден отступить и спрятать свое негодование подальше. Он тогда не мог взывать к справедливости. А теперь он мог взывать к справедливости. Он даже мог восстановить справедливость. Теперь, когда Молочник не стоял у него на дороге и все принимали это, что, кто мог его остановить?

«Ты думаешь, здесь всем будет не насрать, если мы преподадим тебе урок...»

Я не была уверена, была не уверена, что он скажет дальше, и так никогда этого не узнала, потому что он так до этого и не дошел. Я вырвала у него пистолет — ухватила его за ствол, за дуло, за конец, как уж называется эта его деталь. Он этого не ждал, и я тоже не ожидала, пока не сделала. Опять ко мне вернулась старая фраза — *бесшабашность, несдержанность, отвержение меня самой собой*. Я так или иначе должна была умереть, так или иначе не должна была жить долго, я могла умереть в любой день, все время, умереть насильственной смертью, и это, как я понимаю теперь, давало мне преимущество. Предлагало другую перспективу, свободу от подчинения страху. И вот почему я была не новичком в этом месте ужаса, в которое, как он думал, он загнал меня своим пистолетом. И потому я выхватила у него пистолет и ударила его пистолетом по лицу, я хочу сказать, по балаклаве рукояткой, прикладом, как уж там называется эта часть. Но не получилось ни такого приятного хруста от удара металла по кости, ни открытой черепной травмы — я до этого момента даже не подозревала, насколько кровожадной могу быть. Удар получился неловким, слабым, и, прежде чем я успела собраться для второго, он ударил меня кулаком, выхватив у меня пистолет. Потом ударил им меня по лицу. На мне балаклавы не было. После этого он прижал меня к стене и снова упер пистолет мне в грудь.

Ничего другого сделать он не смог из-за того, что не учел кое-чего еще, не предусмотрел в своем плане женщин, в особенности женщин в туалете, этих женщин, в этом туалете. И эти женщины взяли на себя труд наброситься на Маккакего, и это сделало большинство из них. Из этой свалки вывалился на пол пистолет, потом второй. Никого, казалось, особо не пугали пистолеты, и меня тоже — я смотрела на них и ничуть не пугалась. Они казались громоздкими и неуместными или, может, только неуместными. Ситуация требовала голых рук, ножей, ног в тяжелых сапогах, плоть-на-плоть, кость-на-кость, слышать хруст, причинять хруст, выпускать всю накопившуюся ярость. Поэтому на пистолеты никто не обращал внимания, они были не нужны, их пинали, пиная Маккакего. А я, наблюдая за этим неожиданным поворотом, держалась поближе к раковине, к которой он прижимал меня прежде. Мне ничего другого не оставалось. В этот момент куча женщин с ним где-то посередине блокировала единственную дверь.

И они избили его. Избили не за его поведение, не за нахальство с пистолетом, не за то, что он надел балаклаву, хотя все прекрасно знали, кто он такой, и не за то, что угрожал мне, женщине, одной из них, сестре по духу. Нет. Он получил свое за то, что, будучи мужчиной, вошел без предупреждения в женский туалет. Он проявил неуважение, наплевал на женские хрупкости, деликатности, чувствительности, забыл о вежливости, благородстве, галантности, забыл о чести. По существу дело было в плохом его воспитании. Если он решился вторгнуться к ним, пока они мазали губки помадой, поправляли прически, делились тайнами, меняли прокладки, то последствия были неизбежны. И вот они наступили для него — эти последствия, в данный момент он ощущал их на себе. После этих последствий, после того как они расскажут об этом своим мужчинам, что они и сделают через минуту, наступят еще последствия. Так же, как расстрельная команда полиции убила Молочника не для того, чтобы оказать мне услугу, это спасение тоже не имело таких целей. Но помощь была помощью, и не важно, от кого она поступила. Это означало, что еще раз — во второй раз за день — я получила подарок, бонус, некоторый остаточный, но очень ценный побочный эффект; и еще мне повезло в том, что этот эффект проявился точно в нужное время.

Так что ему досталось от них. И от их бойфрендов ему досталось. Потом я услышала — не спрашивая, потому что я никогда не спрашиваю, потому что я никогда не лезу в чужие дела, а они ко мне сами приходят, — что над ним учинили самосуд. Такие суды случались. Просто случались и все. У этого поначалу произошла заминка — не знали, какое ему предъявить обвинение. И тут кто-то предложил обвинить его в четвертичном изнасиловании.

И вот что они сделали. Наши неприемники между собой по строгому ранжиру, следуя тщательно выверенным, энциклопедичным, довольно внушительным, хотя и маниакальным иерархиям, разделили и подразделили все возможные преступления и проступки, всякое антисоциальное поведение, какие могут иметь место ввиду наличия в нашем районе всевозможных нарушителей, злодеев и презренных негодяев. В конечном счете, они создали то, что может быть описано только как инструкция владельца и пользователя. С их дотошностью и мельчайшими градациями они зарекомендовали себя настоящими учеными червями и неугомонниками района, вот только не в проблемах, которые касались женщин. Женские проблемы сбивали с толку, требовали, офигенно раздражали, не в последнюю очередь потому, что любой имевший хоть чуточку духовности понимал, что женщины, у которых есть проблемы, — примером чему была наша показательная группа женщин, которые по-прежнему встречались еженедельно в этом сарае на заднем дворе, — были совершенно безголовыми. Но в те дни, когда времена менялись с приближением восьмидесятых, росло убеждение, что женщин следует умасливать, что с ними нужно считаться. С этой ориентацией на женщин, с этим привлечением женщин, с этими «женщины то, женщины се», а еще с разговорами о равенстве полов — могло показаться, что если ты, выйдя из дома, не сделаешь хотя бы вежливый жест в сторону их безрассудных, идиотских идей, может начаться международный скандал. Вот почему наши неприемники мучили себя и вставали на уши, из кожи вон лезли, чтобы угодить женщинам-запредельщицам и включить их в обсуждение. Наконец, они решили, что им это удалось — они изобрели градацию изнасилований, из которой выходило, что в нашем районе могут случаться полные изнасилования, трехчетвертные изнасилования, половинные изнасилования и четвертные изнасилования, — что, как сказали наши неприемники, лучше, чем разделение изнасилований на две категории: «было» — «не было», каковые, добавили они, были приемлемыми категориями в большинстве владений, как и в карикатурном суде оккупантов. «Поэтому мы опережаем их на голову», — утверждали они, имея в виду «опережение» с точки зрения требований нового времени, разрешения конфликта и гендерной прогрессивности. «Посмотрите на нас, — говорили они. — Мы ко всему подходим серьезно». Изнасилование и все такое прочее — вот как практически все это называлось. Я это не выдумываю. Это они выдумали. Отлично, сказали они. Для них это сгодится, имея в виду женщин, имея в виду справедливость для женщин с проблемами, а также для женщин без проблем, потому что проблемы были не у всех женщин. И, таким образом, четвертное изнасилование стало в нашем районе сексуальным обвинением по умолчанию.

Какего Маккакего было предъявлено такое обвинение за подглядывание в женском туалете, хотя ни одна из женщин из туалета не говорила об изнасиловании и не требовала признать, что случившееся было изнасилованием. Дело серьезное, сказали неприемники, и они хотели знать, что скажет на это сам Маккакего. Но все это было игрой — больше игрушечных солдатиков на игрушечном поле боя, больше игрушечных поездов на чердаке, крутые мужчины, которым нет и двадцати, крутые мужчины от двадцати до тридцати, крутые мужчины от тридцати до сорока, крутые мужчины от сорока до пятидесяти с представлением, что они играют в игрушки, хотя эти мужчины играли далеко не в игрушки. И вот они погрязли в таком игрушечном представлении, а поскольку все к тому же погрязли в обычных слухах, то меня мало волновало, какие обвинения ему предъявят. Меня не волновало, что они с ним сделают, что они сделают друг с другом. Я ни на что это не напрашивалась, ничего этого не хотела, не просила никакой информации и никогда ничего не хотела знать. И в конце концов, меня не вызывали давать показания, что меня устраивало, потому что я бы не стала давать показания, никуда бы не пошла, не стала бы — по крайней мере добровольно — участвовать. В конечном счете, я узнала, что ни одну из женщин, которые били его, беспокоить, кажется, не стали, тесный кружок, судивший Маккакего, потихоньку отказался от обвинения в четвертном изнасиловании, потому что в этом обвинении так или иначе присутствовал произвольный элемент: *а как насчет того, что мы обвиним его в этом*? Поэтому его обвинили в незаконном взятии со свалки пистолетов с целью использования их для принуждения к свиданию в женских целях, для коих целей, предостерегли они, пистолеты не используются.

Никогда не слышала и не интересовалась тем, что случилось с Какего Маккакего после самосуда над ним, хотя считала наиболее вероятным, что приговор включал требование к нему пересмотреть свое отношение к женским приватным комнатам и к женщинам. Что касается меня, то я вернулась к ходьбе. Но не к чтению на ходу. А еще снова стала бегать. Вернулась домой с работы на следующий день после смерти Молочника, чтобы одеться для бега и отправиться к третьему зятю, а когда открыла дверь, увидела на лестнице одетых мелких сестер. На них были моя одежда, мои туфли, мои принадлежности, мои ювелирные украшения, моя косметика, плюс еще всякие самодельные штуки, изготовленные из занавесей, взятых из задней комнаты внизу. Еще они добавили гирлянды, венки, воланы и опять же преждевременную мишуру из рождественской коробки — последняя идея, как я предположила, принадлежала им самим. Я уже хотела обрушиться на них, потому что предупреждала, чтобы не лезли в мои вещи. Но в тот момент эта троица во всем их блеске — в моем блеске — разговаривала по телефону. Они устроились на ступеньке и держали трубку так, чтобы все могли говорить, что они и делали в унисон. «Да. Да. Да», — ответили они. После паузы они сказали: «Она уже здесь. Мы ей скажем». Потом последовали обычные «до свидания», «до свидания», «счастливо», «счастливо» — а еще и телефонные поцелуи, пока разговор не был с муками завершен и все не отключились. «Это была мама, — сказали они. — Она сказала, чтобы ты не уходила шляться, пока не приготовишь нам обед. Она не может, потому что занята с молочником». Они имели в виду настоящего молочника и не имели в виду никаких двусмысленностей с молочником, хотя мне было очевидно, что не только дела платонические происходят между ними двумя в доме настоящего молочника. До его самовольной выписки, — и что опять характерно, против требований больничного персонала — мама большую часть времени проводила в больнице, а теперь, когда он выписался, она все время проводила в его доме, приносила ему пироги, кормила супом, перевязывала раны, проверяла, как она выглядит в зеркале, а еще читала ему книги и газеты весь день и всю ночь.

«До свиданья», — пропела младшая из мелких сестер, а я подняла ее и сказала: «Уже все. Телефонный разговор закончился». — «Я знаю, — сказала она. — Я на всякий случай». Она обхватила меня ногами за талию, потрогала мой синяк и сказала: «Это у тебя от танцев? У нас такие бывают от танцев». И теперь троица принялась показывать мне руки и ноги с синяками и царапинами, строго идентичные синяки и царапины, строго в одних и тех же местах, на их телах не совсем, но почти на тех же местах. «Эти контузии были получены, — объяснила старшая из мелких сестер, — во время игры в международную пару». Так, подумала я, значит, вот как они резвятся на улице? Вот он, ответ на загадку, которая присутствовала в моей голове на заднем плане, потому что все маленькие девочки в последнее время стали одеваться и танцевать не на одной нашей, а на всех улицах района, даже по другую сторону дороги в районах приемников, потому что я заглянула туда и заметила их в один день, когда шла, читая на ходу, в город. Все эти маленькие девочки — «с нашей стороны», «с их стороны» — были одеты в длинные платья, туфли на высоких каблуках, отчего они падали, играя в международную пару, доказывая, что эта пара — родители экс-наверного бойфренда — имела гораздо большее значение здесь, чем просто чемпионы мира по бальным танцам. Они получили этот выдающийся статус, оседлав сектантский разлом, подвиг, который, вероятно, ничего не значил за пределами заинтересованных сектантских районов, но который внутри этих районов был равен редчайшему и вселяющему надежду событию в мире. Поначалу я не придавала этому значения, потому что мелкие дети обычно и занимаются всякими мелкими делами, но тут дело дошло до того, что они стали появляться в таком количестве — выряженные, с подобранной парой, они вальсировали повсюду, болтались у всех под ногами, действовали всем на нервы, падали, вставали, отряхивали пыль и снова вальсировали, — что это явление не могло пройти мимо самых толстокожих из толстокожих умов. И теперь мелкие сестры объясняли радость, которая могла быть получена только от игры в мистера и миссис Международные. «Это блестяще, — доверительно сообщили они мне, — только все чуть не было испорчено из-за этих мелких мальчиков». Они имели в виду маленьких мальчиков района, потому что маленькие девочки района с целью усиления эстетики вот уже сто лет пытались уговорить маленьких мальчиков изображать международно вальсирующего отца экс-наверного бойфренда, тогда как сами они будут изображать звезду шоу, его мать, но это ничем не кончилось, потому что маленькие мальчики не согласились играть с ними. Вместо этого они предпочитали кидать маленькие противопехотные приспособления в иностранных солдат из «заморской» страны, как только их подразделения появлялись на улице. Невзирая ни на какое брюзжание, упрашивание, слезы маленьких девочек, маленькие мальчики упрямо отказывались участвовать. Поэтому у маленьких девочек не оставалось выбора, кроме как раздвоиться и по очереди изображать то гламурную суперкрасавицу-мать экс-наверного бойфренда, то его менее гламурного, менее интересного — по крайней мере для маленьких девочек — серовато одетого знаменитого отца, и это продолжалось некоторое время, пока не стало ясно, что ни одна маленькая девочка вообще не хочет быть им. Все хотели быть ею, быть несравненной чемпионской матерью экс-наверного бойфренда, поэтому они отказались от отца и танцевали друг с дружкой как две изысканнейше одетые вальсирующие женщины, или же делали вид, что у них есть некий реквизитный партнер, «потому что так, — объяснили мелкие сестры, — ты каждый раз можешь одеваться и быть *ею*». Это объясняло цвета — потому что на них был настоящий взрыв цветов, — а также ткани, вспомогательные детали, косметику, перья, султаны, тиары, бусы, блестки, мишуру, кружева, ленты, оборки, многослойные нижние юбки, помаду, глазные тени, даже меха — перед моими глазами мелькнул мех с бахромкой — а еще туфли на высоких каблуках, принадлежавшие большим сестрам маленьких девочек и не подходившие по размеру, что приводило к тому, что маленькие девочки падали и получали синяки и царапины. «Но дело в том, — напомнили мелкие сестры, — и тебя, кажется, это не особо радует, средняя сестра, что *ты должна быть ею все время*!» Мелкие сестры вбили это себе в голову, вбив себе в голову также, хотя и неосознанно, что мне предстоит долгий период преодоления разрыва с экс-наверным бойфрендом. Казалось, мне предстоит получать напоминания о нем, даже когда я еще не вышла из дома. Выйдя за дверь, я видела и слышала другие напоминания: его родители на всевозможных плакатах, его родители, упоминавшиеся во всех новостных выпусках, превозносимые в журналах, захваленные в газетах, интервьюируемые на радиостанциях, взятые за образец подражания маленькими девочками во всем мире и, нс самос последнее, танцующие и сказочно выглядящие в настенных рисунках и на всех каналах каждого телевизора.

Поэтому они никак не могли снять мою одежду, сказали мне мелкие сестры, по крайней мере, пока они не закончат изображать международную пару. И они были настроены идти и продолжать игру, как только я их покормлю. О'кей, сказала я, но когда я вернусь с моей пробежки, они должны быть дома и снять с себя все мои шмотки. И еще мои туфли на каблуках они должны снять. «Отдайте мне их, — сказала я. — Вы их испортите». И я взяла у них мои туфли, прекрасно зная, что как только я выйду из дома, они их тут же наденут. «И не смейте залезать в комод, где лежит мое нижнее белье». — «Это не мы, — возразили мелкие сестры. — Это мама. Мама забирает его теперь целыми грудами, как только ты утром уходишь на работу».

И верно. Она это делала. Я это с ней уже проходила, предупреждала, чтобы она не трогала мои шмотки, в осо бенности нижние, предупреждала, чтобы она вообще не заходила в мою комнату. С самого первого дня этого ее поворота на сто восемьдесят градусов, с того времени, как она влюбилась в настоящего молочника — или перестала притворяться, что она всегда не была влюблена в настоящего молочника, — она постоянно заглядывала в зеркало, и ей не нравилось то, что она там видела. Она стала хмуриться, задерживать дыхание, втягивать живот, потом выпускать его, а как иначе — ведь дышать-то ей нужно было. Потом она со вздохами разглядывала все физические детали, а я думала, ведь ей пятьдесят. Слишком стара, чтобы вести себя так. И тут еще была моя одежда. Она рылась в ней, хотя сначала, сказали мелкие сестры, она рылась в своих вещах, вывернула все, сказали они, наружу. Она была очень грустна, сказали они, потому что ее белье, все, что у нее есть, было старомодным, не подходящим для момента, и поэтому, сказали они, она дождалась, когда ты уйдешь на работу. Так и начались ее рейды. Я поймала ее за этим как-то раз сама уже после выписки молочника из больницы. Я вернулась с работы раньше обычного — она была в моей комнате, просматривала мои шмотки. Мой шкаф был открыт, мои коробки с обувью открыты, моя шкатулка с ювелирными украшениями открыта, моя коробка с косметикой была пуста, а все ее содержимое у нее на лице или вывалено на мою кровать. Кроме того, она перенесла половину моих шмоток в свою комнату и не только моих, но и часть шмоток второй сестры, потому что вторая сестра, подвергнутая наказанию, уехала в спешке и не успела собрать и забрать свои вещи. Дело не ограничилось мной и второй сестрой. Мама еще нанесла визит первой и третьей сестрам, что примечательно, сделала она это в то время, когда, как ей было известно, ни одной, ни другой не было дома. К первой сестре она пришла под предлогом посетить внуков, а к третьей под предлогом позондировать, почему нет никаких внуков. На самом же деле ходила она туда с целью порыться и в их вещичках. Мужья впустили ее без всякой задней мысли, задняя мысль не появилась у них и когда она поднялась наверх, а потом спустилась с руками, полными вещичек их жен, и поковыляла на улицу. Она пришла домой нагруженная, сказали мелкие сестры, так что всех нас, сестер, затронула эта любовная революция с настоящим молочником. Что же касается ее долгосрочных уличных молитв на ногах, ее молитв по часослову, ее свирепо-добродетельных, агрессивных молитв в часовне, то, как сказали мне мелкие сестры, «она вместо этого ставит на проигрыватель Лео Сейера и его “Когда ты нужна мне”, и “Не могу перестать любить тебя”, и “Когда ты рядом, я хочу танцевать”». И вот я пришла с работы и увидела ее — она терзалась, перебирая мои пояса, сумочки, шарфики, но, главным образом, ее терзания касались того, как ее собственное тело предало ее. Не краснея и даже не давая себе труда сделать виноватое лицо, когда ее поймали на месте преступления, она сказала: «Ты никогда не думала, дочь моя, купить туфли на более низком каблукс?» Я хотела тут же вспыхнуть и указать ей на неприемлемость такого поведения — она не должна рыться в том, что ей не принадлежит. Как бы ей понравилось, хотела спросить я, если бы она узнала, что, когда она отправляется в часовню помолиться или к сосєдкам посплетничать, мелкие сестры тут же несутся в ее комнату? Залезают в ее кровать, надевают ее ночные рубашки, читают ее книги, в шутку молятся, в шутку сплетничают, изображают, будто готовят травяные отвары и отравы, всякое другое варево, по очереди изображают ее, что они и так часто делают. Но из-за ее паники и потому что она, казалось, вошла в какой-то уязвимый, регрессивный, странный переходный пєриод, я вдруг поймала себя на том, что вручаю ей пару туфель с ремешком сзади и говорю: «Попробуй эти, ма».

Отношение к настоящему молочнику во всем районе, казалось, стало другим. Даже я обратила внимание на последние разговоры большой банды благочестивых женщин — теперь разжалованных в экс-благочестивые — и на то, что между ними ожило старое любовное соперничество. После первоначальных обращенных к Господу молитв с просьбой сохранить ему жизнь и их удовлетворения, после дальнейших молитв о его полном выздоровлении некоторые из этих женщин обнаружили, что, пока они молились в часовне с закрытыми глазами, сцепив руки, протирая скамьи своим благочестием, мольбами и коленными чашечками, другие воспользовались преимуществом их истовых, затяжных молений, они временно сократили до минимума собственные моления и понеслись в больницу, чтобы первыми увидеть настоящего молочника. Обнаружив это, все пришли в движение. Молитвы, если они и случались, произносились в спешке. Экс-благочестивые женщины заранее извинились перед Господом, заверив Его, что это дело временное, и никогда ничем другим, кроме как временным, они его не рассматривали, что вскоре они вернутся к нормально-формальным молитвам, а пока, если Он не возражает, то они урежут и укоротят все пункты молитвенного списка, но не для того, чтобы в освободившееся время вставить другие молитвы, а чтобы сократить время на молитвы вообще, временно вычтя из них пока большую часть. Они тоже не совсем забыли, что они женщины. Они теперь тоже, как и мама, пекли пироги, украшали торты, кормили его бульоном, примеряли одежду дочек, их косметику, их ювелирные штучки и скакали на дочкиных каблуках, носясь из дома в больницу и назад. Позднее, когда настоящий молочник вышел из больницы, они продолжали метаться и были постоянно заняты: навещали его дома, проверяли, как он устроился после больницы.

Но у мамы, однако, была фора, так как она первой получила сообщение от Джейсон. Благодаря Джейсон, которая была влюблена в своего мужа Найджела, а потому под *этим* углом не интересовалась настоящим молочником, мама сумела первой попасть в больницу. Ее тут же захомутала полиция и увела на допрос в какую-то тесную больничную кладовку. Почему она хочет видеть этого человека, этого террориста, которого они только что пристрелили как врага государства, спрашивали они. Конечно, было ясно, что они, эти полицейские, пытаются провентилировать, не получится ли у них сделать агента из этой средних лет герлфренды раненого средних лет деятеля военизированного подполья. Может быть, она раскроет им личности тайных неприемников? Сообщит о тайных планах неприемников? Поможет им уничтожить этого проклятого врага с корнями? Однако получилось так, что сразу же следом за мамой в больницу пришли еще три наверных герлфренды того же раненого подпольщика. Потом появились еще четыре. У полиции кончились маленькие импровизированные допросные комнаты, где они пытались завербовать эту популяцию на предмет осведомительства. А это означало, что им пришлось увезти женщин в полицейские казармы, которые, ввиду растущего количества герлфренд, уже не могли обеспечивать скрытность ситуации в той мере, в какой это хотелось бы полиции. Сотрудники этой службы, бродившие по больничным коридорам, перехватили еще двух среднего возраста герлфренд, которых тоже увели на допрос. К этому времени закон, видимо, начал уже почесывать себе затылок. «Сколько же их у него? Что он за бабник такой? И когда между своими любовными похождениями этот Валентино[1] умудряется вести террористическую деятельность?» Прежде чем они успели придумать ответ, это случилось еще раз, и число средних лет осведомительниц из нашего маленького запретного района, судя по слухам, выросло от десяти до восемнадцати. Откровенно говоря,

[1] Имеется в виду Рудольф Валентино (1895–1926) — американский киноактер итальянского происхождения, секс-символ эпохи немого кино.

дело было неподъемное, но неподъемное не только для полиции. Перед неприемниками той страны в нашем районе замаячила перспектива иметь дело с восемнадцатью экс-благочестивыми женщинами, которых, по их правилам, необходимо было подвергнуть психологической экспертизе, чтобы определить, не сделался ли кто-нибудь из них осведомительницей, и неприемники тоже сочли ситуацию неподъемной. И не только неподъемной — смешной. И не только смешной — возмутительной. И не только с точки зрения политической ситуации она была неподъемной, смешной и возмутительной, но и в более приватном плане, ввиду того, что эти женщины считались добропорядочными женами и матерями нашего района.

Слухи передавали, что один неприемник сказал другому: «Чего-то не хватает. Тебе не кажется, что чего-то не хватает?» На район опустилась нездешняя тишь, тишина просто напитала его. Все теперь было призрачным, тусклым, тихим, словно только сейчас стало ясно, как неспокойно здесь было, пока не прекратился весь этот подспудный шумок назойливого пощелкивания перебираемых четок и бормотания молитв. «Это всё благочестивые женщины, — сказал второй неприемник. — Экс-благочестивые. Они прекратили свое жуткое пришептывание, этот назойливый низкий гул уличных молитв на ногах, эти выматывающие душу до скрежета зубовного молитвы часослова, это ничем не спровоцированное запсалтыривание мозгов, и вся эта приостановка всего из-за того, что пристрелили, понимаешь, этого придурка, того, который никого не любит, который на детей орет, который вернулся домой из “заморской” страны после смерти брата и в тот раз раскидал оружие на улице». — «Не нужно было его смолой и перьями, — сказал другой неприемник. — Нужно было привести его к какой-нибудь вырытой на скорую руку могилке и пристрелить». — «Да», — сказал другой. «Но опять же, — сказал еще один, — мы не должны так уж строго себя судить». И этот неприемник напомнил остальным о первых днях их движения, а еще напомнил, что эти же самые женщины вмешались в ход их судебного разбирательства двенадцатью годами ранее, когда они пришли и расположились прямо перед дверями их законспирированного дома. Это случилось после того, как человек, который никого не любил, раскидал их оружие и накричал на детей, накричал на соседей, после чего неприемники пришли и забрали его вместе с их быстро собранным арсеналом прямо в законспирированный дом. Они большинством стояли за то, чтобы его убить не только за то, что он извлек на свет божий их собственность, а за то, что при свете дня, будто так оно и должно быть, выбросил ее на улицу. Если бы тот молодой наблюдатель не сориентировался мигом и не прибежал, чтобы предупредить их о случившемся, то любой старый армейский вертолет — а он совершает облет территории не реже, чем они сами, — наверняка тут же засек бы это оружие. И в целом они были за то, чтобы убить человека, который никого не любил, вот только не смогли этого сделать из-за женщин, которые были в него влюблены. Обычно эти женщины были любезны, поддерживали усилия неприемников. Они приходили большим числом, вооруженные крышками от мусорных бачков, со свистками, они всех предупреждали, включая и самих неприемников, о приближении врага; они были готовы принимать у себя неприемников, сообщать им об опасности, прекращать комендантский час, перевозить оружие и, конечно, все неприемники пользовались услугами их доморощенных амбулаторий. Любой неприемник, сто́ящий этого названия, соглашался, что если тебя ранят, это еще ничего, нужно только, чтобы хватило сил, чтобы пробежать по плетению улочек, через задние калитки до дома одной из этих женщин, — там тебе извлекут пулю, залатают кожу, наложат швы, а если времени для этого нет, то булавками пришпилят и спрячут где-нибудь в укромном месте, чтобы переждать, когда военные обыщут все дома, что в таких случаях всегда происходит. Так что преданность такого рода не могла быть напускной. Но он разбросал их оружие, и поэтому его привезли в конспиративный дом, который на самом деле был не домом, а одной из лачуг, принадлежавших часовне, и сделали они это на самом деле вовсе не для того, чтобы устраивать какое-то там долгое разбирательство, а быстро его привезти и прикончить выстрелом в голову. Не успели они перевести его через порог, как появились эти женщины, странным образом они не стали устраивать никакого шума, а вместо этого разбили лагерь на улице прямо перед дверями лачуги. Они молча стояли лицом к лачуге, смотрели на нее, и многие — прости, Господи, — даже пальцами показывали на эту лачугу. Неприемникам не понадобилось много времени, чтобы сообразить, что нужно этим женщинам. Они знали, и знали, что женщины знают, что они знают, что нужен только один-единственный вертолет со своим регулярным облетом, и он увидит эту толпу женщин, которые стоят перед лачугой, принадлежащей часовне, лояльной неприемникам, и показывают на нее пальцами, и вскоре в лачугу нагрянет полиция той страны и перевернет все вверх дном. Таким образом, они столкнулись здесь с шантажом, а плюс к этому и с человеческим непостоянством. Неприемники не могли отрицать, что эти женщины готовы предоставить в их распоряжение свои лояльные крышки от мусорных бачков, свои лояльные свистки, свои лояльные нитки для зашивания ран. Но в той же мере не могли они отрицать того, что эти женщины угрожают неприемникам предательством, если этот человек, который никого не любит, не будет немедленно отпущен. Говорить ничего не требовалось, но то, что сказать требовалось, — потому что представительница женщин, в конечном счете, подошла к двери лачуги и прокричала им это, — состояло в том, что человек, который никого не любит, должен быть отпущен живым и невредимым. Никаких трупов они не потерпят, прокричала она, их друг должен выйти на своих ногах и здоровый. Но в итоге они не получили всего, что требовали, потому что неприемники, чтобы сохранить лицо, вынесли приговор, гласивший, что молочник района оказался еще одним районным упрямцем, демонстрирующим наклонность к антиобщественному поведению, не совместимому со стандартной, принятой внутри периметра, нормой социального комфорта, из чего вытекает, что он становится еще одним членом прискорбной группы запредельщиков. Как таковой он не вполне дееспособен — они постучали себя по головам, — а из этого вытекает, что от смертного приговора можно воздержаться в интересах проявления милосердия к ментальной уязвимости района. Но человеку, который никого не любил, это не сойдет с рук безнаказанно. Он приговаривается к избиению степени между легкой и средней, за которой последует смола с перьями, еще он получает предупреждение, что в следующий раз, если он станет угрозой для них и их оружия, независимо от того, сколько людей его любят, к нему отнесутся не так снисходительно, как в этот раз. «Но мы были слишком снисходительны», — сказали они теперь, через двенадцать лет после настроений того случая. А теперь они во времена, примечательно сходные с теми временами, и теми же самыми женщинами или почти теми же самыми был снова предъявлен ультиматум. «Разве им не говорили, чтобы они не ходили в больницу?» — сказали они. «Их предупредили, им приказали, от них потребовали, и смотрите — они последовали за ним прямо в пасть льву, а теперь их арестовали». — «Но что они в нем нашли?» — «Да, и с учетом их возраста, некоторые из них далеко не молоды». — «Не только некоторые. Молодых среди них нет. Мать такой-то и такой-то определенно немолода, а разведчики нам докладывают, что ее тоже вывезли из больничной кладовки, а теперь везут в полицейские казармы». — «И мать такой-то и такой-то тоже». — «И моя мать, — признался один из неприемников. — Извините, я не знал, и мой отец тоже не знал. До этого дня, когда она сорвалась с места, бросилась в больницу, и ее там арестовали». После паузы и некоторые другие признали прискорбную ситуацию — их матери тоже небезразличны к человеку, который никого не любит.

Что же касается вербовки экс-благочестивых женщин в осведомители или попытки неприемников выяснить, не завербовала ли полиция экс-благочестивых женщин в осведомители, то из этого ничего не вышло. Число женщин к этому моменту увеличилось. Женщины с проблемами — *Нет, только не они!* — вскричал в голос весь военный и военизированный персонал — тоже появились и припустили в больницу в поддержку настоящего молочника. Он единственный в районе, сказали они, кто полностью понимал и уважал их и их дело. После этого заговорили медиа, включая небольшой, но докучливый враждебный сегмент, который уже теперь без всяких доказательств в дневном выпуске напечатал насмешливый заголовок МОЛОЧНИК — ВЗАПРАВДУ МОЛОЧНИК!, заявляя тем самым, что та страна опять промахнулась. Та страна, выяснив, что так оно и есть, что они опять промахнулись, решили закрыть дело, о чем они и объявили в следующем телевизионном новостном выпуске. Неприемники тем временем, озабоченные тем, что им придется судить и выносить строгие и бесстрастные приговоры возможным осведомителям, которыми, скорее всего, будут их матери, посмотрели этот телевизионный выпуск той страны, объявлявший о закрытии дела, и впервые в жизни согласились с противником и заявили, что в данном случае они будут рады поставить на этом точку.

После этого полиция отпустила маму и семнадцать других женщин, и неприемники их тоже трогать не стали. Женщины тут же бросились назад в больницу, в палату интенсивной терапии. Там им сказали, что состояние настоящего молочника «стабильное», но никому из них пока не позволят его увидеть. «Извините, но вы не семья», — сказала больница, и очевидно, что «супруги по собственному желанию» в данном случае в расчет не принимаются. После этого некоторые супруги отправились домой, чтобы собрать подкрепление, обдумать планы и возможности. Вот тогда мама в темноте пришла домой и рассказала древнюю драму про себя, Пегги, настоящего молочника и всех других женщин; еще, конечно, она рассказала про эту другую проблему, проблему неправильного супруга, которая ни разу не упоминалась за всю ее супружескую жизнь с папой.

И вот, она была в моей комнате, почти две недели спустя со дня моего отравления, но до моего похода в кулинарный магазин. Она примерила мои туфли, на короткое время успокоилась, потому что увидела, что они ей подойдут. Но ее чувство незащищенности никуда не делось, и теперь ее заботила другая проблема. Оказалось, что это ее «корма», поскольку эта корма стала больше с тех пор, как она в последний раз смотрела на нее в полный рост. Последний раз был много лет назад. Сколько лет — она не хотела говорить. Но она посмотрела, сказала она, и увидела, что корма стала больше, и она знала это, сказала она, не только, глядя на себя в зеркало спереди и видя, что *та* ее часть стала больше, из чего вытекало, что ее зад стал значительно больше, к тому же она это знала, сказала она, потому что ей понемногу приходилось увеличивать размер платьев, а еще она знала это по своему опыту с тем креслом в нашей передней гостиной в тот раз. Вид у меня, наверное, был недоуменный, потому что она добавила: «Я говорю о прежних временах. Я больше на то кресло не сажусь, и причина, по которой не сажусь, — моя задница. Ты, наверное, думала...» — «Нет, ма, — сказала я, — я не думала... и какое кресло? Я не видела там никаких кресел». — «Видела-видела, — сказала она, — деревянное кресло с подлокотниками в передней гостиной, оно когда-то было одним из кресел твоей прапрабабушки Уинифред. Так вот, прежде я на нем сидела. Я садилась в него время от времени и либо вязала, либо говорила с Джейсон или с какой-нибудь другой из женщин, либо пила в нем чай в одиночестве или с тем, который *настоящий молочник*, — тут она посмотрела на меня, но я не сплоховала, — иногда я просто сидела, — сказала она, — и думала, или слушала радио, и все было прекрасно. Я просто сидела в кресле без всяких проблем, без всякого даже осознания, что вот я сижу в нем. Кресло и кресло, не стоящее того, чтобы о нем говорили как о причине душевных терзаний. Я опускалась в него, закончив дела, и вставала, когда было нужно. Все в порядке. Но не теперь, дочка. Теперь я испытываю мучительную умственную боль каждый раз, когда имею дело с этим креслом, потому что моя задница немного задевает за подлокотник с одной стороны, когда я сажусь в него или когда поднимаюсь, точно таким же образом моя задница может задевать подлокотник и с другой стороны. Эти подлокотники не способны формулировать мысли, — подчеркнула она. — Они прочно соединены с телом, потому что это цельное кресло, и конечно, кресло само по себе не могло стать меньше, а это значит, что моя задница стала больше, но она стала больше без параллельного приспособления к новому способу взаимодействия с мебелью, а вместо этого действует по старой памяти о тех днях, когда она была меньше». Я неуверенно открыла рот, чтобы сказать что-то... а может, чтобы он так и оставался открытым все время. «Но ты пойми, дочка, — продолжила мама, — я не говорю, что моя задница не может теперь уместиться в этом кресле, потому что кресло стало слишком мало для нее. *Я все еще влезаю в него*. Просто моя задница занимает теперь на некоторое количество дюймов — или долей дюйма — больше места, к чему она так и не приспособилась и чего в прошлые времена не было».

Я, конечно, понимала, к чему она клонит, хотя и не знала, как на это реагировать. Мне это представлялось чувствительным, мучительным, микроскопическим отражением взглядов мамы применительно к росту ее задницы, без всяких резкостей, или грубостей, или глупостей, или намеков на требования поп-культуры. Поэтому мой ответ должен был соответствовать ее словам, быть похожим по тональности и взвешенности, чтобы признать и уважить ее возраст, даже ее оригинальность в глубинном описании состояния ее задницы относительно кресла, о котором она говорила. Еще я, конечно, понимала, что мама, ввиду того преображения, которое она претерпевает в связи с отношениями между ней и настоящим молочником и соперничества между ней и экс-благочестивыми женщинами в отношении настоящего молочника, с ее описанием во всех подробностях истории с креслом, возможно, впадает в депрессию. Что касается кресла, то мелкие сестры помешали мне ответить, они позвали меня снизу. В начале этого разговора они выбежали из спальни и понеслись в гостиную внизу, чтобы вытащить оное кресло в коридор. «Средняя сестра! Средняя сестра!» — кричали они, и мы с мамой вышли на площадку и посмотрели над перилами вниз в коридор. Это было то самое старое кресло из передней гостиной, старомодное, с высокой спинкой, с подлокотниками, которые выглядели довольно безобидно, но с точки зрения умственных терзаний вовсе не были такими уж безобидными. «Вот оно, средняя сестра! Кресло! Это — то самое кресло!» — кричали мелкие, а мама, отведя глаза и приложив к ним ладонь, воскликнула: «Нет-нет, не напоминайте мне! Уберите его от меня, маленькие дочки». И они потащили, потянули, поволочили оскорбительное кресло прапрабабушки Уинифред в переднюю гостиную, после чего бросились наверх, и мы продолжили.

Потом мы перешли к ее лицу. Оно «ухудшилось», сказала она. Появились складки, возрастные пятна и морщинки.

«Вот здесь» — она подошла поближе ко мне, чтобы я обратила внимание на конкретную морщинку. Я обратила. Это была морщинка. Среди прочих. В верхней части щеки. На ее лице. «Сначала появилась эта, — сказала она. — Она была незначительной, почти незаметной, и мне пришлось сильно напрячь глаза однажды, чтобы разглядеть ее в общественном туалете в городе недалеко от муниципалитета, мне тогда было немного за тридцать. Я понимала, что это означает, но после первоначальной вспышки тревоги забыла о ней, дочка, потому что, понимаешь, с этим я ничего не могла поделать, а впереди еще были годы и годы». Потом мы перешли к ее бедрам. «Они умерли, — сказала она. — Ощущение такое, что они умерли. И по виду словно умерли. И так до сего дня, прежней пружинистости в них нет». Потом последовали бугорки на коленях, хруст в коленях, располневшая талия, корма, которая тоже ухудшилась, помимо того что набрала несколько дюймов или долей дюйма. Поясничная осанка, сказала она потом, из-за того что часто приходится наклоняться, стала совсем не той поясничной осанкой, что была в прежние деньки. «Я прежде двигалась, как газель, как твоя третья сестра. У меня даже есть мои фотографии, на которых я — газель. И вот это. Ты видишь это? Вот эту красную отметину здесь? Видишь? Прежде она была здесь, а еще раньше ее вообще не было». Мелкие сестры прошептали, что мама вот уже несколько часов в таком состоянии, и они беспокоятся за нее. Они хотели, чтобы я сказала, что с ней случилось, и вылечила ее, сделала что-нибудь, и я несколько раз пыталась вмешаться, хотя и безуспешно. Я попыталась разубедить маму, потому что я заметила, даже если это и прошло мимо нее, что побочный эффект ранения настоящего молочника, которое все же не стало роковым, состоял в том, что мама словно скинула годы с плеч, хотя при этом, казалось, утратила и немалую долю своей уверенности; она вновь стала юной, но при этом отчасти лишилась веры в то, что у нее есть все шансы против этих экс-благочестивых женщин, которые тоже, казалось, сбросили годы с плеч, но при этом, столь же естественно, и у них появились проблемы с самооценкой. Но мама не позволяла утешить себя. Чем бы я ни пыталась увещевать ее, она отвечала беспрестанными «да, но». Эти «да, но», в конечном счете, выпрыгивали из нее, когда я даже не успевала закончить первую фразу первого увещевания, и теперь она говорила о подмышках, руках, дрожи в предплечьях, в верхней части плеча у сустава, чего не должно быть у женщины ее возраста, потому что это ведет к мучительной смерти. Потом увеличенное расстояние между зубами, усиливающаяся вялость груди, щелканье суставов, боли в костях, лязг в пищеварительной системе, проблемы с кишечником, туман перед глазами, а кроме того, глаза у нее становятся похожими на глаза маленьких старушек, глаза, какие всегда у маленьких старушек. И еще волосы у нее начали седеть, сказала она, и к тому же расти на теле, в особенности — тут она перешла на шепот — *мужские* волосы на лице. «Я могу продолжать и продолжать», — сказала она. И продолжила. Она говорила о том, что я бы в жизни не поверила, что у нее появилась неуверенность в таких вещах, о которых до недавнего времени и с учетом ее возраста она и думать не должна была, не говоря уже о том, чтобы тревожиться. Потом опять разговор пошел о том, что она чувствует себя моложе, хотя и не верит, что становится моложе. Так что, я думаю, что в этой ситуации шиворот-навыворот, которая случается в жизни, не было никакого противоречия в том, что страхи старения одолевают ее в ее новом психологическом шестнадцатилетнем возрасте. И в этот момент и словно для того, чтобы дать мне знать, что если я думала, что до этого момента была свидетелем полного поражения и уныния, последовало то, что и было полным поражением и унынием. Посмотрев еще раз в зеркало, на сей раз потому, что она была уверена, что потеряла в росте, потому что сокращаются кости, она испустила самый громкий за все это время вздох. Он предназначался в большей степени ей самой, чем мне или мелким сестрам. Она сказала: «И какой смысл? Ничто из этого уже все равно не имеет значения теперь, когда нужно думать об этой бедняжке, матери четырех мертвых мальчиков и несчастной мертвой девочки, а еще вдове несчастного мертвого мужа». Тут она перешла к матери ядерного мальчика.

Мать ядерного мальчика была, конечно, и матерью Какего Маккакего, а еще матерью любимого отпрыска, который был убит при взрыве бомбы, а еще матерью мелкого карапуза, который в тот раз выпал из окна. Эта женщина, которую больше всего знали как мать ядерного мальчика, потому что ядерный мальчик производил на сознание людей гораздо большее впечатление, вследствие его драматической, чтобы не сказать непостижимой, нуклеомитофобией, не говоря уже о его предсмертной записке. Никто другой в этой семье, живой или мертвый, не привлекал к себе столько внимания, сколько привлекал он. И в самом деле, если не считать Какего Маккакего, то все остальные члены семьи назывались исключительно по принадлежности к нему. Оставались еще шесть сестер ядерного мальчика. Были еще и разнообразные родственники, тетушки, дядюшки ядерного мальчика и прочие... ядерного мальчика, а в данном случае, как я поняла, мама говорила о матери ядерного мальчика. Поначалу, когда она затеяла всю эту бодягу, я могла только глазеть, не зная, к чему она ведет. Мама сказала, и сказала словно в заключение, потому что она, казалось, смирилась с этим: «думаю, мне придется отойти в сторону, пусть берет ее» — и тогда я попросила ее объяснить. Она сказала, что экс-благочестивые женщины день назад пришли к нашей двери и стали взывать к ее совести в связи с матерью ядерного мальчика. Они убедительно изложили ей, сказала она, что, поскольку НЕСЧАСТНАЯ НЕСЧАСТНАЯ НЕСЧАСТНАЯ НЕ-

СЧАСТНАЯ, как подчеркнули они, мать ядерного мальчика перенесла в количественном отношении гораздо больше персональных политических трагедий за свою жизнь, чем любая из них в районе перенесла личных политических трагедий за свою жизнь, то не благороднее ли, не духовнее, не альтруистичнее ли будет отойти в сторону и отдать ей настоящего молочника? До меня тут же дошло, но прежде чем я успела сказать: «Силы небесные, ма, неужели ты не видишь подвоха с их стороны? И потом, это так не работает» — она сама принялась пересчитывать факты. Разгибая пальцы, она стала сравнивать трагедии, опять же в количественном выражении и в соответствии с ее иерархией страданий, которые пережила она сама, с трагедиями матери ядерного мальчика. «Эта НЕСЧАСТНАЯ НЕСЧАСТНАЯ НЕСЧАСТНАЯ НЕСЧАСТНАЯ женщина, — сказала она. — У нее умерли муж, четыре сына и дочь, и все они политически, тогда как у меня умерли муж и сын, но ни одной дочери не умерло, я говорю, и да, — она подняла руку, пресекая мои попытки вставить слово, — верно, что второй сын умер политически, но твой отец — *хороший человек! ах, какой хороший человек! и хороший отец, и хороший муж*». И тут она пустилась в комплименты по отношению к отцу, отказавшись от своей обычной критики в его адрес, что, как я догадалась, означало, что у нее случился очередной приступ вины за то, что она столько лет подавляла свою *Я-не-влюблена-потому-что-уже-замужем-так-как-же-я-могу-быть-влюблена!* любовь к настоящему молочнику, а потому сейчас прибегала к избыточному компенсированию с помощью невернозамужественного покаянного раскаяния. «Твой отец, — сказала она, возвращаясь назад, — умер обычной смертью от болезни, да не оставит его Господь, а это значит, что он умер не политически. Поэтому, я думаю, они правы, и мне придется откланяться, совершить возвышенный поступок и передать ей настоящего молочника».

До этого времени я только смотрела и молчала, теперь же во мне все кипело от материнской бестолковости в этом деле. Неужели она не слышит себя? Почему она не понимает, *что* на уме у этих коварных экс-благочестивых женщин? Если дело обстояло так, если они были правы в своих так называемых высоких принципах и были убедительны в том, что у мамы *всего один мертвый сын и муж, все дочери живы, так что не доросла еще* — если такие вещи и вправду делались так, то скольким из нас пришлось бы лечь в политические могилы, прежде чем она решилась бы отправиться на любовное свидание? Но даже если согласиться с такой оценкой — с такой иерархией страдания, с ее абсолютистским критерием того, кто получает больше очков за печали и скорби, — даже тогда она неверно воспринимала то, что назвала «фактами». Мне пришлось подойти к вопросу педантически и выбивать из ее головы это неверное восприятие. Во-первых, сказала я, несчастная мать ядерного мальчика потеряла только двух сыновей по политическим проблемам, не трех, а только двух, что бы ни говорили в районе о том, что и ядерного мальчика, вероятно, следует — и это несмотря на Америку и Россию — считать тоже. Я не могла допустить его включения в список, поскольку мама теперь устремлялась в стадию критического самосаботирования. Поэтому я сказала о единственном сыне, любимом, который умер политически, пересекая дорогу, потому что в это время на улице взорвалась бомба. И еще я сказала о старшем сыне-неприемнике, и дочери-неприемнице, и, конечно, о муже, который умер политически. Потом была их несчастная собака, которой в тот раз солдаты перерезали горло на въезде. Во-вторых, сказала я, можно, пусть и слабо, но все же возразить, что мама сама потеряла одну из своих дочерей, которая понесла наказание, а наказание тоже подразумевало, что проблема политическая. И еще можно возразить — пусть и опять слабо, — что она переживает потерю другого сына, а именно четвертого, того, который в бегах, хотя он, как бы сильно она его ни любила, не ее настоящий сын, не по-настоящему сын, хотя, впрочем, он жив и живет где-то через границу. Еще я указала, что вряд ли — с учетом обреченного состояния несчастной матери ядерного мальчика — эта женщина ищет какие-либо сексуальные романтические приключения. «Брось, ма, ты же ее видела. Уж ты-то своими глазами видела, что перед тем как она перестала выходить из дома, состояние бедной женщины каждый день ухудшалось, и как ей может кто-нибудь помочь, если люди стали пугаться ее и даже подумывали, не включить ли ее, ввиду их страха перед ней, в категорию смертников из наших районных запредельщиков. Когда ты видела ее в последний раз? — спросила я. — Когда хоть кто-нибудь видел ее в последний раз? Говорят, что она не моется, не ест, не встает с кровати, не обращает внимания на других членов семьи. Ты вполне можешь исключить мать ядерного мальчика, — сказала я, — из списка тех, кто ищет любовных встреч с мужчинами в “таких-растаких” местах». Мама поморщилась и изобразила закрывание ушей ладонями. «Ты грубый ребенок, — сказала она. — Ты резкая. Ты такая холодная. В тебе всегда есть что-то ужасно холодное, дочка». А ты тугодумка, ма, хотела сказать я, но не сказала, потому что это вернуло бы нас к тем *изумительным* моментам, и потом к еще одной ссоре, и мы снова погрузились бы в наши старые злюки друг на друга. И еще я не сказала ей, по крайней мере, напрямик: «Ты уверена, что всем твоим подругам можно доверять?», возвращая ее к ее же укоризненным словам, обращенным ко мне той ночью, когда она промывала меня от яда. Вместо этого я сказала то же самое, но опосредованно, заговорив о коварных кознях другой стороны.

«Твои подружки, ма, — сказала я, — твои молящиеся подружки, экс-благочестивые женщины. Как ты думаешь, вероятно ли, что когда они сами говорят “Ах, мы должны, просто обязаны отступить, и пусть она получит его", они имеют в виду именно мать ядерного мальчика? Ты думаешь, они так уж за то, чтобы отступиться от настоящего молочника, чтобы отдать его другой, чтобы отказаться от своих видов на него? Как только они устранят с дороги тебя, как только от тебя отделаются, а с таким эмоциональным шантажом это не составит для них труда, эту бедную женщину толкнут под первую попавшуюся лошадь с телегой. После этого они перегруппируются, реконфигурируются, составят новый план, на сей раз с целью устранения следующей после тебя пассии настоящего молочника. Но ты первая, ма, — сказала я. — Ты стоишь на первом месте среди претенденток на сердце настоящего молочника, вот почему с тобой так ловко разыграли карту ядерного мальчика, и почти успешно». — «Не болтай! — сказала ма. — Не может быть, чтобы я была на первом месте...» — тут она замолчала и принялась энергично махать рукой. «Это ты, ма, — сказала я. — Это ты его интересуешь, это к тебе он приходит пить чай, всегда приносит дополнительную пинту молока и молочные продукты, а я уверена, что всем он их не раздает». И опять отмахивания рукой, но теперь не такие энергичные, более доверчивые, более проникнутые надеждой. Мама определенно дисквалифицировалась и крайне нуждалась в помощи. Это означало, что я должна быть щедрой, нет, прагматичной, потому что, по правде говоря, я не заметила, чтобы настоящий молочник так уж интересовался мамой, или матерью ядерного мальчика, или вообще кем-нибудь из них. Они были слишком стары, чтобы кто-то обратил на них внимание. Я просто не хотела, чтобы она сдавалась с самого начала. Конечно, не исключалась вероятность, что настоящий молочник может решить, несмотря на его явное желание обзавестись теперь парой, что никакая пара из них ему не нужна, или что он вернется к широкому, универсальному родству, как только встанет на ноги. Вписываться в этот сценарий в настоящее время было слишком обескураживающим для мамы, или для экс-благочестивых женщин, или даже для меня. Вот мы и не вписывались. Это означало, что я поддерживала ее ложью, которая, когда все факты будут раскрыты, вполне могла оказаться и не ложью. «Ты сильнейший претендент, ма. Он всегда говорит, что ты ему нравишься, просит передать, что спрашивал о тебе». — «Правда? Нравлюсь?» — «Да», — сказала я, хотя он всегда делал это мимоходом. Правда, в том единственном разговоре в его грузовичке, когда он отвез меня домой и позаботился о кошачьей голове для меня, настоящий молочник стопроцентно волновался о маме. Так что я не так уж и врала, и я сказала ей об этом, про сто процентов, чтобы большими цифрами подкрепить ее уверенность. «Все в порядке, ма, — сказала я. — Не распускай нервы, верь, делай все возможное, действуй постепенно и добивайся своего тихими маневрами. Не забывай и то, как эти женщины вели себя с Пегги. Их страсти, их ненасытность, проявившиеся после ее пострижения в монахини. Ты сама говорила, что злилась на них, но вот они тут, никуда не делись, делают то же самое. Коварные женщины», — добавила я, думая, как они обводят маму вокруг пальца, промывают ей мозги, пользуются ее внутренним конфликтом. Я понимала, что много времени прошло с тех пор, как она огорошивала кого-то неожиданным ударом или фланговым перестроением. «Какие коварные, бессовестные, пронырливые, неразборчивые женщины...» — «Средняя дочка! — воскликнула мама. — Они старше тебя! Не говори про этих экс-святых такие слова».

Но мне удалось задеть ее за живое, потому что она вспомнила о своем достоинстве. Некое «как вы смеете эксплуатировать мою совесть» зрело в ней, что меня радовало, но события двигались стремительно, и, как я узнала, вследствие ранения настоящего молочника появился еще один побочный продукт, вероятно, это был главный побочный продукт его ранения, который состоял в том, что его ранение катализировало его из длительного затворничества, вызванного пост-Пегги-синдромом. Его добровольная ссылка в бессрочную целомудренную любовь ко всему свету от личной романтической и страстной любви и семейного дома вроде бы подошла к концу. Еще до того как он вышел из больницы и оставил в прошлом неприятности ранения, и несмотря на то что его упрямая и аскетическая сторона старалась вовсю, чтобы восстановить в своих правах упрямство и аскетизм, он необъяснимым образом вдруг почувствовал, что приятно проводит время. Мама сказала мне, что он ей сказал, что поначалу в больнице им овладело какое-то аномальное бунтарское чувство, ему хотелось теперь, чтобы люди проявляли доброту к нему, тогда как в прошлом творцом доброты был он. Это контрастировало с тем, что случилось двенадцатью годами раньше, в самый расцвет его великой самодостаточности, когда, хотя ему и требовалась помощь, вся помощь, которую он смог принять и впоследствии получил после избиения и смолы с перьями, его тогдашнее сердце, в отличие от его сегодняшнего сердца ни на йоту не открылось для персональной любви или романа. И вот теперь он претерпевал личную революцию, ставшую следствием всего этого добра и самопожертвования, которыми он был окружен. Теперь он захотел стать получателем личной любви, секса и привязанности. Он был открыт ко всему этому, сказала мама, а еще сказала, он сказал, что словно по команде, словно по волшебству, добрые деяния — с последующим возможным развитием личных отношений — пролились на него, и почти сразу появились и женщины. Они объявились в больнице в больших количествах, сказала она, и это были, главным образом, те самые традиционные благочестивые женщины района. Потом появились женщины с проблемами. И несколько мужчин — несколько соседей, которые не побоялись, что их имена свяжут с человеком, который постоянно поднимает голову выше забора, — тоже появились в больнице. И, конечно, пришла мама, его старейший друг. И они все пришли, сказал он, и это было приятно. Здесь он взял и задержал в своей руке мамину руку. Она сказала, что он сказал, что осыпан новыми добрыми деяниями, и его новообретенная мирная личность принимает их без всякого чувства неловкости. Он выписался из больницы, а люди продолжали приезжать к нему, и по-прежнему он принимал их добрые деяния без чувства неловкости. Но мама, испытывая смесь экстаза оттого, что настоящий молочник держит ее за руку и говорит с ней так доверительно, еще чувствовала раздражение, потому что теперь она в отношении тех других женщин понимала то, к чему я пыталась привлечь ее внимание.

Кроме ее тогдашних сетований на возрастность, мама сетовала на всеядность этих экс-благочестивых женщин. Она перестала донимать меня замужеством — и это тоже было благоприятным попутным обстоятельством ранения настоящего молочника, — прекратила приставать ко мне с разговорами о знакомствах с опасными женатыми мужчинами. У нее на это просто не было времени. «Они там все время, — воскликнула она, — в его доме, с их ушлыми прихватами, приносят ему репу. Я видела их с их подарками — морковка и пастернак, супы домашнего приготовления, печенье и ароматная вода с розой, и их очаровательно упакованная картошка в подарочной обертке, так и торчат из карманов. Какой обман! Просто не верится». — «Я знаю, ма, — сказала я. — Не верится ни во что другое». — «И еще выряжаются, дочка, — продолжала она, — хотя, Бог свидетель, у них нет никакой пружинистости...» Это, конечно, было, когда она вспомнила, благодаря «да, но», что у нее тоже нет пружинистости... И опять я поспешила вмешаться. Я подчеркнула, что благодаря реверсированию жизненной силы в нее, она расцветает, теряет этот взгляд на жизнь типа «жизнь кончена, какая у меня теперь жизнь, я свое прожила, теперь уж так, перебиваюсь», свойственный старикам, с которым она обычно жила, а я не замечала, что она с ним жила до последнего времени, до того как перестала с ним жить. Вместо этого она вернулась к жизни, зазеленела побегами и — «...конкуренцией, соперничеством», прекратила свои «да, но», хотя я бы прекратила их иначе. «Я слишком стара для ревности, — сказала мама. — Не привыкла к ней. Думала, она у меня в прошлом. Знаешь, дочка, я думаю, мне тогда было проще молиться за то, чтобы Пегги получила его, чем молиться за то, чтобы он достался мне... я имею в виду из-за ревности, из-за того недовольства, которое я получала от других. А еще я думаю, что мне было бы проще ревновать к одной из них, чем получить его и терпеть эту их ревность». Как и в случае с креслом прапрабабушки Уинифред, я почувствовала, что нам предстоит еще одна микроскопически продвигающаяся дискуссия, на этот раз касательно ревности — предмета, о котором раньше не только мама при мне рта не открывала, но о котором и я сама никогда не говорила, не хотела признаваться, главным образом, чтобы он не вызвал к жизни мою собственную версию «да, но» и страх перед другими людьми, и не только в трудные дни».

Так что «да, но» всплыло, чтобы противостоять всем моим попыткам поднять настроение матери. Стоило мне высказать похвалу для ее воодушевления, как тут же появлялось «да, но» со своими негативами и сводило мои усилия на нет. Когда «да, но» не давало о себе знать, мама смотрела в зеркало и вздыхала. И все же она при этом напоминала электрический свет. Вот она включена, а через минуту выключена, то включена, то выключена, то она умирала, то оживлялась.

«Некоторым все нипочем, — сказала она, — живут на полную катушку, танцуют бальные танцы, имеют великолепный вид, а совести ни на грош. Ты знала, дочка, что эта женщина, которая побеждает в соревнованиях по бальным танцам по телевизору, почти моих лет? Так вот — почти моих! Но мы бы все могли так выглядеть. Да это было бы не трудно так выглядеть — все высший класс, расфуфырены, дешевые улыбочки, сверкающие одежды, тела двигаются, как царствующие чемпионы, еще до того как они выходят на танцплощадку. Мы все могли бы быть такими, дочка, если бы сделали то, что сделала она. А ты знаешь, что она сделала? Она бросила шестерых своих новорожденных детей на диване, пусть выживают как хотят, на сухарях, которые она им набросала, а все для того, чтобы она могла красиво жить и сделать самую страстную и бурную карьеру в мире. И как назвать такое поведение? Какая мать поступила бы так? Да даже если ради славы стать лучшей, самой наилучшайшей или даже одной из этих бескорыстных душ, которые помогают принести мир и согласие в место с долгой историей ненависти и насилия. Танцы, и аплодисменты, и признание, и престиж, и доверие, и слава, и такой внешний вид — это еще не все. Ты могла бы представить, чтобы я забыла о своем долге, бросила детей?», а это вернуло ее на привычную почву и к ежедневным обязанностям.

А потом она вздыхала и погружалась еще глубже в свое отключенное состояние. Потом возвращалась к «не могу поверить, что пытаюсь сделать это, слишком стара, чтобы делать это. Не могу носить твою одежду. Это одежда для малолеток, а не для дамы в возрасте», и к тому, что она сидит на краю кровати не в силах сделать это, и к зависти к матери наверного бойфренда за то, что она может делать с таким великолепием. И тогда мне стало ясно, что мне этого не вынести. Я не могла нести за нее этот груз. Во мне для этого не было нужного устройства. Я не могла помочь ей, потому что она меня не слышала, ни в грош не ценила мое мнение, а большее внимание уделяла мнению «да, но». Кроме того, у меня были свои проблемы. Меня все еще преследовал Молочник. Он еще не только не был убит, он готовился активизироваться и приближался, чтобы поиграть со мной как кошка с мышкой, перед тем как съесть.

Но в случае с мамой мне требовалась поддержка, а это означало, могло означать только одно — я должна была обратиться к первой сестре. Она знает, что делать, подумала я, что предложить, как поддержать маму, вывести из пораженческих и негативных настроений. И старшая сестра не станет терпеть всех этих «да, но». Моей главной мыслью в тот момент было: «нужно привлечь старшую сестру, привлечь старшую сестру».

И вот пока мама и «да, но», обхватив головы руками и сидя на краях кроватей, потеряв бойцовский дух, возвращались к бескорыстию и праведничеству в смысле передачи настоящего молочника матери ядерного мальчика, а мелкие сестры храбро пытались убедить ее не делать этого, я спустилась по лестнице и сняла телефонную трубку. Мне не хотелось звонить старшей сестре из-за того напряжения, что существовало между нами. Оно приближалось к градусу кипения, и мы обе, безусловно, прекрасно это понимали. Мы понимали и то, что если я не отвергну Молочника, не прекращу, не положу конец моей безнравственной, потаскушечной связи с Молочником, и если она не прекратит безосновательно обвинять меня в связи с Молочником, то очень скоро это кипение разорвет котел и закончится либо физическим насилием, а то и того хуже — вербальным насилием с использованием непрощаемых, отвратительных слов. А это означало, что я должна предварить этот разговор. Немедленно, прежде чем она начнет свой следующий наскок на меня, сказать ей, что я звоню не ради себя, не ради нее, не ради Молочника и не ради ее ужасного мужа. Мама в беде. Ей необходима помощь, помощь первой сестры. Необходима немедленно, собиралась сказать я. Если сестра опять начнет про Молочника, потому что Молочник, казалось, стал ее навязчивой манией номер один в отношении меня, если я отвечу со злостью, а я отвечу, потому что это стало моей навязчивой манией номер один в отношении ее, то кто-то из нас, скорее всего, непременно повесит трубку. Мне бы этого не хотелось. Я знала — очень бы не хотелось. Но мне казалось, что в данный момент на такой риск необходимо пойти. И вот я взяла трубку и, как обычно, проверила ее на жучков, как и обычно, не зная, как мне узнать то, на что я проверяю трубку. Потом я набрала ее номер. Я услышала гудок, и тут мне в голову пришла мысль, что трубку может взять ее муж, и потому я подумала, что нужно повесить трубку, но только он не ответил. Ответила первая сестра, и только тогда я вспомнила, что он бы не смог ответить. Первый зять лежал в кровати, приходил в себя после того, как его избили военизированные.

Чтобы предотвратить ссору в самом начале, я сразу же начала с запланированного вступления. «Это я, старшая сестра. Я по поводу мамы, — и я тут же пустилась в объяснения. — ...И потому ей нужна помощь... Да, верно, ее друг, человек, который никого не любит... Ну да, именно... Ну да, ни в коем случае... Выяснятся, сестра, что она не хочет быть с ним просто друзьями... Она думает, что не сможет заполучить его, потому что экс-благочестивые женщины посеяли в ней семя вины, сказав... Что?.. Да... Угу... Да, все верно, я ей именно это и говорила, но... Ну да, именно, я именно это ей и говорила, но она меня не слушает... Я это знаю, сестра, только не забывай, у нее нервы на пределе, да и опыта в таких делах нет. Никаких таких дел у нее после папы не было. — Тут я пропустила всю ситуацию с неправильным выбором супруга, поскольку у старшей сестры это, вероятно, тоже было слабое место. — Так что, вероятно, много-много лет, — поспешила сказать я. — ...Что? Я об этом не подумала, но от этого все равно мало проку, потому что я не могу до нее достучаться... Именно это я и пыталась ей сказать, но у нее на все «да, но» и «да, но», и она заводит волынку по поводу ее одежды, ее тела, какого-то кресла, которое стало ей не по размеру... Да, кресла. Нет. *Кресла!* Я сказала: “кресла”!.. Я не кри чу! И нет, сестра, я не преувеличиваю. На, послушай. Это ее стоны и вздохи». Я подняла трубку — из моей спальни отчетливо слышались звуки умственных страданий. Доносились и отважные попытки мелких сестер утешить ее, они убеждали маму, что та выглядит точно так, как должна выглядеть, что с учетом умственного состояния мамы в данный момент, вероятно, было не лучшим утешением. Мелкие сестры перемежали эти попытки утешения беготней вниз по лестнице, чтобы узнать, что происходит по эту сторону телефонного разговора, потом неслись назад, чтобы возобновить попытки утешения и засвидетельствовать новые признаки безутешности. «Ну, слышишь? — сказала я, вернув трубку к уху. — Так ты придешь, сестра? Ей нужна помощь. Ей нужна ты. Только ты сможешь разрулить это дело и достучаться до нее, поговорить с ней, помочь ей, сделать что-то с ее верой в себя и с ее одеждой. Я не могу, у меня не получается, ты — другое дело. Так ты придешь? Можешь прийти? Не могла бы ты прийти? Сейчас?»

Вот что я ей сказала, преднамеренно используя «человек, который никого не любил» вместо «настоящий молочник». Любое упоминание молочника — любого молочника — определенно вызвало бы трения. Сестра не замедлила ответить. Она сказала, что придет через «пятнадцать минут и десять минут», что означало двадцать пять минут, что было понятно, поскольку десятиминутный пятачок был таким мрачным и призрачным, что никто не хотел включать его в свое нормальное время. «Я ей скажу, — сказала я, потом сказала: — Спасибо, сестра», и мы попрощались не столь пространно и утомительно, как это было бы в обычной ситуации, если бы подспудное напряжение, связанное с Молочником, все еще не висело между нами. Но все же мы произнесли несколько прощальных слов, не одно «до свидания» или вообще никаких «до свидания», что означало некоторые признаки робкого восстановления сестринских отношений. Телефонный разговор закончился, и без всяких ссор, без всяких пощечин, не было сказано никаких слов, о которых мы могли бы потом пожалеть, но не смогли их забрать назад, и притом сестра шла к нам. Слава богу, через пятнадцать минут и десять минут она будет здесь, чтобы навести порядок. Я повесила трубку, не очень думая о слухачах из той страны — слушали они или нет, бог с ними. И еще я вздохнула с облегчением, приготовилась к освобождению от привычки ведения душеспасительных разговоров с мамой наверху.

Сестра и в самом деле пришла через пятнадцать минут и десять минут, как и обещала. Она принесла одежду и всякие прочие женские вещи для данного лица и случая, с ней пришли и трое детенышей — два сына-близнеца и дочка, мужа она оставила дома одного зализывать раны сурового правосудия. Она немедленно, как я и предполагала, взяла бразды правления в свои руки, потому что они с мамой лучше понимали друг друга, она и думала, как мама, пребывала с ней в гармонии, была для мамы куда как лучшим духоподнимателем, чем я была для нее духоподнимателем. Первая сестра безошибочно, всегда точно чувствовала, что нужно, и она усадила кружком меня, мелких сестер, собственных мелких карапузов как подсобную команду, а сама принялась успокаивать и утешать маму. «Да, но» были запрещены, вернее, они прорывались сами по себе, но не как попытка возразить первой сестре. Остальные из нас использовались на подхвате, и мы были рады делать все, что нужно для мамы. Мама тем временем приободрилась, стала не такой грустной и не такой впавшей в уныние. И вот, когда мама стала довольной, первая сестра стала довольной, мелкие сестры стали довольными, мелкие карапузы и я стали довольными, я немного погодя сказала, что пусть они пока тут продолжают в том же духе, а я пойду вниз и поставлю чайник.

И теперь, две недели спустя после моего отравления и также после убийства, а еще после мамы с ее любовью и проблемами незащищенности, возникшими в связи с настоящим молочником; а еще два дня спустя после шефа и экс-наверного бойфренда с их авантюрными планами отправиться в Южную Америку, и после смерти Молочника, и после истории с Какего Маккакего, который теперь залечивал свои синяки и раскаивался в содеянном, я могла снова вернуться к нормальной жизни. Я была на кухне, готовила обед для девочек. Это было до того, как они отправились играть в международную пару, и до того, как я собиралась надеть свой спортивный костюм, в первый раз после отравления, и отправиться в дом третьего зятя. Мелкие сестры говорили, что хорошо бы мне поторопиться, что они уже совершенно готовы идти, совершенно готовы играть, как только я закончу и они поедят, и они, как обычно, хотели стейк «Фрей Бентос». «С чипсами, — добавили они. — Или с булочками “Пэрис Банс”, — с чипсами — сказали они. — Или с “бананами с чипсами”, или с “яйцами всмятку с чипсами”, или с “магазинным пирогом с чипсами”», и они продолжали про все с чипсами, хотя я уже объяснила, что чипсов они не получат по той простой причине, что я не умею их готовить и знаю наверняка, хотя на деле это и не было доказано, что сожгу дом, если попытаюсь, а потому и пытаться не буду. Была и еще одна причина — я не могла заставить себя вернуться в кулинарный магазин, хотя Молочник был мертв, а может быть, еще в большей мере из-за того, что он был мертв. Продавщицы, которые капитулировали, хотя я и не принуждала их к капитуляции, скорее всего, теперь продемонстрируют свою неприязнь в открытую, а там не заставит себя ждать и требование вернуть деньги и месть. Так что это дело со мной и Молочником еще не закончилось. Правда, я знала, что оно не будет закончено. С такими вещами приходится принимать каждый день, каждого человека, каждый упрек по очереди. Вместо чипсов, сказала я мелким сестрам, не могли бы они удовольствоваться тем, что их душе угодно, из серии

«Фрей Бентос», «Опал фрутс» или лакричными конфетками всех видов, мороженым, вафельными конфетками в виде летающих тарелочек в съедобной бумаге, начиненными шипучкой, которая взрывается на языке, что, я знала, им нравится, и вареной брюквой. «Что хотите, — сказала я. — Но только без чипсов», это отчасти их удовлетворило, отчасти разочаровало, но, в конечном счете, они остановились на одном из видов детских вкусностей, о которых мечтала я, приходя в себя после отравления. И вот я приготовила им чай, что состояло, главным образом, в доставании его из буфета. Но все это время не прекращалось: «Средняя сестра! Пожалуйста, поскорее. Почему ты не торопишься? Побольше, пожалуйста. Но почему ты не можешь более скорее?»

Я дала им то, что они просили, они поели и бросились играть в международную пару. Я выглянула в окно, когда поднималась по лестнице, чтобы переодеться для пробежки, и увидела начало игры в международную пару. Повсюду падали маленькие девочки. Словно маленькие девочки со всего района вышли поиграть, попрыгать, и, на первый взгляд, они напоминали подсвечники с дополнительной нагрузкой в виде золоченой парчи и рельефных обоев. Когда я вышла из дома, все улицы были запружены ими: залентованные, зашелкованные, забархаченные, закаблученные, заразношерстнонижнеюбочныс, парами или в одиночестве, но делая вид, что в парах, они вальсировали, периодически падая. А тем временем маленькие мальчики, не обращая внимания на маленьких девочек, временно приостановив операции против армии «оттуда» — вероятно, ввиду текущего отсутствия армии «оттуда», — по очереди изображали хорошего парня, последнего убитого в политических проблемах мученика в новой игре «Герой-Неприемник Молочник, выслеженный, атакованный и застреленный на обычный трусливый манер одной из расстрельных команд, которые наплодило некое террористическое государство».

«Блядь. Блядь».

Он знал, что я там, что это я, но продолжал, стоя спиной ко мне в своем саду, в спортивном одеянии, произносить свои обычные словечки во время разминки. Он не посмотрел на меня, никак не дал понять, что знает о том, что я пришла и наклонилась, чтобы открыть маленькую калитку его маленького сада. Значит, все еще дуется, решила я, имея в виду тот телефонный разговор, который у него состоялся с мамой о моем непоявлении на пробежках. Из-за этого, а еще из-за его сомнений в том, что мои ноги потеряли силу, тело — координацию, нарушилось равновесие, ноги стали заплетаться-спотыкаться, я решила, что лучше всего будет молча начать разминаться рядом с ним, не предпринимая никаких попыток объясниться. Поэтому так я и сделала. Спустя немного времени он сказал, так и не посмотрев на меня. «Думал, ты бросила бегать». — «Нет, — сказала я. — Дело было только в яде». — «Ну, сколько уже дней прошло, — сказал он, — и я уже начал думать, что ты больше не будешь бегать». — «Попытка убийства, зять». — «Так они все говорят, свояченица. Одно дело сказать, — тут голос зятя зазвучал напряженно, раздраженно, обиженно, — “Нет, не двенадцать миль, тридцать миль”, потому что это было бы упрямство. Но сказать — или попросить маму сказать “Нет, никакого бега, больше уже никогда никакого бега” — это уже плохая игра, вот так».

Все так же, не глядя на меня, он перешел к бедренным мышцам. Я знала, что должна спасать ситуацию, признать справедливость его претензий, успокоить обиженное сердце. Лучше всего сделать это можно было, заставив его вынудить меня застращать его, что он в настоящий момент со своей стороны и пытался сделать. Так что мне теперь оставалось только сказать: «Ну, все, я уже наелась. Мы сегодня бежим двадцать миль». Но я сильно сомневалась, что успела восстановиться, что мне хватит силы воли пробежать двадцать. Я и в десяти-то не была уверена, не знала толком, хотя ноги ко мне и возвращались, готова ли я вообще к бегу. Я думала, что могу, предложить сколько угодно миль, которые мы не побежим, но «мы сегодня побежим двенадцать миль», — объявил он, открывая торговлю, прежде чем это успела сделать я. «Мы не побежим двенадцать миль, — сказала я. — Мы даже одиннадцати не побежим», что попало в самую точку, потому что потом его голос зазвучал — что для него было спусковым крючком — умиротворенно и потрясенно одновременно. «Уж конечно *не* одиннадцать», — сказал он. «Верно, — сказала я. — Не одиннадцать. И не девять или восемь». — «Ну, хорошо, — сказал он. — Побежим девять». — «Нет, — сказала я. — Я же сказала не девять. Не семь и не шесть, может быть, пять — ладно, побежим шесть миль». — «Шесть миль — совсем немного! — воскликнул он. — Шесть миль! Шесть миль и ни милей больше? А как насчет два раза по шесть, свояченица, или шесть миль плюс еще три мили, или...» Конечно, я могла бы ответить «Послушай, зять. Беги больше, если хочешь. В самом деле, почему бы нам обоим не делать то, что нам по силам делать?» — потому что теперь, когда Молочник был мертв, наши совместные пробежки не имели значения. Я не признавала это открыто, я имею в виду для себя, чтобы это не вернулось ко мне обвинениями в том, что я предательница, бессердечный, плохой человек. Но факт оставался фактом, после Молочника и его «я мужчина, а ты женщина», и его «тебе не нужны эти пробежки» плюс его подтексты «я тебя укорочу и изолирую так, что скоро ты ничего не будешь делать», а еще после двух месяцев хождения спотыкаясь, когда ноги то странным образом не работают, то вдруг великолепно работают, я чувствовала себя снова в безопасности, чтобы бегать в одиночестве. Но пока, или по крайней мере, до того как зять снова не сбрендит с ума на новом витке своего приступа убер-наркомании, я решила продолжить пробежки с ним. «Только шесть миль», — провозгласила я, и в консчном счстс зять снизошел. «Ладно», — сказал он, он может восполнить недостаток нагрузки прыжками со скакалкой или дополнительными приседаниями и выпадами позднее в боксерском клубе. Итак, «я этим недоволен», — сказал он, но недовольным не казался. Он казался довольным, что, как решила я, означает, что мы снова в друзьях. В этот момент появилась его жена, моя третья сестра со своей бандой друзей, все они уже приняли на грудь. У них были еще бутылки, а также покупки, много покупок из бутика и шопинг-молла, все после проведенного вместе дня, когда брали штурмом одно за другим злачные места и ретейлеров.

«Господи боже, мы набухались», — сказали они, после чего, включая и сестру, упали на декоративную живую изгородь. Сестра взорвалась звездочками, значками процентов, собачками, амперсандами, диакретическими знаками, решетками, значками доллара, всеми этими «два пальца об асфальт» непристойностями. Ее друзья, поднимаясь с травы вместе с бутылками и покупками, ответили ей: «Ну, мы же тебе говорили, подруга. Мы тебя предупреждали. Это уж слишком, совсем из берегов. Эта злобная живая изгородь. Избавься от нее». — «Не могу, — сказала сестра. — Мне любопытно увидеть, как она проявит себя и индивидуализируется». — «Ты не сможешь увидеть, как она проявит себя и индивидуализируется. Она проявит себя в День триффидов. Она индивидуализируется в попытку убить нас». После этого они оставили поношение изгороди и обратили свое внимание на нас.

Первому досталось зятю.

«Говорят, ты бил женщин в парках-и-...» Эта конкретная подруга сестры не смогла закончить фразы, потому что зять, услышав первые слова, вышел из своей растяжки. «Что?! — захлебываясь от возбуждения, проговорил он. — Это кто про меня врет?» — «Перестаньте, — сказала третья сестра друзьям. — Вот так, молодцом. — Потом она обратилась к нему: — Не обращай внимания. Они темные, влажные сорняки для твоей просветленной чувствительности». Хотя было бы затруднительно, сохраняя серьезное лицо, обращаться к третьему зятю как к некой легковозбудимой бесплотности — что и чувствовали ее друзья, разразившиеся смехом, — я пятым чувством осознавала, что имеет в виду сестра. Если бы кого-то из нас, присутствующих, нужно было бы назвать самым скромным, самым, самым восприимчивым среди нас, то я бы сказала, и сестра бы сказала, даже ее друзья, несмотря на их смех, сказали бы: «Ну, да, если так вопрос стоит, то, наверно, это он».

«Опа!» — сказала третья сестра и прыгнула к мужу, и тут я обратила внимание, насколько, как сказала мама, гибка и изящна на ногах — если только она не падала на живую изгородь — была третья сестра. «Ты хочешь сказать, что это неправда?» — вскричал зять чуть менее потрясенным голосом, но так еще и не успокоившись после обвинения. «Конечно, это неправда. Одна мысль о том, что ты кого-то ударил...» — «Я не об этом, — сказал зять. — Я говорю, неправда то, что кто-то распространяет это про меня?» — «Никто это про тебя не распространяет». И тут третья сестра смачно, театрально поцеловала мужа в губы. «Нет, отойди, — сказал он, отодвигая ее. — Я не в настроении тебя целовать». После этого он обратился к остальным, кто его рассердил, кто выбил его из колеи, и тоже с требованием, что к нему не надо относиться как к шутке, с которой ему самому не следует мириться, в особенности от того самого пола, от которого он никак не ждал насмешки над такими принципами. «Прекратите эти обвинения и злословия, — сказал он. — Это не смешно. Распускать слухи о людях. Разрушать репутации хороших мужчин. Вы больше не дети, ведите себя так, как подобает вашему возрасту».

Как об стену горох. После этого они взялись за меня.

«Ой-ой, смотрите, кто здесь», — воскликнула одна, хотя все они и без того уже смотрели на меня. «Картинка с выставки! — воскликнула еще одна, показывая на третьего зятя. — Вы что — оба на парочку отправляетесь на Ежегодный съезд синяков?» Тут третий зять повернулся и увидел мой синяк, а я увидела его синяк.

Синяки на лице зятя не были частым явлением, но они были частым явлением по сравнению с синяками на мне, а потому не могли считаться такой уж редкостью. Когда я увидела утром свой синяк, то единственным моим утешением был тот факт, что Какего Маккакего и сам не отделался легким испугом. Он у себя, наверное, насчитал синяков двадцать, не меньше, успокоила я себя — благодаря любезности этих женщин, а потом их мужчин, а потом неприемников — и все наверняка гораздо чернее, чем здесь. «Будет ему уроком», — успокоила я мое отражение, потом задумалась — идти мне на работу или нет. В конечном счете, я пошла, наложив на синяк тонны косметики, хотя — что я обнаружила, как только вышла из двери — и не так успешно, как мне поначалу показалось.

«Значит, это правда, — сказал третий зять. — До меня дошел слух, но, поскольку он исходил от твоего первого зятя, то я не был расположен к нему прислушиваться. Но эта Срань Максрань Маккакего все же сделал это с тобой?» Я пожала плечами, что означало, да, но что было, то прошло, к тому же он за это свое получил. «Да ладно», — единственное, что сказала я, что в зависимости от контекста могло означать, что угодно. В данном контексте оно означало, да оставь это, зять. Там уже меры приняты. И потом я думала, что в сравнении со всем случившимся — в особенности в сравнении с тем, что случилось бы со мной предыдущим вечером, если бы Молочника не убили, а вместо этого он вынудил бы меня встретиться с ним, как он меня к этому подготовил, — Какего Маккакего и его удар пистолетом вряд ли вообще стоили упоминания. «Не имеет смысла», — сказала я. «А по мне так имеет, свояченица, — сказал зять. — И как быть с принципами? Ты женщина. Он мужчина. Ты женского рода. Он мужского. Ты моя свояченица, и мне все равно, сколько членов его семьи убито, он ублюдок и был бы ублюдком, даже если бы у них никого не убили». Они не все были убиты. Убили только четверых. Из двух других один покончил с собой, другой умер случайной смертью.

Зять теперь сильно рассердился, и меня это тронуло. Значит, Какего Маккакего ошибался. Людям здесь не насрать. Но в зяте было и что-то еще, что-то связанное с этой его странной касающейся женщин умственной аберрацией, которой общество уже поставило диагноз. Со всем его идолопоклонством перед женщинами, со всей его верой в святость женского начала, в то, что женщины существа более высокого порядка, загадка жизни и все такое, он любое злоупотребление по отношению к ним именовал не иначе как изнасилование. Изнасилование для зятя не делилось ни на какие категории. У него на сей счет не было никакой уклончивости, риторических уловок, лукавых полемических приемов или четвертных количеств чего-то, или половинных количеств чего-то, или трехчетвертных количеств чего-то. Это была не презентационная упаковка. Изнасилование было изнасилованием. Еще оно было синяками. Пистолетом, приставленным к груди. Руками, кулаками, оружием, ногами, используемыми мужчинами преднамеренно или случайно-преднамеренно против женщин. НИКОГДА И ПАЛЬЦА НЕ ПОДНИМАЙ НА ЖЕНЩИНУ гласила бы, ко всеобщему смущению, надпись на футболке зятя, если бы только такая футболка существовала. В соответствии с его правилами — и моими тоже, по крайней мере до нападения на меня сообщества и Молочника, — посягательством мог считаться только физический контакт. Это означало, что все, что оставалось за рамками этого злоупотребления, все, что не было физическим: сталкинг без прикосновения, слежка без прикосновения, окружение, доминирование, манипулирование в отсутствие телесного контакта — все это не могло иметь места. И потому из всех, кто слышал про обхаживание меня Молочником, только третий зять, он единственный, безусловно, не считал, что это происходило.

То, что он не видел разрушительных воздействий на психику, было одним из его недостатков. А вот синяк он видел. «Почему бы тебе просто не выкинуть это из головы, зять? — сказала я. — Его отметелили — без преувеличений — сотни тысяч народу». Я добавила, что в этом наблюдалось некое временное совпадение, ощущение судьбы, проворство, некая космическая справедливость, которую легко можно описать, как чисто алхимический процесс. «Так что никаких других действий не требуется», — сказала я, изо всех сил стараясь довести до него эту мысль. Я просто устала от синяка, устала от Маккакего, устала от правил, от принятых в районе норм. Что же касается принципов, то иногда приходится говорить «в задницу эти принципы», и это иногда подошло сейчас, когда запас моей энергии исчерпался на все сто. «Так что тебе не надо этого делать», — сказала я, добавив, что его намерение вернуться назад и меня отвести назад будет означать, что нам придется отложить то, что мы собирались делать — отправиться на пробежку. «Но спасибо, зять, — сказала я. — Не думай, что я тебе не благодарна, потому что я тебе благодарна». Поразмыслив немного, зять сказал, что он все равно его отметелит. «В этом нет нужды», — сказала я. «И все же», — сказал он. «Да ладно», — сказала я. «Да ладно — это как?» — сказал он. «Да ладно, пусть уже», — сказала я. «Да ладно, пусть уже — что?» — сказал он. «Да ладно пусть уже, если тебе так нравится». — «Да ладно пусть уже, мне, конечно, нравится». — «Ну, тогда да ладно, бог с ним». — «Да ладно», — сказал он. «Да ладно», — сказала я. «Да ладно», — сказал он. «Да ладно», — сказала я. «Да ладно».

С этим мы уладили. Потом снова стали разминаться, и тогда другие, смеявшиеся над нашим разговором, пока наш разговор им не надоел, приостановили нашу разминку. Сестра вынесла вердикт: «Ну, ты живешь захватывающей жизнью, средняя сестра», что я не восприняла как оскорбление, мне ее слова даже показались забавными, потом все они отвернулись и набились в до смешного крохотный домик третьей сестры и третьего зятя. Вскоре после этого из раскрытого окна раздались звуки разворачивания пакетов, восторженных восклицаний при виде покупок, насущной суеты бутылок, бокалов, пепельниц и Элвиса. А мы двое тем временем продолжили разминку, потом зять сказал: «Ну? Готова?», а я сказала: «Готова, бежим, мы сделаем это». Когда мы перепрыгнули через невысокую живую изгородь, потому что не могли себе позволить отвлекаться на крохотную калитку в начале пробежки, я вдохнула свет раннего вечера и поняла, что наступило смягчение, то, что другие могли бы назвать «небольшим смягчением». А потом, приземлившись на дороге в направлении парков-и-прудов, я выдохнула этот свет, и мгновение, всего лишь короткое мгновение, я почти чуть ли не смеялась.

Привожу имена всех, кому хочу выразить благодарность:

Кейти Николсон; Клер Даймонд; Джеймс Смит; Джерард Макдональд; Карлос Пенья Мартин; Джули Раггинс; Мия Топли-Раггинс; Белл Топли-Раггинс; Лизетт Тиздейл; Майк Тиздейл; Кейти Тиздейл; Дэн Тиздейл; Джордж Тиздейл; Рэт Тэтчер; Сара Эванс; Королевский литературный фонд; Джо Бернс; Катарин Мерчвуд; Мэгги Батт; Джейн Уайлд; Джуди Хиндли; Джон Хиндли; Брайан Уттон; Сэлли Уттон; Лиз Кей; Хеллен Колбек; Вирджиния Кроу; Пэт Вигнесварен; К. Вигнесварен; Энн Рэдли; Найджел Стивенс; Тони Доусон; Рассел Халил; Анни Друри; Марк Ламберт; Арчи; Селина Мартин; Микаэла Хурcомб; Дэвид Кокс; Марианна Макдональд; Чарльз Уолш; Астрид Фюрмайстер; Весна Мейн; Питер Мейн; Джанин Герхардт; мой агент Дэвид Гроссман; Луиза Джойнер и команда в «Фабер»; Йэн Критчли, корректор «Молочника»; Хейзел Орм, корректор «Маленьких конструкций»; Морин Руперт Фейдем; Джеймс Гарднер, Джоан Уигналл, Терри Хоуэлл, Кристин Тутт и Джон Шоу (Комитет) в ХОУМЛИНКе церквей квартала Льюис; Нью-Хейвенский пищевой Банк; Ники Грей (в прошлом из Ассоциации развития в Нью-Хейвене); Хэмптонский благотворительный фонд; Сообщество авторов, Совет по оказанию помощи малоимущим при аренде жилья, Департамент по трудоустройству и пенсионной системе; Суд первого уровня Палаты социального вспомоществования (Судебных и арбитражных служб Ее Величества) в Брайтоне в составе доктора Р. Д. С. Уатсон и судьи А. Дж. Келли, а еще кроткому и любезному привратнику, чьего имени я, как это ни печально, никогда не узнала; Фонд Элизабет Финн.

За долгие годы я получала много даров и помощи, предлагавшихся мне с заботой и добротой друзьями и незнакомыми людьми. С нетерпением жду того дня, когда я задам обалденную вечеринку, чтобы отблагодарить их всех, но пока это невозможно, потому что все расходы пришлось бы нести им.

Мысли напоследок:

Спасибо мне.

Спасибо приюту «Уайт Игл».

Святому Духу: спасибо тебе.

Содержание

Литературно-художественное издание

Анна Бернс

МОЛОЧНИК

Ответственный редактор *Д. Обгольц*
Литературный редактор *Н. Жукова*
Выпускающий редактор *М. Петрова*
Художественный редактор *Р. Фахрутдинов*
Технический редактор *Г. Романова*
Компьютерная верстка *М. Караматозян*
Корректор *Л. Китс*

Фотография на обложке:
© Patrick Cullen / EyeEm / Gettyimages.ru

ООО «Издательство «Эксмо»
123308, Москва, ул. Зорге, д. 1. Тел.: 8 (495) 411-68-86.
Home page: www.eksmo.ru E-mail: info@eksmo.ru
Өндіруші: «ЭКСМО» АҚБ Баспасы, 123308, Мәскеу, Ресей, Зорге көшесі, 1 үй.
Тел.: 8 (495) 411-68-86.
Home page: www.eksmo.ru E-mail: info@eksmo.ru.
Тауар белгісі: «Эксмо»
Интернет-магазин : www.book24.ru

18+

Интернет-магазин : www.book24.kz
Интернет-дүкен : www.book24.kz
Импортёр в Республику Казахстан ТОО «РДЦ-Алматы».
Қазақстан Республикасындағы импорттаушы «РДЦ-Алматы» ЖШС.
Дистрибьютор и представитель по приему претензий на продукцию,
в Республике Казахстан: ТОО «РДЦ-Алматы»
Қазақстан Республикасында дистрибьютор және өнім бойынша арыз-талаптарды
қабылдаушының өкілі «РДЦ-Алматы» ЖШС,
Алматы қ., Домбровский көш., 3«а», литер Б, офис 1.
Тел.: 8 (727) 251-59-90/91/92; E-mail: RDC-Almaty@eksmo.kz
Өнімнің жарамдылық мерзімі шектелмеген.
Сертификация туралы ақпарат сайтта: www.eksmo.ru/certification

Сведения о подтверждении соответствия издания согласно законодательству РФ
о техническом регулировании можно получить на сайте Издательства «Эксмо»
www.eksmo.ru/certification
Өндірген мемлекет: Ресей. Сертификация қарастырылмаған

Подписано в печать 11.10.2019. Формат 84х108 1/32.
Гарнитура «Newton». Печать офсетная. Усл. печ. л. 21,84.
Тираж 5000 экз. Заказ 10661.

Отпечатано с готовых файлов заказчика
в АО «Первая Образцовая типография»,
филиал «УЛЬЯНОВСКИЙ ДОМ ПЕЧАТИ»
432980, Россия, г. Ульяновск, ул. Гончарова, 14

Москва. ООО «Торговый Дом «Эксмо»
Адрес: 123308, г. Москва, ул. Зорге, д.1.
Телефон: +7 (495) 411-50-74. **E-mail:** reception@eksmo-sale.ru

По вопросам приобретения книг «Эксмо» зарубежными оптовыми покупателями обращаться в отдел зарубежных продаж ТД «Эксмо»
E-mail: **international@eksmo-sale.ru**

International Sales: International wholesale customers should contact Foreign Sales Department of Trading House «Eksmo» for their orders.
international@eksmo-sale.ru

По вопросам заказа книг корпоративным клиентам, в том числе в специальном оформлении, обращаться по тел.: +7 (495) 411-68-59, доб. 2261.
E-mail: **ivanova.ey@eksmo.ru**

Оптовая торговля бумажно-беловыми и канцелярскими товарами для школы и офиса «Канц-Эксмо»:
Компания «Канц-Эксмо»: 142702, Московская обл., Ленинский р-н, г. Видное-2, Белокаменное ш., д. 1, а/я 5. Тел./факс: +7 (495) 745-28-87 (многоканальный).
e-mail: **kanc@eksmo-sale.ru**, сайт: www.**kanc-eksmo.ru**

Филиал «Торгового Дома «Эксмо» в Нижнем Новгороде
Адрес: 603094, г. Нижний Новгород, улица Карпинского, д. 29, бизнес-парк «Грин Плаза»
Телефон: +7 (831) 216-15-91 (92, 93, 94). **E-mail**: reception@eksmonn.ru

Филиал ООО «Издательство «Эксмо» в г. Санкт-Петербурге
Адрес: 192029, г. Санкт-Петербург, пр. Обуховской обороны, д. 84, лит. «Е»
Телефон: +7 (812) 365-46-03 / 04. **E-mail**: server@szko.ru

Филиал ООО «Издательство «Эксмо» в г. Екатеринбурге
Адрес: 620024, г. Екатеринбург, ул. Новинская, д. 2щ
Телефон: +7 (343) 272-72-01 (02/03/04/05/06/08)

Филиал ООО «Издательство «Эксмо» в г. Самаре
Адрес: 443052, г. Самара, пр-т Кирова, д. 75/1, лит. «Е»
Телефон: +7 (846) 207-55-50. **E-mail**: RDC-samara@mail.ru

Филиал ООО «Издательство «Эксмо» в г. Ростове-на-Дону
Адрес: 344023, г. Ростов-на-Дону, ул. Страны Советов, 44А
Телефон: +7(863) 303-62-10. **E-mail**: info@rnd.eksmo.ru

Филиал ООО «Издательство «Эксмо» в г. Новосибирске
Адрес: 630015, г. Новосибирск, Комбинатский пер., д. 3
Телефон: +7(383) 289-91-42. E-mail: eksmo-nsk@yandex.ru

Обособленное подразделение в г. Хабаровске
Фактический адрес: 680000, г. Хабаровск, ул. Фрунзе, 22, оф. 703
Почтовый адрес: 680020, г. Хабаровск, А/Я 1006
Телефон: (4212) 910-120, 910-211. **E-mail**: eksmo-khv@mail.ru

Филиал ООО «Издательство «Эксмо» в г. Тюмени
Центр оптово-розничных продаж Cash&Carry в г. Тюмени
Адрес: 625022, г. Тюмень, ул. Пермякова, 1а, 2 этаж. ТЦ «Перестрой-ка»
Ежедневно с 9.00 до 20.00. Телефон: 8 (3452) 21-53-96

Республика Беларусь: ООО «ЭКСМО АСТ Си энд Си»
Центр оптово-розничных продаж Cash&Carry в г. Минске
Адрес: 220014, Республика Беларусь, г. Минск, проспект Жукова, 44, пом. 1-17, ТЦ «Outleto»
Телефон: +375 17 251-40-23; +375 44 581-81-92
Режим работы: с 10.00 до 22.00. **E-mail:** exmoast@yandex.by

Казахстан: «РДЦ Алматы»
Адрес: 050039, г. Алматы, ул. Домбровского, 3А
Телефон: +7 (727) 251-58-12, 251-59-90 (91,92,99). E-mail: RDC-Almaty@eksmo.kz

Украина: ООО «Форс Украина»
Адрес: 04073, г. Киев, ул. Вербовая, 17а
Телефон: +38 (044) 290-99-44, (067) 536-33-22. **E-mail**: sales@forsukraine.com

Полный ассортимент продукции ООО «Издательство «Эксмо» можно приобрести в книжных магазинах «Читай-город» и заказать в интернет-магазине: www.chitai-gorod.ru.
Телефон единой справочной службы: 8 (800) 444-8-444. Звонок по России бесплатный.

Интернет-магазин ООО «Издательство «Эксмо»
www.book24.ru
Розничная продажа книг с доставкой по всему миру.
Тел.: +7 (495) 745-89-14. E-mail: **imarket@eksmo-sale.ru**

ISBN 978-5-04-104863-1

9 785041 048631 >